CW00542383

TALIESIN O EIFION A'I OES:

BARDD Y GADAIR DDU GYNTAF

EISTEDDFOD WRECSAM, 1876

I Glesni a'r Teulu

Gyda diolch o galon a phob dymuniad da

Robin (Gwyndaf)

5. VIII. 2012

TALIESIN O EIFION A'I OES:
BARDD Y GADAIR DDU GYNTAF
EISTEDDFOD WRECSAM, 1876

Robin Gwyndaf

Robin Gwyndaf

52/500

y Lolfa

Argraffiad cyntaf: 2012

Llun y clawr: Almanac 1878,
i gofio Taliesin o Eifion, Bardd y Gadair Ddu gyntaf,
Eisteddfod Wrecsam, 1876.
Drwy ganiatâd Llyfrgell Genedlaethol Cymru.

Llun yr awdur: gyda diolch i
Arwyn Lloyd Jones, Weston Rhyn

Rhif Llyfr Rhyngwladol: 978 1 84771 391 9

Cyhoeddwyd ac argraffwyd yng Nghymru gan
Y Lolfa Cyf., Talybont, Ceredigion SY24 5HE
gwefan www.ylolfa.com
e-bost ylolfa@ylolfa.com
ffôn 01970 832 304
ffacs 832 782

Cyflwynir y gyfrol hon gyda pharch a diolch o galon

I **Elizabeth Bowen Roberts**, Llangollen, disgynnydd i Daliesin o Eifion; ac i'r **Dr David Roberts** a'i briod, **Enid**, Bangor, ac i **Hilary Rhiannon Roberts**, ei phriod, **Russell**, a'u mab, **Ivor Julian**, Caerdydd, disgynyddion i deulu'r seiri coed nodedig o Langollen, am iddynt werthfawrogi'u treftadaeth.

⋆ ⋆ ⋆

I'm cyfeillion oes, **Phyllis Kinney** a'r **Dr Meredydd Evans**, ac i'm hathrawon hoff ym Mhrifysgol Bangor, 1959-64, a'm cyflwynodd o'r newydd i gyfoeth barddoniaeth Gymraeg, baled a chân: yr **Athro R Geraint Gruffydd**, ac er cof annwyl am yr **Athro Bedwyr Lewis Jones** (1933-1992) ; y **Dr John Gwilym Jones** (1904-1988); **Brinley Rees** (1916-2001); y **Dr Enid Pierce Roberts** (1917-2010); a'r **Athro J E Caerwyn Williams** (1912-1999).

⋆ ⋆ ⋆

I bump o'm cyn-gydweithwyr yn Amgueddfa Werin Cymru am eu cyfeillgarwch a'u cefnogaeth gyson: **Trefor M Owen**, **Vincent H Phillips**, **D Roy Saer**, y **Dr Eurwyn Wiliam**, ac er cof annwyl am y **Dr Elfyn Scourfield** (1942-2012).

⋆ ⋆ ⋆

Hefyd er cof annwyl am yr **Athro Hywel Teifi Edwards** (1934-2010), a'n dysgodd ni oll i werthfawrogi pwysigrwydd y bedwaredd ganrif ar bymtheg a chyfraniad canolog yr Eisteddfod, yr Orsedd, a'i beirdd.

Hywel, ti oedd ein hawen; - oet ar dân;
Oet ŵr dewr; oet dderwen;
Ein llyw hyd lwybrau ein llên;
Ein hangor ymhob angen.

(R G)

Cynnwys

Rhagair

HYFRYDWCH ARBENNIG IAWN i mi fu cael ysgrifennu'r gyfrol hon. Gwnaed hynny rhwng misoedd Mai a Rhagfyr 2011. Ond, mewn un ystyr, bu cynnwys y gyfrol ar fy meddwl ers rhai blynyddoedd. Fy mraint fawr i, yn bennaf drwy fy ngwaith yn Sain Ffagan, Amgueddfa Werin Cymru, fu cael treulio rhan dda o oes yn rhoi ar gof a chadw mewn sawl ardal beth o gyfoeth llên a llafar gwŷr a gwragedd ym maes diwylliant gwerin. Yna, wedi'r cofnodi, cael rhannu. Wedi darganfod trysor, cael ei roi yn ôl i bobl Cymru a thu hwnt, drwy gyfrwng sgwrs a darlith, erthygl a llyfr, tâp a gwefan. Personau di-goleg, hunanddysgedig, oedd y mwyafrif mawr o'r cymwynaswyr diwylliedig hyn. Digon di-sôn-amdanynt hefyd – amryw ohonynt. Mor rhwydd yw anghofio am eu cymwynas.

Person tebyg iawn oedd Thomas Jones, Taliesin o Eifion (1820-76) a fu'n brysur iawn gyda'i frwsh a'i baent, ond a ymgollai'n llwyr hefyd ym myd yr awen bob cyfle oedd ar gael iddo. Gŵr hunanddysgedig oedd yntau, a thalentog iawn: bardd, diddanwr a chanwr penillion; paentiwr ac addurnwr; llythrennwr a gwneuthurwr baneri a hysbysfyrddau; gwydrwr, crefftwr coed, a gwneuthurwr y beithynen gain ar gyfer Eisteddfod Fawr Llangollen, 1858. Roedd yntau'n gymwynaswr yn ei ddydd a'i oes. Mor hyfryd yn awr yw cael dwyn y gymwynas honno unwaith eto i gof.

Ond yr un modd, rhan o hyfrydwch ysgrifennu'r gyfrol hon oedd gwybod bod cyflwyno hanes un person mewn un oes yn fodd hefyd i adnabod yr oes arbennig honno'n well. Ac, afraid dweud, dyma oes eithriadol o bwysig yn hanes Cymru: cyfnod yr ymateb i 'Frad y Llyfrau Gleision'; cyfnod y Frenhines Fictoria a grym cynyddol yr Ymerodraeth Brydeinig pan oedd cymaint o Gymry hwythau yn ymbrydeinio; a'r cyfnod a ddisgrifiwyd mor eithriadol o agos at y gwir gan Daliesin o Eifion ei hun gyda'r geiriau 'Cymru lân, Cymru lonydd...' Onid y diweddar Athro Hywel Teifi Edwards a ddywedodd: o'r holl ansoddeiriau, 'llonydd' yw'r un sy'n cyfleu orau gyflwr Cymru yn y cyfnod hwn. Dyna un rheswm paham, er enghraifft, y cynhwyswyd yn y gyfrol hon ddyfyniadau a chyfieithiadau o anerchiadau Saesneg llywyddion y dydd mewn Eisteddfodau Cenedlaethol. Y maent yn gymorth inni ddeall yn well seicoleg a meddylfryd Cymry'r oes honno, a Thaliesin yn eu plith.

Cyfrol yw hon am fywyd a gwaith Taliesin o Eifion. Ond cyfrol hefyd am fyd Taliesin o Eifion a'r oes yr oedd yn byw ynddi: byd y gweithgarwch eisteddfodol mawr yn ail hanner y bedwaredd ganrif ar bymtheg a chyfraniad lliwgar a phwysig Gorsedd Beirdd Ynys Prydain; byd y bri ar ennill cadeiriau eisteddfodol; byd y crefftwyr coed talentog a luniai'r cadeiriau hynny; a byd Cymry gwlatgar, ond Prydeinig, 'Gwlad y Gân' oes Fictoria. Dyna paham y cynhwyswyd yn y gyfrol bresennol, er enghraifft, bennod yr un ar Eisteddfod Fawr Llangollen, 1858; Eisteddfod Genedlaethol Wrecsam, 1876; a'r teulu o wneuthurwyr cadeiriau eisteddfodol o Langollen.

I grynhoi, felly, fy ngobaith yw y bydd y gyfrol hon:

* yn bortread o fardd a chrefftwr dawnus a diddorol;
* yn ddathliad o draddodiad cyfoethog teulu nodedig o seiri coed a gwneuthurwyr cadeiriau eisteddfodol;
* yn ddarlun o fwrlwm eisteddfodol mewn cyfnod pwysig ac arwyddocaol iawn yn hanes Cymru.

* * *

Yn ei gerdd fawr 'Pa Beth yw Dyn', fe gofiwn i Waldo ofyn cyfres o gwestiynau, a'u hateb yn ardderchog iawn. Y cwestiwn a'r ateb cyntaf yw:

Beth yw byw? Cael neuadd fawr
Rhwng cyfyng furiau.

Yn y gyfrol hon fy hyfrydwch innau yw cael estyn gwahoddiad i chwi'r darllenwyr ddod gyda mi ar siwrnai ddiddorol, agor cil y drws, a chroesi'r rhiniog i neuadd arbennig iawn mewn cyfnod ac ardal arbennig, ac yng nghwmni person a theulu arbennig iawn. Pob mwynhad a bendith ar y daith.

Gair o Ddiolch

Hyfrydwch arbennig iawn bob amser yw cael diolch. Felly yn awr. Diolch o galon. O'r foment y dechreuwyd casglu'r deunydd ar gyfer y gyfrol hon a mynd ati i'w hysgrifennu, cefais bob cynhorthwy a chydweithrediad: boed luniau ar fenthyg neu wedi'u harchebu; boed wybodaeth o'r newydd. Y mae arnaf faich o ddyled i lu mawr o unigolion a sefydliadau, a cheisiais nodi hynny'n fanylach yn y nodiadau. Derbynied y personau a'r sefydliadau hyn, felly, fy niolch mwyaf diffuant. Canmil diolch.

* Dr David ac Enid Roberts, Bangor. Y mae David yn ŵyr i Morris Henry Roberts (1853-1941), brawd i John Roberts (1834-86), gwneuthurwr y Gadair Ddu gyntaf. Caf nodi eto, yn y Rhagymadrodd, fy nyled fawr i Enid a David Roberts.

* Elizabeth Bowen Roberts, Llangollen, disgynnydd i Daliesin o Eifion ar ochr ei thad, Edward Ellis Roberts. Rhoes imi bob cefnogaeth, a chefais ganddi fenthyg nifer o luniau a deunyddiau gwerthfawr, megis dwy o fedalau arian Taliesin.

* Hilary Rhiannon Roberts a Russell Roberts, ei phriod, Caerdydd. Y mae Hilary yn or-or-wyres i John Roberts, gwneuthurwr y Gadair Ddu. Buont hwythau yn garedig iawn, er enghraifft, yn darparu llun ardderchog o John Roberts.

* Peter Jones, un o Ymddiriedolwyr Amgueddfa Llangollen. Y mae ef yn fwynglawdd o wybodaeth am Daliesin o Eifion a'i deulu ac am y teulu talentog o seiri coed a gwneuthurwyr cadeiriau eisteddfodol o Langollen. Cefais ganddo lu o luniau, ac atebodd gant a mil o ymholiadau gydag ymroddiad a graslonrwydd nodedig.

Y mae un cipolwg ar y nodiadau i'r penodau yn dangos maint fy nyled iddo.

* Felly yn union Hedd ap Emlyn, Prif Lyfrgellydd, Llyfrgell Wrecsam. Cefais ganddo yntau gefnogaeth a chymorth amhrisiadwy a fu'n ysbrydoliaeth i mi bob cam o'r daith. Er enghraifft, darparodd nifer o luniau a hefyd lungopïau o blith ei gasgliad personol gwerthfawr o lythyrau yn ymwneud ag Eisteddfod Fawr Llangollen, 1858.
* Dr Anne a Howard Williams, Clynnog Fawr. Unwaith yn rhagor, fel gyda chyfrolau yn y gorffennol, y mae fy niolch iddynt hwy yn ddifesur. Mawr werthfawrogaf eu cefnogaeth gyson a'u diddordeb byw yn y gwaith. Nid yn unig y maent wedi darparu fersiwn electronig o'r gyfrol gyfan, y maent hefyd wedi cynnig llu o awgrymiadau y bu imi fanteisio'n fawr arnynt.
* Tegwyn Jones, Bow Street, gŵr sy'n hyddysg iawn yn yr oes yr oedd Taliesin o Eifion yn byw ynddi. Yr un yw fy niolch cywiraf iddo yntau. Darllenodd y gyfrol gyfan mewn teipysgrif, gan gynnig nifer o awgrymiadau gwerthfawr.
* Delwyn Tibbott, Caerdydd. Darllenodd ef y gyfrol gyfan mewn proflenni, a mawr werthfawrogaf ei ofal a'i awgrymiadau caredig.
* Eleri Gwyndaf, fy mhriod. Darllenodd hithau'r gyfrol mewn teipysgrif a phroflen. Am ei chariad a'i chefnogaeth gyson, diolch o waelod calon.
* Felly fy merch, Nia Eleri, a'm mab, Llyr Gwyndaf, yn arbennig y tro hwn am eu cymorth gyda'r lluniau.
* Richard Bebb, Cydweli, cyd-awdur *The Bardic Chair. Y Gadair Farddol*. Diolch lawer iddo am ddarparu lluniau.
* Duncan Brown, Waunfawr, Arfon. Yn ôl ei arfer, rhannodd yn hael o stôr ddihysbydd ei wybodaeth am fyd natur pan drafodem y coed a'r planhigion a gerfiwyd ar rai o'r cadeiriau eisteddfodol.

- Alwena a Keith Avery, Llangollen. Y mae Keith Avery yn ŵyr i Arthur Avery (1872-1933) a barhaodd i lunio dodrefn i'r tŷ a chadeiriau ar gyfer eisteddfodau lleol ar ôl Morris Henry Roberts (1865-1927), sef yr olaf o wneuthurwyr cadeiriau barddol y teulu nodedig o seiri coed o Langollen.
- Sara Reid, Coety, Morgannwg, perchennog cadair farddol a fu unwaith yn eiddo i'w hen ewythr, Gwili. Bu cymysgu rhwng y gadair hon a'r Gadair Ddu gyntaf.
- Emrys Williams, Whitby, Ellesmere Port. Bu mor garedig â rhoi print yn rhodd imi o'i ddarlun dyfrliw o Blas Newydd, Llangollen.
- Rob Davies, Llanarmon Dyffryn Ceiriog: llun o Gastell Dinas Brân.
- Gwenllian Carr, Pennaeth Marchnata, Eisteddfod Genedlaethol Cymru.
- Llyfrgell Genedlaethol Cymru. Gwelir imi wneud defnydd helaeth o'r casgliad digymar o ffotograffau sydd ar gadw yn y Llyfrgell. Pleser arbennig hefyd yw cael diolch i staff yr Adran Ymholiadau am wasanaeth rhagorol iawn. Yn eu plith, Camwy MacDonald ac Emyr Evans. Felly, yn ôl ei arfer, y cymorth parod a dderbyniais gan y Dr Huw Walters.
- O 'drysordy'r genedl' yn Aberystwyth i 'drysordy'r genedl' yn Sain Ffagan. Fel yn y gorffennol, derbyniais gan fy nghydweithwyr yn yr Amgueddfa Werin bob cymorth a chefnogaeth. Y tro hwn rhaid imi ddiolch yn arbennig i'r Dr Sioned Williams, Curadur Dodrefn a chyd-awdur *The Bardic Chair. Y Gadair Farddol*; Elen Phillips, Curadur Gwisgoedd, a'm cyfeiriodd gyntaf at wisg briodas priod Taliesin o Eifion, gwisg sydd ar gadw yn Amgueddfa Werin Cymru, ac a dynnodd ei llun; Emyr Davies, Swyddog Cadwraeth, a roes ddisgrifiad manwl ac amhrisiadwy imi o un o'r peithynau sydd ar gadw yn yr Amgueddfa. Yr un modd, diolch lawer hefyd

i Dylan Jones, Rheolwr Casgliadau, ynghyd â'r staff archifyddol a llyfrgellyddol: Meinwen Ruddock-Jones, Lowri Roderick, a Richard Edwards.

* Dr Lisa Tallis, Llyfrgell Prifysgol Caerdydd, a'm cynorthwyodd i ddarganfod gwybodaeth fywgraffyddol werthfawr.
* Peter Alexander, Rheolwr Guradur, Gwasanaeth Treftadaeth Sir Ddinbych, Rhuthun. Bu ef yn barod iawn ei gymorth parthed y casgliad gwrthrychau sydd ar gadw ym Mhlas Newydd, Llangollen, yn fwyaf neilltuol y ddwy beithynen a fu mewn cystadleuaeth yn Eisteddfod Fawr Llangollen, 1858. Rwy'n ddiolchgar hefyd i'w gydweithwraig, Susan Dalloe, Swyddog Datblygu Amgueddfeydd Sir Ddinbych.
* Archifdai, amgueddfeydd a llyfrgelloedd eraill rwy'n gwerthfawrogi eu cymorth yw: Amgueddfa Llangollen; Plas Newydd, Llangollen; Amgueddfa Wrecsam; Llyfrgell Wrecsam; Archifdy Gwynedd, Caernarfon; Archifdy Sir Ddinbych, Rhuthun; Archifdy Sir y Fflint, Penarlâg; Llyfrgell Prifysgol Bangor.
* Staff Neuadd y Ddinas, Lerpwl, ac yn arbennig Pamela Raman, am ddarparu lluniau a gwybodaeth.
* Y Noddwyr. Y nod o'r dechrau oedd paratoi cyfrol gynhwysfawr, hardd ei diwyg, a fyddai'n deilwng o goffadwriaeth bardd diddorol a thalentog a theulu nodedig o seiri coed o Langollen. Cyfrol i ddathlu ac i ddiolch. Yr oedd y cyfraniadau ariannol a dderbyniwyd gan gyfeillion, felly, fel manna o'r nefoedd. Mawr iawn fy niolch am y gymwynas. Yn yr Atodiad, fe welir fy mod yn cyhoeddi llythyr eithriadol o ddiddorol, mewn Cymraeg cyfoethog, hyfryd i'r glust, a dderbyniais gan un o'r noddwyr, sef Rhys ap Rhisiart, Derwin Bach, Bryncir, Eifionydd. Diolch o galon iddo.
* Gwasg y Lolfa. O'r dechrau, ni allai yr un awdur fod wedi cael gwell cefnogaeth a chydweithrediad. Canmil diolch i'r staff, ac, yn arbennig, i Lefi Gruffudd, Alan Thomas a Paul Williams.

Rhagymadrodd

Pwy oedd 'Bardd y Gadair Ddu' gyntaf? Pwy yw awdur yr englyn adnabyddus hwn i Gymru?

> Cymru lân, Cymru lonydd; – Cymru wen,
> Cymru annwyl beunydd;
> Cymru deg, cymer y dydd;
> Gwlad y gân, gwêl dy gynnydd.

Neu pwy yw awdur yr englyn delweddol ardderchog hwn i'r lloer?

> Y glôs loer, fugeiles lân; – O, mae'n hardd
> Ym min nos o'i chorlan
> Yn dyfod â'i myrdd defaid mân
> I geisio'i gŵr mewn gwisg arian.

Pwy piau'r englyn a ganlyn i gusan. Ai gwrthrych y gyfrol hon, ynteu ...?

> Moes gusan i'm rhan, Myfanwy; – moes fil,
> Moes ddwyfil, moes ddeufwy;
> Moes ugeinmil, moes ganmwy;
> A moes, O, moes im un mwy.

Pwy a ddisgrifiodd yr alarch gyda'r esgyll hwn?

> Hwyliwr hardd, eiliw yr ôd,
> A gwsg ar fron ei gysgod.

Neu pwy a ddisgrifiodd y pregethwr, y darlithydd, yr hynafiaethydd, y bardd a'r cymwynaswr dawnus, Robert Ellis, 'Cynddelw', gyda'r geiriau hyn?

Mawr geidwad y Gymraeg ydoedd,
Ac anadl iaith ein cenedl oedd.

Pwy aeth â ni yn nyffryn hardd Llangollen i fyny'r llethrau at adfeilion Castell Dinas Brân a rhannu'i fyfyrdod â ni mewn cyfres o englynion sy'n cloi fel hyn?

'Englyn a thelyn a thant' – a'r gwleddoedd
Arglwyddawl ddarfuant;
Lle bu bonedd Gwynedd gant,
Adar nos a deyrnasant.

Pa fardd a gyfansoddodd awdl fer ar y testun 'Syniadau yr Annuwiol wrth Farw', gyda'r englyn agoriadol ardderchog hwn (yn fy marn i un o englynion gorau'r Iaith')? Onid yw symudiad araf y saith sillaf gyntaf a'r defnydd o gytseiniaid caled rywsut-rywfodd yn cyfleu pwysau'r pechod?

Trwy'm buchedd y trwm bechais; – gwaed yr Oen
Gyda'i rinwedd geblais;
Uwchlaw oll, ag uchel lais,
Iesu eilwaith groeshoeliais.

Ac i gloi'r rhes hyn o gwestiynau, pwy a gyfansoddodd y caneuon llafar gwlad difyr, 'Simon Llwyd y Foty' a'r 'Saer a'r Teiliwr', dwy gerdd a oedd ymhlith baledi mwyaf poblogaidd ail hanner y bedwaredd ganrif ar bymtheg a dechrau'r ugeinfed ganrif?

A yw enw Thomas Jones, 'Taliesin o Eifion' (1820-76), yn taro tant? Ynteu a aeth yr enw a'r person bellach yn angof?

Y mae'n dra phosibl fod nifer fawr o 'bobl y pethe' yng Nghymru nad ydynt yn rhy siwr o'r atebion i'r cwestiynau hyn.

Thomas Jones, 'Taliesin o Eifion' (1820-76). O ddarlun 'a baentiwyd yn fuan ar ôl priodas y bardd' [ei ail briodas yn 1855]. Cyhoeddwyd yn *Gweithiau Taliesin o Eifion. Bardd y Gadair Ddu*, 1922.

Yn sicr, cyn Eisteddfod Wrecsam a'r Fro, 2011, pan roddwyd cryn gyhoeddusrwydd i Daliesin o Eifion, byddai'r mwyafrif mawr yn dweud mai Hedd Wyn oedd 'Bardd y Gadair Ddu' gyntaf. A hawdd y gellir deall y camgymeriad. Er pan fu farw Hedd Wyn ar faes y gad yng Ngwlad Belg, 31 Gorffennaf 1917, yn ystod y Rhyfel Byd Cyntaf, a dyfarnu'r gadair iddo yn Eisteddfod Penbedw, Medi 1917, y mae ei enw wedi'i argraffu'n ddwfn ar galonnau y mwyafrif o Gymry. Daeth Yr Ysgwrn, ei gartref yn Nhrawsfynydd, yn fangre gysegredig. Cafwyd teyrngedau lu iddo. Y mae englynion coffa R Williams Parry ymhlith englynion mwyaf cofiadwy ein hiaith. A chawsom hefyd ffilm ragorol am ei fywyd a chofiant penigamp iddo gan Alan Llwyd.

Amgylchiadau gwahanol iawn oedd yn bodoli pan enillodd Taliesin o Eifion ei unig gadair genedlaethol yn Eisteddfod Wrecsam, Awst 1876. Bu farw ddydd Iau, 1 Mehefin 1876, o fewn ychydig oriau iddo anfon ei awdl, 'Helen Llwyddawg', i'r gystadleuaeth yn Eisteddfod Wrecsam. Pan gyhoeddwyd hynny oddi ar lwyfan yr eisteddfod, gorchuddiwyd y Gadair â lliain du. Ond yr oedd Taliesin bryd hynny yn 56 mlwydd oed a heb fod yn dda ei iechyd ers tro. Yr oedd hefyd wahaniaeth dybryd rhwng safon lenyddol y ddwy awdl. 'Helen Llwyddawg', cerdd Taliesin, ar wahân i rai adrannau, yn nodweddiadol o'r mwyafrif o awdlau a phryddestau llafurus, diawen, y bedwaredd ganrif ar bymtheg. 'Yr Arwr', awdl Hedd Wyn, yn gerdd rymus, afaelgar, ac yn arwydd o addewid fawr. Yn yr un modd, y mae angen nodi, er cymaint oedd dawn y bardd o Langollen a'i awen barod, fyrlymus, mai byrfyfyr yw nifer o'i gerddi, ac na fyddai ef, o bosibl, wedi cynnwys popeth yn y gyfrol *Gweithiau Taliesin o Eifion* (1922). O ran eu gwerth cymdeithasol, fodd bynnag, y mae'n dda i hynny ddigwydd.

'Simon Llwyd y Foty', a'r 'Saer a'r Teiliwr': bardd y caneuon difyr, llafar gwlad

Ond mor rhwydd yw anghofio am gyfraniad gwerthfawr person arbennig i'w oes. Mor rhwydd yw collfarnu holl gynnwys barddonol un bardd arbennig ar sail safon rhan yn unig o'r cynnyrch hwnnw.

Yn fuan wedi i mi ymuno â staff Amgueddfa Werin Cymru, Sain Ffagan, un o'r breintiau pennaf a dderbyniais i fu cael cyfle yn ystod 1964-75 i gofnodi peth o gyfoeth cynhysgaeth cynheilydd traddodiad nodedig iawn: Lewis T Evans (1882-1975), Y Gyffylliog, Sir Ddinbych, brodor o Uwchaled. Sôn yr oeddem ar y pryd am y gwahaniaeth dosbarth oedd gynt rhwng mab fferm a gwas fferm a rhwng crefftwr a chrefftwr, a dwyn i gof rai cerddi a storïau oedd yn ddrych o'r gwahaniaeth hwn. Dyna pryd y clywais am y tro cyntaf y llinellau a ganlyn a blas y pridd, blas llafar gwlad, arnynt:

Na, lwmp o facwn melyn, bras,
I mi, y gwas a'r dyrnwr;
Hwyaden a phys gleision neis
A phwdin reis i'r teiliwr!

Pwy oedd awdur y geiriau, holais Lewis Evans. Cefais yr ateb ar ei ben gan yr hynafgwr diwylliedig. Ie, Taliesin o Eifion. Dyma rai o'r llinellau mwyaf poblogaidd yn ei gerdd 'Y Saer a'r Teiliwr', ble mae'r saer yn cwyno bod y teiliwr yn cael ffafriaeth gan y feistres a'r forwyn.

Yn fuan wedyn gwelais y gerdd gyfan ar daflen baled. Yna, yn 1975, cyfarfod am y tro cyntaf â'r cantor gwerin talentog, Robert Pierce Roberts, o Landdulas, ger Abergele, a'i recordio ar dâp yn canu dwy ar bymtheg o gerddi llafar gwlad, a hynny'n ardderchog iawn ar ei gof. Ymhlith y cerddi, yr oedd dwy o ganeuon Twm o'r Nant, a dwy o ganeuon Taliesin o Eifion, 'Simon Llwyd y Foty' a'r 'Saer a'r Teiliwr'.

Byddai gwerin y bedwaredd ganrif ar bymtheg a dechrau'r ugeinfed ganrif, fel gwerin pob oes, yn wir, wedi dyheu am y cyfle i ddarllen, ac yn arbennig i gael gwrando ar ddeunydd diddorol o'r fath wedi'i gyflwyno'n fyw ar lafar ac ar gân. Roedd gwrando ar Robert Pierce yn canu'r cerddi hyn a gwybod am y derbyniad cynnes a fyddai wedi bod iddynt yn oes Taliesin o Eifion yn fwy na digon o reswm i mi deimlo o'r newydd yr awydd i wybod rhagor am y bardd hwn o Langollen, a'i wreiddiau yn Eifionydd.

Cymwynaswyr yn gwerthfawrogi'u treftadaeth

Bûm yn eithriadol o ffodus hefyd i gwrdd â phersonau a oedd yn cyd-rannu fy niddordeb yn Nhaliesin o Eifion. Yn yr amser byr oedd gennyf i ysgrifennu'r gyfrol hon, cefais fy ysbrydoli gan eu brwdfrydedd a'u parodrwydd i'm cynorthwyo, bob cam o'r daith. Caf gyfeirio eto at Hedd ap Emlyn, o lyfrgell Wrecsam, a Peter Jones, un o Ymddiriedolwyr Amgueddfa Llangollen. Soniaf yn arbennig yma am gefnogaeth y Dr David ac Enid Roberts, Bangor. Yn wir, awgrymu iddynt hwy ill dau ysgrifennu llyfryn ar gyfer y teulu ac Eisteddfod Wrecsam a'r Fro, a chynnig cymorth iddynt, fel y gallwn, oedd y man cychwyn i'r gyfrol hon. Y mae David Powys Wynn Roberts yn ŵyr i Morris Henry Roberts (1853-1941), brawd i John Roberts (1834-86), Llangollen, gwneuthurwr y Gadair Ddu yn Eisteddfod Wrecsam, 1876. Ers rhai blynyddoedd bu'r gadair yn cael ei gwarchod yn ofalus gan Wasanaeth Treftadaeth Cyngor Sir Ddinbych yn Rhuthun. Dymuniad Dr David ac Enid Roberts, fel fy nymuniad i, oedd y byddai'r gadair yn fuan ar gael i'w harddangos yn barhaol, fel bod cyfle i'r cyhoedd ei gweld a'i gwerthfawrogi. Rhoi cyfle hefyd i'r gwylwyr wybod rhagor am y bardd a'i henillodd ac am yr aelod o'r teulu dawnus o grefftwyr coed a'i lluniodd.

Dyna hefyd fu dymuniad dwy wraig garedig arall a roes i mi bob cymorth a chefnogaeth: Elizabeth Bowen Roberts, Llangollen, disgynnydd uniongyrchol i Daliesin o Eifion, ar ochr ei thad,

Edward Ellis Roberts; a Hilary Rhiannon Roberts, Caerdydd, gor-or-wyres i John Roberts, Llangollen, gwneuthurwr y Gadair Ddu.

Ddechrau Medi 2011, daeth y newydd da yr oeddem wedi bod yn disgwyl yn amyneddgar amdano: ym mis Rhagfyr 2011, roedd Cadair Ddu Eisteddfod Wrecsam, 1876, i'w harddangos yn barhaol yn Amgueddfa Llangollen. Ac felly y bu.

Dathlu, diolch a rhannu

Y mae yn fras, felly, dri phrif amcan i'r gyfrol hon: dathlu, diolch a rhannu. Dathlu bywyd brodor o Eifionydd a dreuliodd oes lawn, ond fer, yn nyffryn llengar Llangollen. Diolch am ei gyfraniad fel bardd, parod ei awen; fel diddanwr, ac fel crefftwr. Diolch – a rhannu hefyd â'r darllenwyr ychydig o'r hyn a wyddom amdano. Drwy hyn oll, cawn, gobeithio, fwrw cipolwg ar ei bersonoliaeth, ei gymeriad a'i waith, a'r un modd, cawn gipolwg ar y cyfnod eithriadol o ddiddorol a phwysig yr oedd Taliesin yn byw ynddo.

Dyffryn Llangollen a chynnal traddodiad cerdd a chân

Y mae ysgolheigion megis Thomas Parry yn ei gyfrol *Baledi'r Ddeunawfed Ganrif*[1] wedi'n hatgoffa o gyfoeth y traddodiad llenyddol – a'r traddodiad baledol yn arbennig – ym mhedwar o ddyffrynnoedd cyffiniol yng Ngogledd Cymru: dyffrynnoedd Clwyd, Conwy, Edeirnion a Llangollen. Gallwn ychwanegu hefyd ucheldir Uwchaled a Bro Hiraethog, y wlad sy'n ffinio â'r dyffrynnoedd hyn, gwlad Thomas Prys (*c.* 1564-1634), o Blas Iolyn, ger Pentrefoelas; Edward Morris (1607-89), y bardd-borthmon o Berthillwydion, Cerrigydrudion; Huw Jones o Langwm (*c.* 1720/5-82); a John Jones, 'Jac Glan-y-gors' (1766-1821), Cerrigydrudion.

Yn Nyffryn Llangollen ei hun, dyma ni, er enghraifft, ym mro Jonathan Hughes (1721-1805). Y mae'r Dr Siwan Rosser wedi rhoi inni bortread byw iawn ohono ef a'i farddoniaeth yn ei chyfrol, *Bardd Pengwern: Detholiad o Gerddi Jonathan Hughes.*[2] Dyma ni ym mro

Jonathan Hughes (1721-1805), Llangollen. O ddarlun yn *Beirdd y Gofeb*, Daniel Williams, 1951

William Roberts, 'Gwilym Ceiriog' (1858-1919). O ddarlun yn *Beirdd y Gofeb*, Daniel Williams, 1951

Eisteddfod Fawr Llangollen – 'Eisteddfod y Bastai Fawr' – 1858, yn ddiddadl un o eisteddfodau pwysicaf a hynotaf y bedwaredd ganrif ar bymtheg; eisteddfod Ab Ithel a Cheiriog; ac eisteddfod lle bu amryw o'r beirdd yn cyfarfod i seiadu ym Modawen, cartref Taliesin o Eifion ar y pryd. Dyma ni hefyd, mewn cyfnod diweddarach, ym mro beirdd megis William Roberts, 'Gwilym Ceiriog' (1858-1919), enillydd y Gadair yn Eisteddfod Caerfyrddin, 1911, bardd yr ydym wedi hen anghofio amdano. Ond dyma fardd, serch hynny, a oedd yn rhan annatod o'i gymdeithas yn Llangollen a'r cyffiniau, ac awdur y cwpled rhagorol hwn (bu dau o'i feibion farw yn wŷr ifanc):

> Byr iawn yw bore einioes,
> Dim ond awr ar oriawr oes.[3]

Fe ellid, yr un modd, enwi personau a anwyd, neu a dreuliodd flynyddoedd eu hieuenctid, yn Llangollen a'r cyffiniau, ond a symudodd yn ddiweddarach o'r ardal i fyw. Cofiwn, er enghraifft, am Thomas Jones, 'Y Bardd Cloff' (1768-1828). Yn ôl pob tebyg, fe'i ganed ef yn Llandysilio, ger Llangollen. Aeth i Lundain yn ddeuddeg oed i weithio yng nghyfrifdy Mathew Davies, ac, yn ei dro, bu'n Gofiadur ac yn Llywydd Cymdeithas y Gwyneddigion ac yn Drysorydd Cymdeithas y Cymmrodorion. Yn 1828, blwyddyn ei farw, cyhoeddwyd ei gyfrol: *Barddoniaeth, sef Awdlau, Cerddi ac Englynion.*[4]

Hefyd fe ellir cyfeirio at John Jones (1801-56). Brodor o Abergele oedd ef a symudodd i fyw i Langollen, gan weithio fel Ysgrifennydd i Syr Watkin Williams Wynn. Yn 1839 aeth i Rosllannerchrugog a dechrau pregethu gyda'r Annibynwyr. Yn 1842 urddwyd ef yn weinidog ar eglwysi Rhyd-y-bont, Capel Nonni a Bryn-teg, Sir Aberteifi. Yna aeth yn weinidog (di-afael iawn, yn ôl pob sôn) i Ferthyr Tudful, ac wedyn i Aberpennar. Gadawodd Aberpennar ar hanner adeiladu capel a dianc i America yn 1854. Bu farw yn Cincinnati. Cyhoeddodd yn helaeth ar bynciau diwinyddol.[5] Ei gerdd fwyaf adnabyddus yw'r garol: 'Daeth Nadolig fel arferol', ar yr alaw boblogaidd 'Deio Bach'. Dyma'r pennill olaf:

Gorfoleddwn a moliannwn,
Ganwyd Ceidwad mawr y byd,
Cyfaill pechaduriaid mawrion
Ydyw Iesu Grist o hyd.
Brenin heddwch ydyw'r Iesu
A thangnefedd ar ei wedd,
Dyma frenin y brenhinoedd
Ddysgodd inni gladdu'r cledd.[6]

Dyna gyfeirio at bump yn unig o wŷr llên a oedd â chysylltiad â Llangollen. Hyderaf, felly, y bydd y gyfrol hon – y darlun cyfyngedig sy'n canolbwyntio yn bennaf ar weithgarwch un bardd – yn gyfraniad bychan, o leiaf, tuag at ddeall a gwerthfawrogi'n well y darlun ehangach o draddodiad llenyddol dyffrynnoedd a broydd tebyg i Langollen. Yr un modd, i werthfawrogi yn arbennig draddodiad eisteddfodol byw canol y bedwaredd ganrif ar bymtheg, y darlun y mae'r diweddar Hywel Teifi Edwards wedi'i gyflwyno inni mor gofiadwy yn ei gyfrol *'Gŵyl Gwalia'. Yr Eisteddfod Genedlaethol yn Oes Aur Victoria, 1858-1868.*[7]

Dathlu celfyddyd seiri coed ein cadeiriau eisteddfodol

Y mae hefyd un amcan pellach i'r llyfr hwn am fyd a bywyd Taliesin o Eifion, a dyma yw hynny: dathlu cyfraniad cyfoethog y saer coed i'n diwylliant. Yn arbennig iawn, dathlu crefft loyw y traddodiad maith o lunio a cherfio cadeiriau eisteddfodol. Yn y gyfrol hon byddwn yn cofio ac yn diolch yn benodol am gyfraniad nodedig aelodau un teulu dawnus o seiri coed o Langollen a fu'n gyfrifol am dair o'n cadeiriau cenedlaethol: **John Roberts** (1834-86), gwneuthurwr y Gadair Ddu, Eisteddfod Wrecsam, 1876, a'i fab, **Morris Henry Roberts** (1865-1927), gwneuthurwr cadeiriau eisteddfodau Lerpwl (1884) a Llundain (1887).

Y mae *The Bardic Chair. Y Gadair Farddol,*[8] cyfrol hardd ac arbennig o werthfawr Richard Bebb, Cydweli, a'r Dr Sioned Williams, Amgueddfa Werin Cymru, wedi ein hatgoffa yn ardderchog iawn o'n dyled fawr i ddawn gwneuthurwyr ein cadeiriau eisteddfodol. Bu yng Nghymru draddodiad amhrisiadwy o deuluoedd yn cynnal yn odidog, o genhedlaeth i genhedlaeth, grefft y saer coed. Y mae mawr angen ymchwilio i hanes y crefftwyr galluog a diwylliedig hyn a chyhoeddi cyfres o lyfrau a chryno-ddisgiau. Trefnu hefyd gyfres o raglenni teledu ac, yn bwysicach na dim, sicrhau bod hanes crefft yng Nghymru, gan gynnwys crefft y saer coed, yn dod yn rhan greiddiol o faes llafur addysg yn ein hysgolion. Unwaith eto, fy ngobaith i yn awr yw y bydd yr ychydig sylwadau pellach yn y gyfrol hon am un teulu talentog o grefftwyr o Langollen, o leiaf yn ychwanegiad bychan tuag at werthfawrogi ymhellach ein dyled i gelfyddyd gain, a'r tro hwn, celfyddyd y saer coed, a seiri coed ein cadeiriau barddol yn arbennig.

1

O Eifionydd i Langollen: Teulu, Addysg a Gwaith

GANED THOMAS JONES, 'Taliesin o Eifion', 13 Medi 1820, a'i fedyddio 17 Medi 1820.[1] Enw'i gartref oedd Ty'n-y-gors, bwthyn ar dir Beudy Mawr ym Mhlwyf Llanystumdwy, tua milltir a hanner o'r pentref, ac yn lled agos i Langybi. Prys Mawr yw enw'r fferm heddiw, a Bwthyn y Rhos yw enw'r cartref. Y mae Bwthyn y Rhos yn agos hefyd at Dai'r Efail, sef rhes o dai ar fin y ffordd tua chwarter milltir o Chwilog.[2]

Enw mam Taliesin oedd Elizabeth Owen, ganed 11 Medi 1797, ac enw ei mam hi oedd Catherine. Ganed: 1752, a bu farw: 27 Chwefror 1836. Enw tad mam Taliesin oedd Thomas Owen, Beudy Mawr. Fe'i ganed ef yn 1746, a bu farw 14 Ebrill 1832. Claddwyd Catherine a Thomas Owen, nain a thaid Taliesin, yn Llanystumdwy.

John Jones oedd enw tad Taliesin. Fe'i ganed ef 7 Mawrth 1780, a bu farw 8 Ebrill 1851. Priodwyd Elizabeth Owen, Beudy Mawr, a John Jones yn Llanystumdwy, 7 Mawrth 1818. Thomas ('Taliesin o Eifion') oedd eu hunig blentyn.[3] Rhoddwyd iddo'r enw Thomas, mae'n debyg, ar ôl ei daid, sef tad ei dad. Jane oedd enw'i nain, mam ei dad.

Gŵr o ochrau Pwllheli oedd Thomas Jones, y taid, ac yr oedd yn delynor.[4] Ymddengys bod traddodiad cerddorol yn y teulu. Dyma'r hyn a ysgrifennodd John Llewelyn Jones yn y gyfrol *Gweithiau Taliesin o Eifion* am ddiddordeb cerddorol ei daid, sef John Jones, tad Taliesin.

Ty'n-y-gors, Plwyf Llanystumdwy, cartref Taliesin o Eifion. Bwthyn y Rhos yw'r enw bellach. Llun drwy garedigrwydd Elizabeth Bowen Roberts, Llangollen.

Arwydd 'Bwthyn y Rhos' heddiw. Hen gartref Taliesin o Eifion. Llun drwy garedigrwydd Elizabeth Bowen Roberts, Llangollen.

Yn gyntaf, fodd bynnag, y mae'n cyfeirio at yr hyn a ddigwyddodd i John Jones pan oedd yn ŵr ifanc.

> Bywyd go ramantus a fu bywyd John Jones, tad Taliesin. Pan oedd yn llanc yn Lerpwl, yn dysgu gwaith cwrier, bu'r *Press Gang* ar ei warthaf. Daeth yn rhydd y tro cyntaf, ond ail-gydiwyd ynddo a bu am dymor hir ar fwrdd y 'Victory' ac enillodd y *Trafalgar Medal* yn y flwyddyn 1844. Yr oedd John Jones yn gryn gerddor a thelynor. Yr oedd yn y band a ganai o flaen Nelson a'i swyddogion. Y clarionet oedd ei offeryn yr adeg honno. Trosglwyddwyd ef i'r [llong HMS] Belleraphon [1805]. Ar ôl ymladd yn Nhrafalgar dychwelodd i Eifionydd.'[5]

Dywedir hefyd ei fod yn chwarae'r ffliwt.[6] Yr un modd, ceir ar gadw heddiw gan Elizabeth Bowen Roberts, Llangollen, un o ddisgynyddion Taliesin o Eifion, gordial, neu acordion, ac y mae'n dra phosibl i'r offeryn cerdd hwn fod yn eiddo i John Jones. Wedi dychwelyd i'w hen fro, dechreuodd John Jones ar waith newydd fel paentiwr a phlymiwr. Yna yn 1826, pan oedd Thomas Jones y mab namyn chwe blwydd oed, symudodd y teulu bach o Lanystumdwy i Langollen, a'r tad yn parhau â'i waith fel paentiwr a phlymiwr.[7]

Roedd gan Elizabeth, mam Taliesin, frawd di-briod yn byw yn y dref honno o'r enw Owen Owen (1781-1845). Bu'n gweithio yn y gwasanaeth sifil, ond wedi ymddeol sefydlodd 'Wine and Spirit Business' yn Nhafarn y Llew Aur (Golden Lion Hotel), Llangollen.[8] Y mae'n dra thebyg mai ar gyngor Owen Owen y penderfynodd

Cordial neu acordion a fu'n eiddo i deulu Taliesin o Eifion (o bosibl i John Jones, tad Taliesin). Llun (o'r cordial yn gorffwys ar y Gadair Ddu) drwy garedigrwydd Elizabeth Bowen Roberts a Peter Jones, Llangollen.

Elizabeth a John Jones a'u mab bach symud o Lanystumdwy i Langollen.

'Yr Hen Glochydd' a 'gweinidogaeth y wialen': ysgol yr Eglwys, ysgol ramadeg ac academi fasnachol

Derbyniodd Taliesin well addysg na'r cyfryw yn yr oes honno. Ei ysgol gyntaf oedd Ysgol yr Eglwys. Mewn erthygl werthfawr yn *Y Traethodydd* (1921), 'Taliesin o Eifion: Anerchiad Gerbron Cymdeithas Llên, Llangollen', dywed R E Roberts, Llangollen, yr awdur, i Daliesin o Eifion fynychu 'ysgol a gynhelid mewn ystafell oedd yng nghwr y fynwent yn agos i'r fynedfa o iard gwesty yr Hand. Yr athraw oedd Edward Jones, yr hen glochydd, fel ei gelwid.'[9] Ond John Jones oedd enw'r 'hen glochydd' yn ôl John Llewelyn Jones yn ei gyflwyniad i *Gweithiau Taliesin*: 'Danfonwyd ef i ysgol ddyddiol yr Eglwys yn Llangollen, lle yr athrawiaethai John Jones, y Clochydd: gŵr a gredai yn ddiysgog yng ngweinidogaeth y wialen.'[10]

Yn ei anerchiad, cyfeiriodd R E Roberts hefyd at un atgof gan gyd-ddisgybl o'r un oed â Thaliesin, atgof sy'n awgrym clir o ddiddordeb cynnar y llanc o Eifionydd mewn eisteddfod a llên.

> 'Byddai Edward Davies, Dergoed, ac yntau yn eistedd yn ymyl ei gilydd yn yr ysgol, a dywedai mai gan Thomas y clywodd gyntaf y gair 'eisteddfod' – Eisteddfod Beaumaris, 1832, y ddau y pryd hwnnw yn ddeuddeg oed.'[11]

Wedi ymadael o Ysgol yr Eglwys, anfonwyd Thomas yn ddeuddeg oed i Ysgol Ramadeg Grove Park, Wrecsam. Dyma'r sylw sydd gan J Llewelyn Jones am y cyfnod hwn yn hanes addysg ei dad. Yn yr ysgol hon, meddai

> 'y dechreuodd ddangos arwyddion amlwg o dalent fel arluniwr. Gwelais rai o'i gynhyrchion ysgol, ac y maent yn eithriadol dda. Yr oedd yn hoff o ddysgu rhifo, ond testun ei serch oedd llenyddiaeth. Clywais lawer gwaith o'i enau ef ei hunan, iddo ddysgu'r Gynghanedd yn nyddiau ei ysgol.'[12]

A dyma sylw byr, cryno, R E Roberts am ei gyfnod yn Wrecsam: 'dywedir y byddai yno yn ysgrifennu barddoniaeth ar ymylon ei lyfrau.'[13]

Nid yw John Llewelyn Jones yn nodi sawl blwyddyn y bu'i dad yn Ysgol Grove Park, ond dywed iddo fod hefyd 'am dymor' mewn Academi Fasnachol ('Commercial Academy') yn ochrau'r Waun (Chirk). Yr oedd hynny yn 1835 neu 1836, pan oedd Taliesin yn bymtheg i un ar bymtheg mlwydd oed.

Cyfeiriwyd eisoes at Owen Owen, brawd i fam Taliesin, a gadwai fusnes diodydd yn Llangollen. Ef a fu'n gyfrifol am dalu am addysg ei nai. Gadawodd eiddo iddo hefyd yn siroedd Y Fflint a Dinbych 'er mwyn sicrhau pleidlais'.[14]

Gobaith Owen Owen oedd y byddai ei nai yn dilyn yn ôl ei draed ef ac yn cael swydd yn y gwasanaeth gwladol. Nid dyna oedd y drefn i fod, fodd bynnag, ac, yng ngeiriau ei fab Llewelyn:

> 'Ond wedi costau ei addysg, ni fynnai y bardd ifanc adael ei gartref: gosododd ei uchelgais o'r neilldu a boddlonodd i ddysgu crefft newydd ei dad ac i ymhyfrydu mewn llenyddiaeth.'[15]

'Painter and Decorator', gwydrwr, llythrennwr, a lliwiwr baneri ...

Yng Nghyfrifiad 1871 fe'i disgrifir fel '*painter*'. Fel yn achos ei dad, cyfeirid ato hefyd yn Llangollen a'r cyffiniau fel '*painter and decorator*'. Yr un modd fel 'gwydrwr' ('*glasier*'). Dyma un cyfeiriad: adroddiad yn y *North Wales Chronicle* (cylch Bangor), 31 Awst 1872, yn dwyn y pennawd 'The Portmadoc Eisteddfod'. Taliesin o Eifion a enillodd y wobr hael yng nghystadleuaeth y ddrama. Cyfansoddodd ddrama fydryddol ar y testun: 'Brwydr Crogen'. Dyma'r cofnod yn y papur:

> 'Out of a great number of competitors, the best was declared to be Mr Thomas Jones (Taliesin o Eifion), glasier, Llangollen, whose composition was a Welsh drama founded on events connected with the

battle of Crogen, near Shrewsbury.' [Byddai dweud 'near Oswestry' (Croesoswallt) wedi bod yn gywirach, wrth gwrs.]

Ysywaeth, ychydig dystiolaeth sydd gennym am waith bob dydd Taliesin. Yn y Llyfrgell Genedlaethol, fodd bynnag, fe geir un gyfrol hirsgwar, clawr caled, tua 15″ wrth 6″, yn cynnwys ychydig ddalennau drylliedig, mewn ysgrifen frysiog a bler.[16] Ar ddechrau'r gyfrol cynhwysir rhai o gerddi'r bardd. Yna, tua'r cefn, ceir rhai cofnodion, yn cyfeirio'n bennaf at fisoedd Medi a Hydref 1858. Y cofnod mwyaf diddorol yw'r un sy'n nodi beth oedd ei waith am y dyddiau 13-17 Medi, sef 'painting Flags for the Eisteddfod' [Eisteddfod Fawr Llangollen]. Dyma rai cofnodion eraill am fisoedd Medi i Hydref, 1858.

Sept.	21	Mending paper for Hugh Jones, Maes Mawr	1hr
	24	Making Name at Crown Castle Vaults	
	30	At David Jones, Joiner, Cefn-mawr	1 day
Oct.	1	ditto Graining etc	1 day
	2	” ”	1 day
	4	” Painting White	¼ day
	5	Mr Richards, Bank Office Sizing	¾ day
	”	2 sq. for Edward Simmonds Tailor 12 x 8½ & 12 x 7½ wide	¼ day
	”	1 sq Pen Maes Isa Paid	
	6	Mr Richards, Bank Office	
	7	Papering	1 day
	8	”	1 day
	9	Sizing	1 day
	11	Varnishing ditto 3 pts used	1 day
	12	Painting Door ditto	1 day
	13	ditto	½ day
	”	sqrs. for Edward Simmonds Tailor 12⅝ x 8 12 x 8 12 x 8½	

O'r ychydig gyfeiriadau at waith a chrefft Taliesin, y mae'n amlwg ei fod mewn bri nid yn unig fel paentiwr ac addurnwr tai ac adeiladau, ond hefyd fel llythrennwr. Byddai, er enghraifft, yn darparu arwyddluniau i dafarnau ac yn cynllunio a lliwio baneri. Cawn gyfeirio eto at y faner fawr o'r Ddraig Goch a baratoes ar gyfer Eisteddfod enwog Llangollen, 1858, ond dyma yn awr un sylw am ei waith a'i ddawn gan R E Roberts, yntau'n ŵr o'r dref honno:

> 'Dygwyd ef i fyny yn yr un alwedigaeth â'i dad, sef paentiwr a gwydrwr, ac ystyrid ef yn un medrus ym mhob cangen o'i alwedigaeth, – mor fedrus fel y dywedai un ei fod yn arlunydd. Yr oedd yn enwog fel paentiwr banerau, ac yr oedd galw am y rheiny gan glybiau yn yr oes honno. Credaf y buasai yn ddiddorol i ni yn yr oes hon gael golwg ar hen fanerau clybiau Llangollen a'r cylch.'[17]

Gwir a ddywedodd. Yr oedd yn y cyfnod hwn, ymhell cyn gwawriad y Gymdeithas Les, fri mawr ar Gymdeithasau Cyfeillgar. Cyflawnent swyddogaeth werthfawr. Yn ychwanegol at y gwerth dyngarol, roedd iddynt hefyd werth cymdeithasol fel man cyfarfod poblogaidd. A'r un modd, gwerth adloniadol. Roedd y 'Diwrnod Clwb' yn ddydd o lawen chwedl. Cyfle i'r band lleol gael ymuno gyda'r aelodau a chyfle i'r gymdogaeth gyfan ymuno yn y gorymdeithio a'r dathlu.

Hawdd deall, felly, fod i'r faner hithau ei lle o anrhydedd yn y cyfarfodydd hyn ac eraill o eiddo'r cymdeithasau. Byddai'n lliwgar ac, fel y gwelir oddi wrth y darlun yn y gyfrol hon, byddai hefyd o faint sylweddol. Bellach, aeth y mwyafrif mawr o'r hen faneri hyn rhwng y cŵn a'r brain. Yr un modd, o'r baneri sydd wedi goroesi, neu y mae eu lluniau gennym, ni wyddom y nesaf peth i ddim am yr arlunwyr dawnus a'u lliwiodd.

Yn ffodus, fodd bynnag, y mae gennym o leiaf un cyfeiriad penodol at faner a liwiwyd gan Daliesin o Eifion, diolch i adroddiad yn *The Llangollen Advertiser*, Medi 1886. Cyfeirio a wna'r adroddiad hwn at faner Cymdeithas Gyfeillgar Lafar, Llansanffraid Glynceiriog. Pennawd yr adroddiad yw 'Lavar Friendly Society', a dyma un dyfyniad:

Cymdeithas Gyfeillgar Lafar, 'Clwb y Glyn', o flaen Gwesty'r New Inn (Gwesty'r Glyn Valley bellach), Llansanffraid Glynceiriog. Ai baner a baentiwyd gan Daliesin o Eifion yw'r faner? Llun gan Lettsome, Llangollen, o gasgliad Amgueddfa Werin Cymru, a thrwy garedigrwydd y diweddar Dewi Jones, Llwyn-mawr, Dyffryn Ceiriog.

> ' ... their curious old banner [was] said to have been painted by the late well known bard, Taliesin o Eifion (Mr Thomas Jones), Llangollen, whose *awdl* (ode) on 'Helen Llwyddawg' was declared the best in the competition some years ago at the Wrexham National Eisteddfod.'[18]

Sefydlwyd Cymdeithas Gyfeillgar Lafar 16 Medi 1843. Ym mis Medi 1886 roedd ganddi 280 o aelodau, ac yn ystod y flwyddyn flaenorol derbyniodd 67 o'r aelodau gyfraniad o'r gronfa feddygol i gynorthwyo'r sawl a fu'n wael. 'Clwb y Glyn' oedd enw poblogaidd arall ar Gymdeithas Gyfeillgar Lafar. Cyhoeddir yn y gyfrol hon lun o rai o aelodau'r Gymdeithas gyda'r band lleol, tua 1895. Dengys y faner fawr arwyddluniau a fyddai wedi bod yn gyfarwydd i ŵr pur ddysgedig fel Taliesin o Eifion, yn arbennig iawn arwyddlun y cynheiliaid Tuduraidd, sef y llew a'r ddraig, gyda choron rhyngddynt. Tybed ai baner o'i waith ef ydyw? Un peth sy'n sicr, yr oedd yn ei gyfnod ef, fel heddiw, gysylltiad agos, yn gymdeithasol ac yn ddaearyddol, rhwng Llangollen a Dyffryn Ceiriog. Cawn hefyd gyfeirio eto at gyfres o benillion a luniwyd gan Daliesin ar y testun 'Dyffryn Ceiriog'.

Ceir teyrnged haeddiannol i ddawn artistig y bardd o Lanystumdwy gan ohebydd *The Llangollen Advertiser*, 2 Mehefin 1876, mewn erthygl yn dwyn y teitl 'Death of Taliesin o Eifion', gyda'r frawddeg agoriadol drawiadol hon: 'Poor Taliesin is gone!'. Meddai'r gohebydd yng nghorff yr erthygl: 'In his trade as a painter, there were but few who could excel him, his special forte being sign and flag painting.'

I gloi'r adran hon, dyma un dyfyniad pellach, y tro hwn gan Daniel Williams, awdur y gyfrol werthfawr, *Beirdd y Gofeb* (1951), sy'n dwyn i gof gyfraniad tri bardd: Jonathan Hughes, Taliesin o Eifion a Gwilym Ceiriog. Meddai am yr ail o'r tri:

> 'Mynych y gwelid ef ar 'strydoedd Llangollen, ei dun paent yn y naill law a brws neu ddau yn y llall, a'i hynodrwydd fel bardd bellach yn peri bod ei gyfeillion i ddieithriaid, yn pwyntio ato fel Taliesin o Eifion. Aeth y sôn amdano fel peintiwr artistig y tu hwnt i ffiniau'r dref, ac am arwydd-fyrddau ychydig a oedd fedrusach.'[19]

Yna cyfeiria'r awdur at englyn a luniodd y bardd-arlunydd i'w osod ar arwydd y tu allan i siop esgidiau. Cyhoeddwyd ef hefyd gan Llewelyn Jones yn *Gweithiau Taliesin*, gyda'r pennawd hwn: 'Englyn *sign board* Gwneuthurwr Esgidiau yn Llangollen'.

Ha! y troed noeth, tyred yn nes; – hwde
Esgidiau rhad cynnes!
Rhag oer hin, eira a gwres
Nychlyd cei dirion achles.[20]

Wedi cynnwys yr englyn yn ei gyfrol, ychwanegodd awdur *Beirdd y Gofeb* y sylw hwn: 'Tynnwyd cwsmeriaid lawer i'r siop honno, ebr y "prin ddau" sy'n cofio.'[21]

2

Cartref, Priod a Phlant

BLE YN LLANGOLLEN yr oedd Thomas Jones, Taliesin o Eifion, yn byw? Cyn ceisio ateb y cwestiwn hwn, fodd bynnag, rhaid cyfeirio at ddwy ffynhonnell sy'n nodi i Daliesin, wedi'i gyfnod yn yr ysgol, fyw am 'ychydig flynyddoedd' mewn mannau eraill, cyn cartrefu'n barhaol yn ei dref fabwysiedig, Llangollen.

Dwy dudalen a hanner yn unig o wybodaeth fywgraffyddol a roes John Llewelyn Jones inni am ei dad. Yr unig sylw am y mannau y bu'n byw ynddynt yw'r un a ganlyn:

> 'Oddigerth rhai blynyddoedd a dreuliwyd ym mhlwyf Cristionydd, ger Rhiwabon, bu yn byw weddill ei oes yn Llangollen.'[1]

Fodd bynnag, cawn gryn dipyn mwy o wybodaeth gan R E Roberts yn ei erthygl werthfawr ef. Dyma'r hyn a ddywed:

> 'Bu am ychydig flynyddoedd yn cadw y Queen Inn yn y Cefn-mawr, ac ar ôl hynny bu yn trigiannu ym Mhentre Cristionydd. Dychwelodd i Langollen i arolygu y Gwaith Nwy, ac yna symudodd i Brookside, neu Minnant, i ddilyn ei alwedigaeth o baentiwr.'[2]

Dyfyniad o anerchiad R E Roberts i 'Gymdeithas Llên, Llangollen' yn 1921 yw'r uchod. Yr oedd R E Roberts wedi annerch y gymdeithas hon flynyddoedd yn gynharach yn 1903. Cyhoeddwyd ei anerchiad bryd hynny yn *The Llangollen Advertiser*, 4 Rhagfyr 1903, gyda'r pennawd: 'Thomas Jones (Taliesin o Eifion) [Papyr a ddarllenwyd gan Mr R. E. Roberts, Meirion House, o flaen Cymdeithas Lenyddol Gymreig Llangollen, nos Lun, Tachwedd 23ain. Llywydd, Mr. James Clarke, Eivion Hotel.]' Y mae'n dechrau ei anerchiad gyda'r sylw ymddiheurol hwn:

> 'Y mae yn ddrwg gennyf na buasai rhywun mwy cydnabyddus a'r diweddar Thomas Jones (Taliesin o Eifion), na myfi, wedi ei benu at hyn o orchwyl. Ac i fwyhau fy anhawsder, nid wyf yn cofio i mi erioed weled ysgrif ar hanes ei fywyd nac ar ei weithiau.'

Yna, wedi sôn am hynafiaid Taliesin, ychwanega'r nodyn a ganlyn am ei gartref:

> 'Symudodd y teulu i Langollen yn rhywle o 1825 i 1830. Buont yn byw yn y Cross Keys, yn y fan y mae tŷ Captain Griffiths, tŷ y diweddar George Slawson, tŷ Mr. Roderick Phillips, yn Regent Street, ac yn y Feathers, ac yno y bu ei dad farw. Y mae amryw o brif deuluoedd Llangollen yn preswylio yn Church-street yn awr, ond y pryd hwnw yr oedd bron yr oll o'r prif deuluoedd yn byw yn yr heol hono.'

Y cyfeiriad cynharaf sydd gennym at Daliesin yn Llangollen yw'r un yn *Slater's Directory*, 1858-59. Yno cyfeirir at un 'Thomas Jones, painter and decorator', yn byw yn 'Church Street'.[3] Ar achlysur Eisteddfod Fawr Llangollen, Medi 1858, cawn hanes am amryw o'r beirdd yn cyfarfod i seiadu yng nghartref Taliesin, a'r enw a roddir iddo yw 'Bodawen', enw addas iawn – afraid dweud – i annedd bardd. Lewis Jones, 'Rhuddenfab', sy'n adrodd yr hanes hwn yn fyw ac yn atgofus iawn. Ychwanegodd hefyd yn yr un cyhoeddiad y sylwadau hyn wrth sôn am y mannau y bu'r bardd o Eifionydd yn byw ynddynt:

> 'Bu yn y Cefnmawr am ryw ysbaid, yna yn y Rhos, a phan gyfansoddai ei awdl i'r "Môr", ar gyfer Eisteddfod Caerlleon [1866], roedd yn byw mewn hongol o hen ffermdy mawr ym Mhentref Cristionydd. Ond ei "ial" ef oedd y Llan; dychwelai yno o bob man.'[4]

Ai yr un tŷ yn Heol yr Eglwys (Church Street) oedd Bodawen â'r tŷ y cyfeirir ato yn *Slater's Directory*? Amhosibl ateb. Y mae manylion y Cyfrifiad am y flwyddyn 1861, ardal Llangollen Fawr, yn eisiau, ond yn ôl Cyfrifiad 1871, roedd Taliesin a'i deulu yn byw yn 'Church Street'. Yn y saithdegau ceir cyfeiriad ato'n byw 'ger y gwaith nwy' ('near the gasworks').[5] Fodd bynnag, un o'r cyfeiriadau mwyaf pendant at ei gartref yw'r hysbyseb a ganlyn a gyhoeddwyd yn *The Llangollen Advertiser*, 15 Hydref 1880:

> 'To be sold by private treaty: Brookside House, Llangollen (the residence of the late Bard "Taliesin o Eifion"). Apply to David Roberts and Son, Auctioneers, etc, Corwen.'

Ceir cyfeiriad pendant at Fin-y-nant ('Brookside') hefyd yn y nodyn a ganlyn yn y *Llangollen Chronicle*, mor ddiweddar â 16 Awst 1940, o dan y pennawd: 'Bardic Chair to be Presented to Glanrafon Chapel'.

> 'The famous bard resided for many years at Minynant, Llangollen, and is buried at The Ddôl (St. John's) Churchyard, Llangollen.'

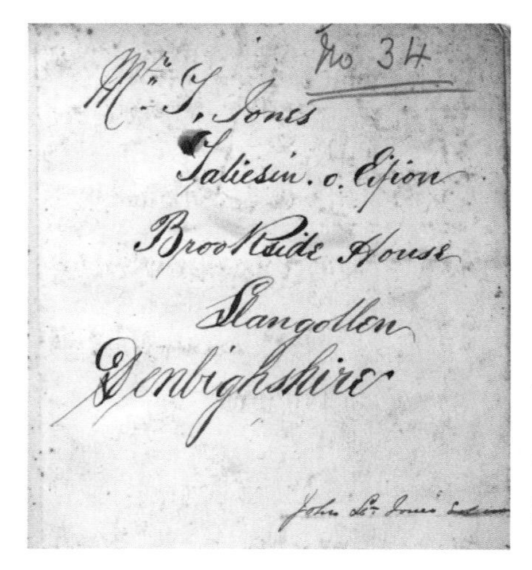
No 34
Mr T. Jones
Taliesin. o. Eifion
Brookside House
Llangollen
Denbighshire

Enw a chyfeiriad 'Mr T[homas] Jones, Taliesin o Eifion', ar flaenddalen llyfr nodiadau o'i gerddi, ar gadw yn Llyfrgell Genedlaethol Cymru (Llsg LlGC 9618 D). Ar y flaenddalen hefyd ceir llofnod mab Taliesin: 'John Ll Jones, Solicitor'.

Morwyn o'r 'Hand' a Miss Elizabeth Jane Kelly o Abersychan: Taliesin yn priodi ...

Priododd Thomas Jones, Taliesin o Eifion, ddwywaith, ond at un briodas yn unig, ei ail un, y cyfeiria ei fab, John Llewelyn Jones, yn ei nodyn bywgraffyddol ar ddechrau'r gyfrol *Gweithiau Taliesin o Eifion*. Pam hynny, tybed? Y mae'r ateb yn ddirgelwch. Yn naturiol, y mae eraill sydd wedi ysgrifennu am 'Fardd y Gadair Ddu' yn Wrecsam yn ailadrodd y gamdybiaeth hon. Fodd bynnag, gwnaed iawn am y diffyg gan o leiaf ddau awdur y gwn i amdanynt.

Un o gyfeillion y bardd o Langollen, ac un a oedd yn ei adnabod yn dda, oedd Edward Davies, 'Iolo Trefaldwyn' (1819-87). Ganed ym Moelyfrochas, ger Llanfyllin. Bardd a chystadleuydd brwd; gwerthwr llyfrau dros gyhoeddwr o'r Alban; a chodwr canu yn Seion, Wrecsam, am 21 mlynedd. Ymhen blwyddyn wedi marw Taliesin, cyhoeddodd ysgrif gryno amdano yn *Y Darlunydd*: 'Cyhoeddiad Misol y Bobl'. Meddai ar ddiwedd y paragraff cyntaf:

> 'Yn y flwyddyn 1848 priododd; ond nid wyf yn gwybod merch i bwy ydoedd hi, ond bu farw ei wraig cyn pen llawer o flynyddoedd, ac ar ôl ysbaid gweddus o amser, priododd drachefn tua'r flwyddyn 1855, â Miss Kelly, merch Samuel Kelly, Yswain, goruchwyliwr gwaith haiarn Panteg yn Sir Fynwy.'[6]

Dyma'r ail ffynhonnell: cyfeiriad yn erthygl R E Roberts, Llangollen, yn *Y Traethodydd*, 1921:

> 'Bu yn briod ddwywaith. Y tro cyntaf priododd ferch ieuanc oedd yn *waitress* yn yr Hand Hotel, merch i ŵr oedd yn ysgol feistr ac yn bregethwr gyda'r Bedyddwyr ym Mhenycae.'[7]

Yn yr anerchiad a draddododd R E Roberts i Gymdeithas Lenyddol Llangollen yn 1903 ac a gyhoeddwyd yn *The Llangollen Advertiser*, 4 Rhagfyr 1903, ailadroddir y geiriau uchod ond ychwanegir y sylw hwn:

> 'Bu iddynt ddwy o ferched; bu farw un yn blentyn, ond bu y llall fyw nes yr oedd o bymtheg i ddeunaw oed. Tra thebyg ydyw mai ati hi y cyfeirir yn y ddau englyn hyn: "E welais inau las wyneb – merch im …" "O, gariad fach, y gwrid a fu – anwyl …" '

Dyma gyfeiriad at ddau o blant o'r briodas gyntaf na welais yn unman arall. Oherwydd nad yw R E Roberts yn ei anerchiad i'r un gymdeithas flynyddoedd yn ddiweddarach yn 1921 yn cyfeirio o gwbl at unrhyw blant o'r briodas hon, ai teg maentumio, felly, mai camgymeriad yw'r hyn a ddywedwyd ganddo yn 1903? Ai cymysgu a wnaeth, oherwydd *fe* gollodd y bardd-baentiwr o Eifionydd ddau blentyn yn ifanc? Ond plant o'r ail briodas oedd y rhai hynny.

Ail wraig Taliesin oedd Elizabeth Jane Kelly (1827-78), Trefddyn (Trefethin), ger Abersychan, Pont-y-pŵl, sir Fynwy. Yn ôl Cyfrifiad 1851 yr oedd yn byw yn '30 Canal Bank, Trevethin', a disgrifir ei gwaith fel 'dressmaker'.[8] Gwnïadwraig hefyd oedd ei chwaer, Caroline Matilda Kelly, ac yr oedd y ddwy yn gweithio i gwmni gwneud dillad ym Mhont-y-pŵl. Yr oedd eu tad, Samuel Kelly, yn Oruchwyliwr y Gwaith Haearn Prydeinig ('British Iron Works') yn Abersychan. Elizabeth oedd enw eu mam, a bu am gyfnod yn berchennog gwesty dirwestol ('temperance hotel'). Priodwyd Elizabeth Jane Kelly a Thomas Jones, 26 Rhagfyr 1855, ar Ddydd Gŵyl Steffan, yng Nghapel y Bedyddwyr Saesneg yn Abersychan, a'r Parchg Stephen Price yn gweinyddu.[9]

'Paid cario dŵr dros afon' oedd y cyngor parod i fechgyn a merched ifanc 'slawer dydd. Ond pam yr aeth y gŵr ifanc o Langollen mor bell â Gwent i mofyn gwraig? Cawn yr ateb gan R E Roberts.

> 'Yr oedd chwaer iddi [Caroline Matilda Kelly] wedi priodi un o Langollen – Edward Roberts, a aethai i Athrofa Pontypool, ac ymsefydlodd yn weinidog gyda'r Bedyddwyr yn Cendl. Penderfynodd y gweinidog a'i wraig ymfudo i'r Amerig, a daeth ei chwaer hi i'w hebrwng. Galwasant yn Llangollen i ffarwelio â theulu y gŵr, a dyma'r modd y daeth Elisabeth Jane Kelly, o Fynwy, a Thaliesin o Eifion i gyfarfyddiad â'i gilydd.'[10]

Gwisg briodas, 26 Rhagfyr 1855, Elizabeth Jane Kelly, ail wraig Thomas Jones, Taliesin o Eifion. Y mae'r wisg ar gadw yn Amgueddfa Werin Cymru (AWC 43.259/1-2). Lluniau gan Elen Phillips, Amgueddfa Werin Cymru

Ni wn am lun o Elizabeth Jane Kelly, ond, yn ffodus iawn, y mae ei gwisg briodas ar gadw yn Amgueddfa Werin Cymru, Sain Ffagan. Fe'i cyflwynwyd yn rhodd i Amgueddfa Genedlaethol Cymru ym mis Hydref 1943 gan Joseph Morgan, Caerffili, priod Mary Gwenddydd (Jones), 'Mair Taliesin', merch ieuengaf Taliesin ac Elizabeth Jane (Kelly).[11] Gwisg briodas a mantell (*pelerine*) o sidan symudliw glas a brown ydyw. Y mae gwneuthuriad y wasg (y bodis) a llawnder y sgert yn nodweddiadol o ffasiwn y 1850au.

Y mae'n amlwg fod Taliesin am wneud yr argraff orau bosibl ar ei ddarpar wraig a'i theulu. Cymaint oedd ei ddyhead fel yr oedd wedi anfon llythyr, dyddiedig 19 Tachwedd 1855, at Ebenezer Thomas, 'Eben Fardd', yn gofyn am gymorth parod ei awen. Y mae'n dra phosibl iddo anfon llythyr tebyg hefyd at rai o'i gyfeillion barddol eraill. Fodd bynnag, cyhoeddwyd y llythyr hwn gan ei fab yn y casgliad o waith barddonol ei dad, ynghyd â'r ddau englyn a luniwyd gan

Eben Fardd fel ymateb. Hefyd yr englynion a dderbyniodd Taliesin gan William Williams, 'Caledfryn', a Richard Parry, 'Gwalchmai'.

> 'Garedig Syr
>
> Yr ydwyf yn cymeryd yr hyfdra o ddyfod ar eich gofyn am englyn neu ddau; yr ydwyf yn bwriadu cymeryd gwraig y dydd Iau cyntaf ar ol y Nadolig; ei henw yw Elizabeth Jane Kelly, un o'r Deheubarth, Swydd Fynwy; o ganlyniad bydd raid i mi fyned yno i'w chael. Gan fod ei theulu yn rhai lled ddarllengar, byddai enw Eben Fardd wedi gwneyd sylw o honwyf yn bluen lled uchel yn fy nghap.
>
> Nid ydwyf mor hunanol ag y meddyliech chwaith; ond byddai hyn yn fwy ffafr yn fy ngolwg na dim a allech wneyd. Pe anfonech gopi ohonynt erbyn y dydd Gwener o flaen y Nadolig, byddwn yn dra diolchgar i chwi.
>
> Maddeuwch fy hyfdra, ac ystyriwch fi yn rhwymedig ac at eich galwad bob amser.
>
> Yr eiddoch, etc.,
>
> Taliesin o Eifion'[12]

Dyma'r cyntaf o ddau englyn Eben Fardd:

> Taliesin at Eliza – a ddenwyd,
> Ei ddawnus, hoff Efa;
> O'r bywyd hir a'r byd da
> Eiddunwn i'r ddau yna.

Dyma baladr y cyntaf o'r ddau englyn a anfonwyd gan Galedfryn:

> Taliesin beth a dâl tlysau – o aur
> Wrth un o'r prif emau?

A dyma esgyll yr olaf o'r pedwar englyn a gyfansoddwyd gan Gwalchmai:

> Eu hepil yn fil a fo,
> A'r Iôn a'u cydarweinio.[13]

Nid oherwydd unrhyw werth llenyddol fel y cyfryw, yn sicr, y cyfeirir at yr englynion hyn yn awr, ond oherwydd eu bod yn ddrych o'r pwys a roddid – ac a roddir o hyd – yng Nghymru ar statws y bardd o fewn ei gymdeithas. Y mae'r arfer o gyfarch y pâr priodasol ar gân ar ddydd y briodas (fel arfer, yn ystod neu wedi'r wledd) yn parhau mewn bri mewn sawl ardal. Felly hefyd yr arfer o gyhoeddi'r 'cyfarchion priodasol' mewn papur lleol neu bapur bro. Ond cymharol brin fu'r arfer o ddefnyddio'r awen at y pwrpas penodol o gyfarch y briodferch a'r darpar deulu yng nghyfraith *cyn* y briodas. Dyna, felly, werth yr hyn a wnaeth J Llewelyn Jones yn cyhoeddi'r llythyr cais a'r englynion o ymateb yn ei gyfrol o gynhyrchion barddol ei dad.

Bu farw Elizabeth Jane, priod Taliesin, 17 Mehefin 1878, yn Abersychan, ond claddwyd hi gyda'i gŵr ym Mynwent y Ddôl (Eglwys Sant Ioan), Llangollen.

Gwynfyd a gwae: colli mab a merch

Ganwyd saith o blant i Elizabeth Jane a Thomas Jones, ond bu dau ohonynt farw'n ifanc iawn, un ohonynt, y ferch, yn faban. Samuel Thomas oedd enw'r mab, a dyma'r pennawd a roes y tad uwchben y tri englyn a luniodd i gofio amdano. Dyfynnir hefyd y ddau englyn cyntaf o eiddo'r bardd.

'Englynion a gyfansoddais wrth gefnu ar fynwent Pen-y-bryn, Llangollen, wedi bod yn claddu fy annwyl blentyn, Samuel Thomas, Hydref 25, 1870, yn bedair blwydd oed.

Anwylyd, bron yn eilun, – a roisom
    Mor isel ei lwchyn;
  Gadael mynwent ein plentyn,
  Anhawdd iawn i ni oedd hyn.

O! 'rydwyf bron gwirioni – oherwydd
    Yr hiraeth o'i golli;
  Er i haeddiant Crist roddi
  Byw'n y Nef i'n baban ni.'[14]

Jessey Maria oedd enw'r ferch fach a fu farw yn chwe mis oed. Y mae'r tri englyn a gyfansoddwyd gan y bardd i gofio amdani yn enghraifft deg o safon anwastad rhai o gerddi Taliesin o Eifion. Ar brydiau cawn o fewn yr un gerdd enghreifftiau o'r gwych a'r gwachul. Y mae'r ddelwedd yn yr englyn cyntaf a ganlyn yn un ardderchog iawn; y mae'r paladr yn rhoi inni ddarlun byw wedi'i fynegi'n gain, ond, afraid dweud, annheilwng dros ben o awen barod y bardd yw diweddglo'r englyn.

Yma daeth fel comed wen, – a'i llun
Fu'n llonni'r ffurfafen;
Ow! mudaist ar gyflym aden;
Do, Jesey bach, dy oes i ben.[15]

'Ei blentyn bach chwe mis oed' yw'r pennawd a roddwyd gan y golygydd, Wil Ifan, uwchben yr englyn hwn. Y pennawd gan y bardd yn ei eiriau a'i lawysgrifen ei hun, fodd bynnag, yw'r un a ganlyn (y mae'n sillafu Jessey gyda dwy 's', nid un fel sydd gan Wil Ifan: 'Uwchben rhan farwol fy annwyl blentyn, Jessey Maria, yr hon fu farw yn chwe mis oed.'[16]

Dyma'r ail a'r trydydd englyn coffa i Jessey Maria:

O, gariad fach, y gwrid a fu – annwyl
Ar dy wyneb llongu;
A'i deufin fel cwrel cu – lliw'r mafon,
Oedd od o glysion, sydd wedi glasu.

Ar dy gorff oer wedi gair ffarwel – rhaid
Rhoi un gusan ddirgel;
Ha! dedwydd wyt; ond doed a ddel,
Gwisgaf ing am gwsg angel.[17]

Ceir cyfeiriad pellach ganddo at farwolaeth ei blentyn bach yn ei awdl fer i un o wŷr enwog Eifionydd, y soniwyd amdano eisoes,

Ebeneser Thomas, 'Eben Fardd' (1802-63), gyda rhai o'i dlysau eisteddfodol. O ddarlun gan Evan Williams, ysgythrwyd gan Samuel Bellin, yng nghasgliad Llyfrgell Genedlaethol Cymru.

ei gyfaill Eben Fardd. Bu drwm iawn y profedigaethau chwerw a ddaeth i ran Eben Fardd mewn cyfnod mor fyr rhwng 1855 ac 1861. Yn 1855 ac 1858 bu farw dwy o'i ferched. Yn 1860 bu farw'i briod. Yna, yn 1861, bu farw ei unig fab annwyl. Fel y dangosodd y Dr E Wyn James yn ei gyfrol *Dechrau Canu: Rhai Emynau Mawr a'u Cefndir*, y profedigaethau trymion hyn fu'r ysbrydoliaeth iddo gyfansoddi ei emyn adnabyddus:

O! fy Iesu bendigedig,
  Unig gwmni f'enaid gwan,
Ym mhob adfyd a thrallodion
  Dal fy ysbryd llesg i'r lan;
A thra'm teflir yma ac acw
  Ar anwadal donnau'r byd,
Cymorth rho i ddal fy ngafael
  Ynot Ti, sy'r un o hyd ...[18]

Teitl awdl Taliesin o Eifion i'w gyfaill yw 'Llinellau Dyhuddiant Eben Fardd ar Ôl ei Ddwy Ferch'. Dyma'r gerdd sy'n cynnwys y cwpled rhagorol (a briodolir i fwy nag un bardd):

Cledd a min oedd claddu merch,
Cledd deufin, claddu dwyferch.

A dyma rai llinellau pellach sy'n adlewyrchu dwyster teimlad y bardd:

O! golyn tost i galon tad,
Am ddwyferch sydd amddifad ...
Yng Nghlynnog angau eleni
A wnaeth yn chwerw iawn â thi.
Rwy'n cofio dyfod ar daith
Yna ar ddamwain unwaith
Ban oeddit, Eben addwyn,
Yn nychlyd, a dy bryd brwyn [trist]
Yn dangos fod rhyw dynged
A chwerw loes a nych ar led.
Ar dy lais, ac ar dy lwyd
Hoff ruddiau, argraff roddwyd
Fod rhyw bryder, dwyster du,
Oddifewn a griddfanu
Yn dod am ferch nad ydoedd;
Ar ei thad trwm hiraeth oedd.
A gweled merch deg eilwaith
Pryd hyn yn dilyn 'run daith.
O! drist ddu awr drosti oedd hon,
Angau a'i dododd rhwng dwy-don!
O! bennod hallt Eben i ti
Weled oes dy lodesi
Yn darfod, fal pryd erfai
Briallu mis Ebrill a Mai.
Drosot daeth yn dy drist ŵyl
Benwynni, Eben annwyl ...[19]

Yna, cyn mynd rhagddo i gynnig cysur 'cariad Tad' a alwodd ei ddwy ferch i'r 'wledd fawr', y mae Taliesin mewn un englyn yn atgoffa Eben iddo yntau orfod plygu i'r drefn a wynebu'r brofedigaeth fawr o golli plentyn:

'E welais innau las wyneb – merch im,
Ym mraich oer marwoldeb,
A'r rudd lwyd, oeraidd wleb, – wedi gwywo,
Lle gwelais yno yr holl glysineb.[20]

Plant yr aelwyd yn Llangollen

Er colli dau o'u plant yn ifanc iawn, yr oedd gan Elizabeth Jane a Thomas Jones bum plentyn yn fyw o'r ail briodas pan fuont hwy ill dau farw, y tad yn 1876 a'r fam yn 1878: pedair merch ac un mab. Bu un o'r merched, Caroline Matilda, yr ail ferch, farw yn 1885, ond yr oedd gweddill y plant yn fyw yn 1922, yn ôl y nodyn gan John Llewelyn, yr unig fab, ar ddechrau'r gyfrol o waith ei dad.[21]

Dyma ychydig fanylion bywgraffyddol am y pum plentyn, gan ddibynnu, yn bennaf, ar wybodaeth a nithiwyd o ffurflenni'r Cyfrifiad.[22] Yn Llangollen y ganed yr oll o'r plant.

Jane Emily: g. 1856.

Caroline Matilda: g. 1857. Cyfeirid ati hefyd fel Carey.[23] Yn 1881 roedd yn byw yn Ynyscynhaearn, ac yn forwyn yng Ngwesty'r Commercial, Caernarfon. Bu farw: 1885. Gweithiai bryd hynny yn yr Abbey Arms, Ffestiniog. Claddwyd hi ym Mynwent y Ddôl, Llangollen, yn yr un bedd â'i rhieni. Nid yw ei henw ar y garreg bresennol, dim ond y geiriau hyn a'r dyddiadau: 'eu merch, 1857-1885'.

John Llewelyn: g. Mawrth 1859. Yn 1881 roedd yn glerc i gwmni o gyfreithwyr yn 7 Queen Street, Llangollen. Ychwanegodd R E Roberts, Llangollen, y sylw hwn (gan sillafu 'Llewelyn' gyda dwy 'y'): 'John Llywelyn, neu, fel y byddem yn ei alw, Johnny Taliesin'.[24]

Catherine Myfanwy:	g. 1862. Yn 1881 roedd yn gynorthwy-ydd mewn siop yn 7 Queen Street, Llangollen.
Mary Gwenddydd: 'Mair Taliesin'	g. Mawrth 1865. Bu farw: 11 Mai 1942. Claddwyd ym Mynwent y Ddôl, Llangollen. Gelwid hi hefyd yn Mari Gwenddydd. Bu'n 'Arolygydd Gwisgoedd' yr Orsedd, *c.* 1900-23. Urddwyd hi i'r Orsedd yn 1913: 'Mair Taliesin'.

Mair Taliesin, 'Arolygydd Gwisgoedd' yr Orsedd

Yr oedd Taliesin wedi dewis enw arbennig iawn i'w ferch ieuengaf. O wybod am ei ddiddordeb mawr mewn hanes, yn arbennig hanes cynnar Cymru a'r hen Geltiaid, nid yw hyn yn fawr o syndod. 'Gwenddydd' yw un o'r cymeriadau sydd ganddo yn ei ddrama fydryddol 'Brwydr Crogen', buddugol yn Eisteddfod Genedlaethol Porthmadog (Tremadog), 1872. Y mae'n dra phosibl y gwyddai fod Gwenddydd yn yr hen chwedloniaeth yn chwaer i Fyrddin, y bardd-ddewin. Efallai hefyd y gwyddai am y gerdd faith, *c.* 1300, 'Cyfoesi Myrddin a Gwenddydd', ble mae Myrddin yn ateb cwestiynau ei chwaer fesul englyn, yn proffwydo enwau brenhinoedd Cymru a Lloegr, ac yn rhagfynegi buddugoliaeth fawr i'r Cymry o dan arweiniad Cadwaladr.

Byddai ei thad wedi bod yn falch tu hwnt o wybod am ymwneud ei ferch â Gorsedd Beirdd Ynys Prydain, yn enwedig yn ystod y cyfnod *c.* 1900-23. Hi a benodwyd yn 'Arolygydd y Gwisgoedd' gyntaf yr Orsedd. (Yn ddiweddarach y daethpwyd i ddefnyddio'r term 'Meistres y Gwisgoedd'.) Dyma un dyfyniad o gyfrol ragorol Geraint a Zonia Bowen, *Hanes Gorsedd y Beirdd*:

> 'Yn ystod Eisteddfod Caernarfon [1906] cyfarfu Pwyllgor Gwisg yr Orsedd ac ynddo darllenwyd llythyr oddi wrth y Beili Glas yn galw sylw at gyflwr yr urdd-wisgoedd, a phenderfynwyd gweithredu ar unwaith. Ffurfiwyd is-bwyllgor o chwech, yr Arglwyddesau Mostyn, Penrhyn a Hughes-Hunter o'r gogledd, a'r Foneddiges Howard Stepney ac A J Stepney Gulston a Mrs W Coombe Tennant o'r de, a'r Beili Glas

> yn gynullydd. Cyfarfu'r is-bwyllgor chwe gwaith yn Abertawe. Yn y cyfarfod cyntaf cyfetholwyd Ben Davies, Llynfi Davies, Gwylfa, R S Rogers, D Eurof Walters, J J Williams, Crwys, Irlwyn Rhydaman a Mair Taliesin a oedd eisoes wedi cychwyn fel Meistres y Gwisgoedd, y gyntaf i ddal y swydd.'[25]

Yn ystod 1920au parhau a wnaeth y gwaith o geisio diwygio a gwella urddwisgoedd yr Orsedd. A dyma un sylw perthnasol pellach gan Geraint a Zonia Bowen:

> 'Ym mis Gorffennaf 1925 penodwyd Sieffre o Gyfarthfa yn Arwyddfardd, ac fe aeth ati'n syth i baratoi ac argraffu llyfryn newydd yn gosod allan reolau a threfn ymaelodi, seremoni'r Urddo, yr Orymdaith a Chynllun o'r Cylch. Roedd Mair Taliesin ac Awen Mona wedi bod yn ymwneud â'r urddwisgoedd yn yr Ugeiniau, ond ym 1928 penodwyd Mrs Coombe Tennant (Mam o Nedd) yn 'Arolygydd y Gwisgoedd', teitl a newidiwyd yn ddiweddarach i 'Meistres y Gwisgoedd'.[26]

Oherwydd y glaw trwm, byr iawn fu seremoni agoriadol Gorsedd Eisteddfod Llangollen, 1908. Yr unig siaradwr oedd Marsiant. Cyfeiriodd at bresenoldeb nifer o Lydawyr yn yr Eisteddfod a oedd wedi dod i Langollen i 'ofyn am ganiatâd i gynnal Is-Orsedd' yn Brest ymhen tair wythnos. Yna, glaw trwm neu beidio, ceir cofnod am y digwyddiad diddorol a ganlyn:

> 'Cyflwynodd Mrs Mary Gwenddydd Morgan [Mair Taliesin] i'r Archdderwydd beithynen a saernïwyd gan ei thad, Taliesin o Eifion, 'Bardd y Gadair Ddu' Eisteddfod Wrecsam, 1876, ar gyfer cystadleuaeth arbennig, yn Eisteddfod Llangollen, 1858.'[27]

Cawn sôn eto am y beithynen arbennig hon, ond dyma un sylw pellach i gloi am ddigwyddiad arbennig arall yn hanes ymwneud Mair Taliesin â'r Orsedd. Yn Eisteddfod y Fenni, 1913, a Dyfed yn Archdderwydd, 'cyflwynwyd Urdd Er Anrhydedd i ddeunaw, yn cynnwys Miss [=Mrs] M Morgan (Mair Taliesin), merch Taliesin o

Eifion, Mrs Tom Ellis a Gruffydd Richards (Telynor y De).'[28]

Yr oedd Mair Taliesin yn briod â Joseph Morgan, Caerffili. Yn 1911 roedd yn 'Drafaeliwr Masnachol', yn gwerthu 'ffrwythau a thatws', ac yn byw yn Bodlondeb, Heol Sant Martin, Caerffili. Ef (ynghyd â Mair Taliesin ei wraig, bid siwr) a gyflwynodd lawysgrifau ei dad yng nghyfraith i'w diogelu yn Llyfrgell Genedlaethol Cymru, 17 Mehefin 1935.

3

Hiraeth am Fro ei Febyd

ER I DALIESIN symud o Lanystumdwy i Langollen yn blentyn chwe blwydd oed a byw yn Llangollen bron am weddill ei oes, nid anghofiodd am fro ei hynafiaid. Cadwodd ddolen gyswllt agos drwy gydol ei fywyd ac ymwelai â bro ei febyd mor aml ag y gallai. Mynegodd ei hiraeth amdani hefyd yn rhai o'i gerddi. Meddai mewn llythyr at ei gefnder, J Ellis Jones, Llanystumdwy:

> 'Ni ymadawodd hiraeth am Eifionydd erioed â fy mynwes, ond gallaf ddweyd yng ngeiriau Goronwy Owen:
>
> Y lle bûm yn gware gynt,
> Mae dynion na'm hadwaenynt;
> Cyfaill neu ddau a'm cofiant,
> Prin ddau, lle roedd gynnau gant.
>
> Felly finnau.
>
> Mae hiraeth trwm, trwm, cael tramwy – ail waith
> I weld Llanystumdwy;
> I Eifion, na chawn ofwy [ymweliad]
> At dirion blant yr hen blwy'.
>
> Mewn gro main, nain sy'n huno, – a nhaid
> Un wedd yn yr amdo;
> A'r fan gynt, mor fwyn, ac O,
> Estroniaid sy'n rhestr yno.

Nesodd i'r bedd fy mherthnasau; – mam a phlant,
Ymaith aethant hwythau;
Pa faint o geraint ar goll?
Braidd oll maent dan briddellau.'[1]

Gwyddom hefyd am o leiaf un englyn arall sy'n mynegi hiraeth y bardd am fro ei febyd, a thybir mai ar achlysur ei ymweliad olaf y cyfansoddwyd ef. Fel hyn yr adroddir yr hanes gan Daniel Williams:

> 'Yr wyf yn ddyledus i'r Dr William George, Cricieth, am rai manylion am Daliesin o Eifion. Cofir mai un o fawrion yr hen fro oludog honno oedd yr annwyl Richard Lloyd, ac er bod Taliesin yn hŷn nag ef o bedair blynedd ar ddeg, amlwg yw eu bod yn gryn gyfeillion. Yn ei gofiant cynhwysfawr a difyr i'w hen ewythr hyglod, sonia y Dr Wm George am bapurau 'Uncle Lloyd', ac ynddynt o leiaf un cyfeiriad at Daliesin [t. 61]. Yn y *Geninen* am Gŵyl Dewi 1905 ceir yr englyn dilynol fel un o'r rhai a adroddodd Taliesin yn Eisteddfod Madog – Na, nid felly – yn Llanystumdwy yng ngolwg y fynwent y gwnaed ef, ac i mi ar y pryd y rhoes ef:
>
> Yn Eifion y bu f'hynafiaid, – yno
> Hunant, hen anwyliaid;
> Wylo'r wyf, dy adael raid – fro lonydd,
> Ond tir Eifionydd yw cartre f'enaid.'[2]

Cyhoeddwyd yr englyn, gyda pheth amrywiaeth yn y paladr, gan John Llewelyn, mab y bardd, a'r pennawd yn *Gweithiau Taliesin o Eifion* yw: 'Ar Bont Llanystumdwy'.[3] Ond fel hyn y mae R E Roberts, Llangollen, yn adrodd hanes yr englyn:

> 'Ni phallodd ei serch at Eifionydd tra fu byw, ac yn Eisteddfod Genedlaethol Pwllheli, y flwyddyn cyn ei farw, a'r tro diwethaf iddo ymweled ag Eifionydd, anerchodd yr Eisteddfod y bore olaf mewn nifer o englynion, y diweddaf yn unig wyf yn gofio: "Yn Eifion bu'm henafiaid ..." '[4]

Cofio hen gyfeillion

Caiff cariad y bardd at fro ei febyd ei adlewyrchu yn amlwg iawn hefyd yn y cerddi a gyfansoddwyd ganddo i gofio am rai o'i hen gyfeillion. Rhoddwyd sylw eisoes i Eben Fardd a'r awdl fer i'w gysuro yng nghanol ei brofedigaethau mawr. Gellir cyfeirio hefyd at yr englyn a'r cywydd i gofio Mair Eifion;[5] y ddau englyn i gofio William Owen, cerddor o Borthmadog;[6] a'r hir a thoddaid sy'n tynnu coes Robyn Wyn o Eifion.[7] Yn y llinellau hwyliog hyn y mae'n galw Robyn Wyn ac yntau yn 'Robyn a Thali', 'deufardd Eifion', ac yn eu disgrifio fel 'hen grupliaid', 'rhai byr eu camau a'u berau ceimion'.

Fel y gwyddom, athro beirdd a chyfaill beirdd oedd Robert Williams, 'Robert ap Gwilym Ddu' (1766-1850), Betws Fawr, plwyf Llanystumdwy. Er ei fod flynyddoedd lawer yn hŷn na Thaliesin, fel cyfaill – a bardd ardderchog iawn, bid siwr – y byddai yntau'n ei ystyried. Cynnil a diffuant iawn yw'r mynegiant o hiraeth yn yr un englyn a'r hir a thoddaid a ganodd i gofio amdano. Y pennawd yw 'Uwchben bedd Robert ap Gwilym Ddu o Eifion'. Fel hyn y mae'n agor ei hir a thoddaid:

> Angau anhirion, greulon gwerylydd,
> A droes ei faner ddu dros Eifionydd ...

Ac y mae'n cloi drwy gymharu'r bardd â 'Homer Eifion a'i thramawr Ofydd'. Ond y mae naws llawer mwy personol yn ei englyn iddo, yn arbennig yn y paladr. Y mae'r cyfeiriad at 'fy nhad annwyl' yn yr agoriad yn fynegiant didwyll o'r berthynas agos oedd rhwng Robert ap Gwilym Ddu ac yntau, ynghyd â'r parch oedd gan Daliesin tuag ato.

> O, fy nhad annwyl fu'n denu – â'i gân
> Ei genedl i'w garu,
> Rhyw fodd gwnai pawb ryfeddu
> At beraidd dant y Bardd Du.[8]

Robert Williams, 'Robert ap Gwilym Ddu' (1766-1850). O ddarlun olew a briodolir i William Roos (1808-78), yng nghasgliad Llyfrgell Genedlaethol Cymru.

4

Pysgota a Dal Cwningod; Tlodi a Chystudd; Personoliaeth a Chymeriad

HAWDD DEALL PAHAM fod Taliesin o Eifion a Robert ap Gwilym Ddu yn gyfeillion. Barddoniaeth a beirdd oedd diddordeb mawr eu bywyd (er i'r Bardd o'r Betws roi'r gorau i gystadlu yn lled ifanc). Cyn mynd i sôn am weithgarwch barddol Taliesin, fodd bynnag, gair byr am rai o'i ddiddordebau eraill.

Cawn gyfeirio eto at ei hoffter o fyd natur ac fel y mae ei gerddi i adar ac anifeiliaid, y sêr a'r planedau, yn ddrych o hynny. Un diddordeb amlwg oedd pysgota. Diddordeb arall oedd hela, hela cwningod yn arbennig. Ni wn am un gerdd o'i eiddo sydd wedi cael ei hysbrydoli'n benodol tra bu'n oedi'n ddisgwylgar ar lan afon, ond dyma brofiad diddorol iawn a ddaeth i ran y bardd-heliwr un dydd, ac yntau ar drafael gyda'i ast a'i wn. 'Fan' oedd ei henw hi. Gwyn oedd lliw ei blew, neu'r 'gywn' [gown], chwedl y bardd. Caiff John Llewelyn, y mab, adrodd y stori.

> 'Yr oedd fy nhad yn hoff iawn o'r dryll; ac nid yn aml y gwelsid ef heb ei gi. (Yn fy amser i yr oedd wedi rhoi i fyny bysgota yn Nyfrdwy). Ryw dro, ac yntau'n siarad â pherchennog tir, rhedodd ei ast ato drwy'r gwrych a gwningen yn ei safn. Pan osododd yr ast ddiniwed y creadur

marw wrth droed fy nhad, meddai y *land-lord*, gan gymryd arno fod yn o sarrug,

"Ha, Taliesin, rwy'n gweld mai *poacher* ydych! Os ydych am ddod yn rhydd, rhaid i chwi roi englyn i mi yn ddi-ymdroi; englyn ar yr ast yma!"

A dyna'r modd a'r pryd y cyfansoddodd y llinellau adnabyddus i "Fan."'[1]

A dyma'r englyn:

'Fan' yw hon a'i phen hynod, – tariar
Naturiol i lygod;
Yn ei gywn gwyn hi fyn fod
Yn angeu i gwningod.[2]

Tlodi a chyflwyno englynion yn galennig

Yn ôl pob arwydd, digon tlodaidd ei fyd oedd Taliesin gydol ei oes, ac o'r awdlau a'r pryddestau a gyfansoddodd, mae'n dra phosibl mai ei awdl ar y testun 'Tlodi' (buddugol yn Eisteddfod Penycoedcan, 20 Ebrill 1863)[3] a roes y cyfle gorau iddo adlewyrchu ryw ychydig o'i brofiad personol ef ei hun. Yn yr awdl hon (sy'n enghraifft ddiddorol yn ei chyfnod o fardd yn arbrofi gyda'r mesurau caeth) adroddir hanes caledi bywyd enbyd Morgan Llwyd o Wynedd, a'i deulu. Yr oedd, afraid dweud, wahaniaeth dybryd rhwng tlodi difrifol y llenor o'r ail ganrif ar bymtheg ac amgylchiadau byw y bardd-baentiwr o Langollen. Eto i gyd, y mae'n hawdd deall sut yr oedd testun yr awdl hon yn un agos iawn at galon bardd a phenteulu y bu raid iddo yntau ymdrechu'n gyson i gael y ddau ben llinyn ynghyd.

Tryfer a genwer a gwn
Wna ŵr cyfoethog yn ŵr llwm,

medd yr hen rigwm. Ond nid tynfa Taliesin at bysgota a saethu cwningod a'i gwnaeth yn llwm ei fyd. Nid ei duedd aml i ymgolli'n llwyr yn nirgel fyd yr awen, chwaith, fel y cyfryw. Yr oedd, wrth gwrs, demtasiwn beunydd beunos i fardd parod ei awen oedi'n ormodol yn ei dŷ a gafael mewn ysgrifbin pan ddylai fod allan gyda'i waith, a'i frwsh paent yn ei law. Y mae'n werth dyfynnu geiriau'r gohebydd dienw yn *The Llangollen Advertiser*, 2 Mehefin 1876, yn yr adroddiad am farwolaeth y bardd: '... it is to be feared that many of the vicissitudes of his life may be traced to his habit of revelling too freely in the fairy regions of his imagination, to the neglect of his daily duties.' Ond, os gwir hynny, dylid cofio hefyd y gallai'r gwobrwyon ariannol eisteddfodol a enillai o bryd i'w gilydd fod yn gelc ychwanegol tra derbyniol ar brydiau. Na, y rheswm pennaf am ei dlodi oedd ei afiechyd.

Cawn dystiolaeth uniongyrchol o wendid corfforol y bardd a'r canlyniad i hynny mewn llythyr eithriadol o ddiddorol a ysgrifennodd at John Jones, 'Talhaiarn' (1810-70), y bardd a'r pensaer dawnus o Lanfair Talhaearn, sir Ddinbych. Y mae yn rhan gyntaf y llythyr hefyd sylw gwerthfawr am y pwysigrwydd o 'gael miwsig yn ein cynganeddion'. Un dull o sicrhau hynny, yn ôl Taliesin, yw arbrofi gyda'r mesurau, yn arbennig yr englyn. Dyma'r dyfyniad o ran gyntaf y llythyr hwn:

> 'Anwyl Gymrawd. Cof yw genyf fod, amryw flynyddoedd yn ôl, yn Llundain, rhyw Wyl Dewi, pan yr oedd amryw frodorion Gwlad y Bryniau yn mwynhau eu hunain ar y dydd sydd yn anwyl gan bob Cymro gwladgarol a dirodres. Yr oedd yn wyddfodol y noson hono (os da yr wyf yn cofio) Twrog, Gwrgant, Bardd Mawddach, Aled o Fôn, Myllin, ac amryw ereill, nas gwn eu henwau yn awr, a thithau yn llond y gadair. Digwyddaist wneyd sylw y pryd hynny a argraffwyd ar fy meddwl hyd heddyw, a dyna oedd, "Nad oeddyn ni, feirdd Cymru, ddim hanner digon gofalus am gael miwsig yn ein cynganeddion", ac felly yr oedd hi y pryd hynny hefyd; ond y mae gwahaniaeth dirfawr wedi cymmeryd lle erbyn hyn. Eto, rwyf fi yn meddwl y gellir gwella yn hyn o beth, ac "nid da lle y gellir gwell."
>
> Tybygaf y gellir cyfansoddi englynion mor delynegawl a phenillion

rhyddion, ond rhoddi wyth sill yn y fraich gyntaf, a'r gair cyrch yn ddeusill, a'r esgyll yn wythau.'[4]

Ceir enghreifftiau ddigon yng nghynnyrch barddonol Taliesin o Eifion o englynion sy'n cynnwys wyth sillaf yn y llinell gyntaf, deusill yn y gair cyrch, ac yna wythsill yr un yn nwy linell olaf yr englyn, yr esgyll. Ceir hefyd enghreifftiau achlysurol o linellau wythsill mewn cywyddau. A yw'r arbrawf hwn yn llwyddiannus? Barned y darllenydd drosto'i hun. (Fy ateb i? Ydyw, ambell dro, ac, yn sicr, y mae gwerth amrywio patrwm y llinell gyntaf mewn englyn. Ond cynnwys wythsill yn nwy linell olaf yr englyn? Na, gan amlaf, onid yw gwneud hynny yn gymorth i'r bardd fynegi ei neges; y grefft yn llawforwyn; yn gyfrwng i'r gelfyddyd, nid yn ymarferiad a dim arall.)

Y mae ail ran y llythyr at Dalhaiarn yr un mor ddiddorol a gwerthfawr. Y mae'n cynnwys pedwar englyn a gyfansoddwyd

Thomas Jones, Taliesin o Eifion (1820-76). O gasgliad Llyfrgell Genedlaethol Cymru. (Cyhoeddwyd llun tebyg yn *Beirdd y Gofeb*, Daniel Williams, 1951.)

gan ei thad i'w cyflwyno i'w ferch ieuengaf, Mari Gwenddydd (cyfeiriwyd ati eisoes fel Mair Taliesin), a phob englyn (ar yr un odl 'on') yn enghraifft o'r arbrawf y bu i'r bardd ei argymell yn rhan gyntaf ei lythyr. Ond pwysigrwydd pennaf ail ran y llythyr hwn yw'r cyfeiriad penodol at dlodi Taliesin, a chyfeiriad hefyd at yr hen arfer o rannu ffrwythau i'r plant yn galennig ar fore Calan Ionawr. Anaml iawn, fodd bynnag, y bu i unrhyw blentyn dderbyn rhes o englynion yn galennig yn lle ffrwythau! Ble arall ond yng Nghymru, gwlad yr eisteddfodau a'r beirdd? A ble arall ond ar aelwyd bardd megis Thomas Jones, Taliesin o Eifion, aelwyd ble roedd yr awen fel petai wedi cael ei derbyn yn aelod naturiol o'r teulu. Beth bynnag am unrhyw werth llenyddol sydd i'r englynion, felly, y mae'r digwyddiad anarferol hwn, decini, yn cyfiawnhau ailgyhoeddi'r englynion calennig hyn yn awr.

> 'Yr oeddwn wedi bod yn wael rai wythnosau cyn y Calan diweddaf, a'm harferiad fyddai gofalu am afal neu ddau i'r plant bob un yn galennig; ond, och fi! pan ddaeth fy ngeneth leiaf at erchwyn y gwely i waeddi: "Clennig, dadi", doedd yr un i'w gael eleni; ac nid oedd dim i'w wneyd i foddi'm trallod ond troi at yr awen, a llunio englynion iddi yn galennig. Ei henw yw Mari Gwenddydd. Nid yw, am a wn i, yn rhyw lawer glanach yr olwg arni na rhyw blentyn arall, ond fel y gwirir yr hen ddihareb mai "Gwyn y gwêl y frân ei chyw", ac yr wyf yn cyflwyno yr englynion isod i'th sylw, fel ymgais at yr hyn a grybwyllwyd uchod.

Fy nghalennig fo englynion - molawd
Malen Gwenddydd dirion;
Fe gaiff gennyf, wyryf wirion
O gariad tad, y gerdod hon.

Rhoddwyd ar ei dwyrudd dirion – ddau ros
Dd'rysai serch angylion!
Gyda glwysaidd lygaid gleision
A chyrls o aur uwch arlais hon.

O! dymunol ydyw meinion – res o
Risial ddannedd gwynion;
Ail i'r mefus neu liw'r mafon,
Neu *garmine* hardd, yw gwawr min hon.

Eto Fair, pan y tyf irion – laswellt
Uwch Taliesin Eifion,
Clywir canu clir acenion
O gân ei thad i'm geneth hon.'[5]

Cystudd, y droedwst a chrydcymalau

Nid oes brinder tystiolaeth i'r cystudd a gafodd Taliesin am sawl blwyddyn. Dyma yn gyntaf sylwadau ei fab, John Llewelyn, ar derfyn ei fywgraffiad byr:

> 'Dioddefodd y bardd boenau dirfawr yn ystod deuddeg neu yn wir bymtheg mlynedd olaf ei fywyd. Buasai yn bur ddiofal pan yn pysgota drwy'r blynyddoedd yn Afon Dyfrdwy, a bu raid iddo dalu treth drom. Am lawer mis bob blwyddyn nis gallai symud; ac yn ychwanegol i'w boen corff, yr oedd pryder ynglŷn â'i amgylchiadau yn ei lethu'n fynych, ar ol misoedd o gystudd di-waith. Bu Alaw Goch yn noddwr caredig iddo. Yn wir, ychydig cyn marw'r bardd caredig o'r De, yr oedd wedi trefnu i symud Taliesin o Langollen i Ddeheudir Cymru, ond aeth y trefniadau i gyd gyda'r gwynt pan gladdwyd yr Alaw. Wedi llawer cystudd hunodd yn 56 mlwydd oed, a gellid dweyd am dano yntau, fel y dywedir am y cyfoethocaf: "Ei hyd a'i lêd yw ei lys".'[6]

(Cawn sôn eto am y gwrda diwylliedig a hael, David Williams, 'Alaw Goch' (1809-63), Aberdâr. Canodd Taliesin farwnad deilwng iawn iddo.)

Pennawd un o'r llu englynion a gyfansoddwyd gan y paentiwr gwan ei iechyd o Langollen yw 'Y Droedwst (*Gout*)', ac y mae'n dra thebygol fod y bardd yn adrodd cryn dipyn o'i brofiad ei hun yn yr englyn cryf, darluniadol hwn, gyda'i amlder o gytseiniaid caled yn cyfleu mileindra'r aflwydd:

Naw mastiff yn ymostwng – i wanu'r
Gewynnau'n ddiollwng!
Llewpartiaid gwaeth na bleiddiaid blwng –
Rhyw gan mil ar gnoi y meilwng [ffêr, migwrn].[7]

Nid bob amser y mae'r bardd yn defnyddio'r union ansoddair yn yr union le fel y gwneir gyda'r gair 'diollwng' yn ail linell yr englyn hwn.

Dyfynnu tystiolaeth Daniel Williams yn ei bortread yn *Beirdd y Gofeb* a wneir nesaf. Cyfeiria at yr awdl a fu yng nghystadleuaeth y gadair yn Eisteddfod Genedlaethol Caer, 1866, pan enillodd Ap Vychan. Roedd Ceiriog yntau yn un o'r cystadleuwyr.

> 'Ar ryw dwrn o ddioddef mwy nag arfer y cyfansoddodd ei "Awdl y Môr". Ynglŷn â honno y mae ychydig gyfrinach na ddatguddiwyd mohoni erioed o'r blaen. Fy ngharn i dros ddywedyd hyn ydyw geiriau Mr. Percy Clarke, gŵr parchus a chyfrifol yn y dref hon, ac ef o ochr ei dad, y diweddar Mr. James Clarke (Iago Eifion) yn berthynas â Thaliesin. Yr oedd Iago Eifion yn fardd a berchid gan Daliesin, a'i farn i raddau'n safon iddo. Oherwydd poenau corff, methai y bardd a dod i ben ei dennyn ynglŷn â'i "Awdl y Môr", a gofynnodd i Iago Eifion ei gorffen, ac felly bu. Mynych y clywodd Mr. Clarke ei dad yn adrodd y stori hon. Adroddaf innau y ffaith fach hon, nid i roddi pluen yng nghap Iago Eifion, yn gymaint, ond i awgrymu mai rhwng ysbeidiau o ddioddef poenau corff y rhoddes ef inni rai o'i berlau tlysaf.'[8]

Un o'r cyfresi gorau o englynion a luniwyd gan Daliesin o Eifion yw 'Oriau Olaf Iesu Grist'. O dan y pennawd ysgrifennwyd y geiriau: 'Cyfansoddwyd ar wely cystudd'. A dyma'r nodyn a ychwanegwyd gan ei fab yn ei sylwadau bywgraffyddol:

> 'Cyfansoddodd yr englynion hyn pan yn dioddef dirdyniadau y *Rheumatic Gout*. Nis gallai symud bys, a'm chwaer a osododd bob llythyren ar bapur drosto.'[9]

Ceir cyfanswm o bymtheg englyn, amryw ohonynt yn englynion toddaid. Dyma'r ddau englyn agoriadol, ynghyd â'r seithfed a'r wythfed:

Yn isel gwnawn ddynesu – i arwain
Oriau olaf Iesu;
Trwm oriau'r 'brad a'r gwadu';
Hanes ei ddal a'i nos ddu.

Dowch i'r 'ardd', gwrandewch ri – ei riddfan
Drwy raddfa'r daer weddi;
Gwaelodion Ei ddwfn galedi,
A'i chwys yn waed o'n hachos ni.

Ar frys o'r naill lys i'r llall – arweinient
Yr annwyl Oen diwall;
Barnu Duw heb yr un deall,
A'i wawdio'n dost fel dyn dall.

Y goron wawd a'i gernodio, – a rhoi'r
Wisg borffor amdano;
Yntau'n fud – dyna Fo – heb neb drwy'r wlad
I gynnig siarad gan ei gysuro.

A dyma'r ddwy linell sy'n cloi'r gyfres:

Yn nherfyn Ei yrfa, coron cariad,
Pinacl Ei fwriad oedd Pen Calfaria.

'Os medraf fod o les ... yr ydwyf at eich gwasanaeth': personoliaeth a chymeriad y bardd

Cyfeiriwyd eisoes at dystiolaeth Rhuddenfab yn sôn am y croeso a roddai Taliesin i'r beirdd yn ei gartref ar achlysur Eisteddfod Fawr Llangollen. Diddorol sylwi hefyd mai yn yr un tŷ y cyfarfyddai llawer o'r beirdd ymhen hanner canrif wedi hynny, y tro hwn adeg cynnal yr Eisteddfod Genedlaethol yn Llangollen, 1908.[10] Gellid nodi hefyd y llythyr a anfonodd Taliesin at Owain Williams, Waunfawr, sir Gaernarfon, yn gofyn am wybodaeth ynghylch 'arfau Owain Gwynedd'. Roedd arno angen y wybodaeth, mae'n dra thebyg, ar gyfer paratoi ei ddrama fydryddol, 'Brwydr Crogen', buddugol yn Eisteddfod Genedlaethol Porthmadog, 1872. Yn y llythyr y mae'n ychwanegu'r geiriau hyn:

> '... os medraf fod o les i chwi tuag at werthu eich Geirlyfr clodwiw, yr ydwyf at eich gwasanaeth; a phryd bynnag y deloch i'r ardal hon, y mae yn fy nhŷ, gartref a chroesaw hyd y mynnoch.'[11]

'Os medraf fod o les ...' Y mae'r geiriau hyn, dybiaf i, yn nodweddiadol o Daliesin o Eifion. O ddarllen ei farddoniaeth a'r ychydig lythyrau o'i eiddo sydd wedi goroesi, dyna'r argraff a gawn: gŵr caredig, parod ei groeso a'i gymwynas. Dyna'r darlun a roddir inni hefyd gan ei gyfeillion a'i gydnabod. Cawn sôn yn fanylach eto am un ohonynt, sef Benjamin Humphreys, y myfyriwr ifanc yn Athrofa Llangollen a fu'n cynorthwyo Taliesin drwy ysgrifennu ei gerddi cyn eu hanfon i gystadleuaeth. Ond dyma yn awr un paragraff o'r ysgrif werthfawr a gyhoeddwyd ganddo ym mhapur *Y Darian*, 8 Mawrth 1923, flynyddoedd lawer wedi marw'r bardd y bu'n ei gynorthwyo.

> 'Cefais fy nerbyn i Athrofa Llangollen yn 1874, ac yn bur fuan deuthum i adnabod Taliesin o Eifion, a hynny drwy'i wraig a'i ferched; mynychent hwy Gapel Penybryn [eglwys y Bedyddwyr], lle y gweinidogaethai'r Parch. John Prichard, D.D. Annibynnwr oedd y bardd a'i fab hefyd [yn mynychu Capel Glanrafon]. Treuliais lawer awr hapus o dan eu cronglwyd, a meiddiaf ddweyd nad oedd aelwyd mwy cariadus a dedwydd yn nyffryn Llangollen na'r eiddo Taliesin o Eifion. Os oedd amgylchiadau'r teulu ar adegau'n wasgedig, nid gwastraff na diogi a achosai hynny, ond anallu'r bardd i ddilyn ei alwedigaeth: byddai'n awr ac yn y man yn dioddef oddiwrth y droedwst (*gout*), heb allu symud o'r ty am wythnosau. Yng nghaethiwed ac ing yr afiechyd hwnnw y

> cyfansoddodd ei englynion adnabyddus ar "Oriau Olaf Iesu Grist", ac yr wyf yn cofio'u darllen ar y pryd yn ei lawysgrif, ac o tanynt y geiriau, "Taliesin o Eifion a'u cânt yn ei gystudd, ond beth wrth ei gystudd Ef?"'[12]

Byddwch chwi'r darllenwyr wedi sylwi bellach, rwy'n siwr, mai anaml yn y gyfrol hon y cyfeirir at y bardd o Langollen fel 'Thomas Jones'. Ac y mae rheswm da am hynny. Roedd wedi dewis yr enw barddol 'Taliesin o Eifion' yn fwriadol iawn, dybiwn i. Oherwydd ei ddiddordeb dwfn mewn hanes a llên ei wlad, fe wyddai o'r gorau am Daliesin, y bardd o'r hen Ogledd yn y chweched ganrif, a fu am ganrifoedd wedi hynny yn ysbrydoliaeth i feirdd, chwedleuwyr ac arlunwyr. Iddo ef roedd yr enw a fabwysiadodd yn fwy nag enw barddol, gorseddol. Derbynnid yr enw hefyd gan gylch eang o'i gydnabod. Cyferchid ef, gan amlaf, nid fel 'Thomas Jones', ond yn syml wrth yr enw 'Taliesin', ac weithiau fel 'Tal', ac yr oedd hynny, bid siwr, yn ganlyniad i'w bersonoliaeth hawddgar, gyfeillgar. Fel hyn y mae gohebydd dienw *The Llangollen Advertiser*, 2 Mehefin 1876, yn cyhoeddi ei farwolaeth mewn geiriau cynnes diffuant y diwrnod canlynol:

> '"Poor Taliesin is gone!" This was the sorrowful remark which was whispered in sympathetic tones yesterday (Thursday), as the people accosted each other, in all parts of the town. Quiet, harmless, and inoffensive in manners, kind, sprightly, and genial in company, Tal was always a special favourite within the circle of his acquaintance. His life, especially in the latter portion of it has been a chequered one, and his constitution, though stalwart and strong in youth, bore so many traces of the pains he had suffered from his old enemy – rheumatism, that his hoary locks, and tottering footsteps, would lead us to suppose him to be much older than he really was.'

Ceir adlais o'r sylwadau hyn yn yr adroddiad a gyhoeddwyd yn *Baner ac Amserau Cymru*, 10 Mehefin 1876, o dan y pennawd: 'Marwolaeth Taliesin o Eifion'.

> 'Diammeu fod enw y bardd awen-bêr, Taliesin o Eifion, sef Mr. Thomas Jones, o Langollen, yn adnabyddus i filoedd o'n darllenwyr; ac yn enwedig i'r rhai sydd yn teimlo dyddordeb yn ein heisteddfodau cenedlaethol. Yr oedd ei dymmher dawel, ei wyneb siriol, a'i dalent farddol yn peri ei fod yn un o'r rhai mwyaf diddan a hyfryd i fod yn ei gwmpeini, yn enwedig pan yr ymollyngai i'w elfen ei hun i drafod, a throi a throsi hynafiaethau a barddas Gymreig.
>
> Cafodd oes eithaf tymmhestlog ar ei hyd, ac yr oedd y rhan hwyrol o honi yn waeth, yn fwy drychinog, na'i boreuddydd; dioddefodd gystudd trwm am lawer o flynyddoedd, ac arteithiwyd ef o'r bron yn anad un o'i gyfoedion gan un o hên elynion cyndynaf dynoliaeth bechadurus, neu y cryd cymmalau, fel yr adnabyddir y clefyd poenydfawr hwn (neu mewn rhai parthau o'r wlad); a pharai ei benllwydni a'i gamsefyll – effeithiau ei ymosodydd atgas – i'r neb a'i gwelai feddwl ei fod yn hynach nag ydoedd mewn gwirionedd.'[13]

Cyfeiriwyd droeon eisoes at atgofion R E Roberts a'r anerchiad a draddodwyd ganddo gerbron Cymdeithas Llên Llangollen. Dyma ddau ddyfyniad pellach o'r anerchiad hwnnw sy'n ychwanegu at y darlun o bersonoliaeth a chymeriad y bardd. Y mae'r cyntaf yn ein hatgoffa y gallai Taliesin yntau, hyd yn oed yng nghanol ei gystudd, fod hefyd yn llawn hwyl, ac yn barod gyda'i sylwadau difyr.

> 'Yr oedd yn ddyn y mwynheid ei gymdeithas gan wŷr meddylgar o bob dosbarth. Bu yn aelod yn eglwys Glanrafon am gryn lawer o'i oes, ond ni chymerai ran gyhoeddus yn ei chynulliadau, ac ni ymgymerai â'r swydd o athraw. Fel llawer bardd a llenor ymddengys nad oedd yntau yn siaradwr cyhoeddus mewn unrhyw gylch. Cawn ei hanes yn siarad unwaith yng Nghyfarfod y Beirdd, ac yn eu cyfarch yn debig i hyn: "Poen pobl dlodion – diffyg treuliad, bronchitis a'r crydcymalau sydd yn eich blino chwi; ond am Talhaiarn a minnau, poen pobl fawr – y *gout* sydd yn ein blino ni." '[14]

Y mae'r ail ddyfyniad yn rhoi disgrifiad gwerthfawr inni o'r dyn ei hun.

> 'Gŵr o daldra cyffredin ydoedd, yn gadarn o gorff, gwyneb crwn, lluniaidd, eiliau bwâog, a'i ddau lygad yn pefrio yn ei ben, eilliai ei wyneb, gan adael i'w farf dyfu oddeutu ei ffiniau. Yr oedd ganddo ben fel crochan, hynny yw, fel crochan a'i wyneb i lawr, a hynny nid am ei fod yn wag, ond oherwydd bod ganddo seiliau llydain a diogel, a bod ei goryn yn un uchel a bwâog.'[15]

Yr un yw gwerth y disgrifiad manwl a roes ei gyfaill, Edward Davies, 'Iolo Trefaldwyn' inni o'r bardd, ychydig dros flwyddyn wedi iddo farw. Yn yr erthygl hon, a gyhoeddwyd yn *Y Darlunydd*, cynhwysir hefyd luniau Taliesin o Eifion a'r Gadair Ddu, a dyma un o'r lluniau y cyfeirir ato yn y dyfyniad a ganlyn.

> 'Yn awr, prysuraf at yr adeg y daethum i gydnabyddiaeth âg ef, a cheisiaf bortreadu yr oll o'r dyn. Gellir barnu wrth y darlun hwn ei fod yn ddyn hardd, ac felly yr oedd – yn un cyflawn o gorph; lluniaidd o osodiad; gwyneb cyflawn a hardd; llygaid llymion ond siriol; talcen uchel, cyflawn; gwallt du, modrwyog. Yr oedd iddo wefusau cymhedrol; a gofalai na ddeuai dim o'r cyfeiriad hwnnw i fradychu na niweidio neb; nac iaith anfoesol i lygru cymdeithas; ond byddent yn wastad fel rhyw beiriant yn gweithio wrth wres ei feddwl bywiog a barddonol. Byddai bron bob amser y cyfarfyddid âg ef yn adrodd rhyw linell bert a newydd fyddai ar y pryd yn cael ei nyddu ganddo ...
>
> Yr oedd ynddo lawer o bethau dymunol fel cyfaill, a meddai lawer iawn o elfenau gwr boneddig; ac yr oedd ynddo ddigon o dân i gadw pob gau-feddyliwr a phob hunan-feddyliwr draw, ond rhoddai bob cefnogaeth ac addysg i'r gostyngedig a'r addawol. Wel, "heddwch i'w lwch"!'[16]

5

Yr Awen ar Waith o Ddydd i Ddydd: Barddoni a Difyrru

AI BYW I baentio ac addurno yr oedd Thomas Jones, Taliesin o Eifion? Ynteu ai paentio ac addurno i fyw, a byw i farddoni a chystadlu? Cwestiynau teg. Fel un o feirdd brwd, niferus, yr eisteddfod, ganol y bedwaredd ganrif ar bymtheg, y bydd y mwyafrif mawr yn cofio amdano. Eto, fel y cawn sylwi'n fanylach yn y man, nid ei gerddi eisteddfodol, gydag ambell eithriad, yw ei gerddi gorau nac, yn sicr, y rhai mwyaf diddorol, yn fy marn i. Na, y cerddi gorau yw'r rhai hynny sydd wedi'u hysgogi, nid gan destun neu wobr eisteddfodol, fel y cyfryw, ond gan y bobl yr oedd ef yn eu hadnabod, gan y gymdeithas yr oedd ef yn rhan ohoni, a chan y byd o'i gwmpas.

Cyhoeddi cyfrol o farddoniaeth Taliesin, a barn y 'Gohebydd Crwydrad' am ei englynion 'ffigurol'

Drwy gymwynas John Llewelyn, y mab a gasglodd y cerddi ynghyd, a Wil Ifan a'u golygodd, y mae'n dda fod gennym y cyhoeddiad *Gweithiau Taliesin o Eifion*, cyfrol 221 tudalen, wedi'i hargraffu'n gymen gan

Hughes a'i Fab, Wrecsam (1922). Gwnaed cymwynas bellach gan y ferch ieuengaf, Mari Gwenddydd ('Mair Taliesin'), a'i phriod, Joseph Morgan, Caerffili, a gyflwynodd bapurau a llawysgrifau Taliesin, sy'n cynnwys detholiad pur helaeth o'r farddoniaeth, i'r Llyfrgell Genedlaethol, 17 Mehefin 1935.[1] Wrth gyfeirio at y farddoniaeth hon yn ei gyflwyniad byr i'r gyfrol, meddai Wil Ifan:

> 'Credaf mai y cynllun goreu yw gosod y cyfan bron mewn print ("Goreu cof, cof llyfr"), gan hyderu na ddioddefa enw da Taliesin. Cofied y darllenydd nad ysgrifenna neb bardd ar ei oreu o hyd: y mae ganddo amryw bethau a wneir ar frys yn gymwynas i hwn ac arall ... Detholed y darllenwr drosto ei hun, a daw o hyd i rai o linellau mwyaf perorol yr iaith. Yr unig bethau a gadwyd allan yw'r rheiny y teimlwn yn berffaith sicr na fynasai'r bardd ei hunan iddynt ymddangos.'[2]

A oedd Taliesin o Eifion wedi bwriadu cyhoeddi cyfrol o'i gerddi yn ei ddydd a'i oes ei hun? Gwyddom, o leiaf, am un cyfeiriad sy'n awgrymu hynny. Fe'i gwnaed gan un a oedd yn ei alw ei hun yn 'Ohebydd Crwydrad' ac yn ysgrifennu colofn i *Baner ac Amserau Cymru* o dan y pennawd 'Ar yr Aden'. Yn ei golofn, 28 Chwefror 1868, dywed ei fod yn treulio wythnos i naw diwrnod yn Rhosllannerchrugog, 'un o'r lleoedd mwyaf poblogaidd a phwysig yng ngogledd Cymru', ac mewn arddull fywiog a lliwgar, y mae'r 'Gohebydd Crwydrad' yn mynegi ei farn yn bendant iawn ar dri phwnc. Taliesin o Eifion yw un ohonynt, ac y mae'r ddau bwnc arall yn berthnasol iawn hefyd i'r oes yr oedd y bardd o Eifionydd yn byw ynddi.

Yn gyntaf oll, y mae'n colbio'r Bonwr Biddulph o Gastell y Waun ac yn annog y darllenwyr, 'yn enw Ceridwen', i beidio ag anghofio ei weithred yn gwrthod y gwahoddiad i fod yn un o lywyddion yr Eisteddfod Genedlaethol oedd i'w chynnal yn Rhuthun, a gwrthod hefyd:

> 'rhoddi benthyg ei arluniau i gyfoethogi Arddangosiad Celfyddyd yn yr Eisteddfod, a hynny oherwydd yr hen esgus fusgrell ac anwireddus

fod yr Eisteddfod a'i hamcan at gynnal i fyny'r Gymraeg ar draul cadw'r Saesneg yn ol yng Nghymru. Cadwed y Rhosllannerchrugogolion hyn mewn côf pan ddaw'r Milwriad Biddulph i gardota eu pleidleisiau yn yr etholiad nesaf.'[3]

Culni enwadol yr oes yw ail bwnc llosg y 'Gohebydd Crwydrad'. Y mae'n llawenhau gyda phenderfyniad pobl y Rhos i gael 'Music Hall', ac yn mynd rhagddo, yn ei ddull afieithus, i nodi un rheswm arbennig am hynny.

'Gwir fod yma ddau ysgoldy ardderchog ... ond yr anffawd ydyw os lloga dyn yr Ysgol Frytanaidd at gyngherdd neu ddarlith, fe geidw'r Eglwyswyr draw; ac os llogir y 'National School', ni cheir presennoldeb y blaid arall. Gwarthrudd i'n gwlad ydyw ei dallbleidiaeth.

Cafwyd esiampl hynod o nerth yspryd cul a rhagfarnllyd yn y Rhos ddau Sabbath neu dri yn ôl. Yr oedd cyngherdd i fod yn y 'British School'. Ni welwyd erioed brogram mwy iachus a dethol. Ond teimlodd un o danddaearolion Bryn-yr-Owen yn ddyledswydd arno ŵyrdroi dyben yr Ysgol Sul yn y capel mwyaf yn y lle i rybuddio yr aelodau i beidio cefnogi y cyngherdd, gan sicrhau ieuengctyd mai ffordd i uffern oedd ffordd y cyngherddau hyn, a thaflu awgrymiadau enllibus, maleisddrwg, ac anwireddus at gymmeriad y perfformwyr ...'

Y mae'n cloi ei sylwadau gwerthfawr gyda'r apêl daer hon:

'Nid yw gwaith crefyddwyr yn ymyraeth â phethau na pherthyn iddynt yn amgen na 'sacrilege'.'

A'r hyn sydd ei angen yw:

'Llai o 'gossip', llai o wrachïaidd chwedlau, llai o anwireddau am gymmeriadau pobl eraill, llai o erlid, a llai o sectyddiaeth a rhagfarn, gyda mwy o addfwynder, dynoldeb, dysg, rhyddfrydedd a gwirionedd.'[4]

A dyma'r trydydd pwnc: Taliesin o Eifion. Y mae'n amlwg fod gan y 'Gohebydd' farn uchel iawn amdano, ac y mae'n neilltuo colofn a hanner i drafod ei waith. Fel hyn y mae'n dechrau, gan gyfeirio'n graff at un o nodweddion amlwg ei gerddi, yn arbennig ei englynion.

> 'Yn ystod fy arosiad yn y Rhos, cefais lawer o gyfeillach y bardd enwog, Taliesin o Eifion. Taliesin, Trebor Mai, a Dewi Arfon, ydyw tadau yr ysgol newydd o englynwyr sydd yn awr yng Nghymru – yr ysgol sydd yn hawlio "barddoniaeth" mewn englyn, yn gystal â chynghanedd gywrain. Hyd yn ddiweddar, ni cheisid am ddim uwch mewn englyn na chlec gref a synwyr cyffredin; ond gwell oedd aberthu hyd yn oed y synnwyr cyffredin nag aberthu y glec. Clywais i Taliesin golli gwobr unwaith o herwydd, meddai ei feirniad, fod ei englyn yn "rhy ffugurol" – hynny ydyw, o'i gyfieithu, oherwydd ei fod yn "rhy farddonol".'[5]

Fel enghraifft o englyn 'ffugurol', yr un a ddewisodd y 'Gohebydd Crwydrad' yw englyn cofiadwy Taliesin i'r Cleddyf:

Llym gledd! dialedd a'i dilyn; – ei lwybr
Sy' lawn braw a dychryn;
Gwneud gloddest ar gnawd glewddyn,
Yfed gwaed yw ei fyd gwyn.

Yna y mae'n trafod yn arbennig awdl 'Y Môr', gan gynnig rhai awgrymiadau ar sut i'w gwella eto. Ychwanega hefyd y sylw hwn:

> 'Y mae ei "Awdl y Môr" o fy mlaen yn awr, a da genyf ddeall ei fod yn bwriadu ei chyhoeddi, gyda chasgliad o'i brif gyfansoddiadau ereill, yn llyfryn taclus. Rhwydd hynt iddo. Gobeithiaf na chaiff achos edifarhau am ymddiried yn mharodrwydd ei gydwladwyr i brynu barddoniaeth yn ngwir ystyr y gair.'[6]

Y mae'n cloi ei golofn gyda'r geiriau hyn ac yn ailadrodd ei ddymuniad:

> 'Gobeithiaf o galon y caiff *poor* Taliesin gefnogaeth dda i gyhoeddi ei waith, yr hwn a fydd yn sicr o beri i'w genedl wneyd mwy o gyfiawnder â'i athrylith nag a wnaed hyd yn hyn.'[7]

Dewis mesur a chyfrwng cân

O fwrw golwg ar farddoniaeth Taliesin o Eifion a'r ffurfiau mydryddol a ddewiswyd ganddo, fe welir bod y cerddi caeth yn fwy niferus o gryn dipyn. A dibynnu ar y cerddi a ddetholwyd ar gyfer eu cyhoeddi yn y gyfrol brintiedig, dyma rai manylion. Gan roi sylw yn gyntaf i'r cerddi caeth, y mesur mwyaf poblogaidd o ddigon yw'r englyn unodl union: 71. Englynion a thoddaid byr yn yr esgyll (y ddwy linell olaf): 8. Cerddi sy'n gyfres o englynion o'r ddau fath uchod: 49. Cywyddau: 4. Hir a thoddeidiau: 14. Cerddi, neu awdlau byrion, yn cynnwys un neu ragor o englynion, o gywyddau neu o hir a thoddeidiau: 11. Awdlau: 4.

Y mae gan Daliesin un gerdd gaeth, sef pennill wyth llinell, ar y testun 'Y Bedd', a dyma'i ddisgrifiad o'r mesur a ddefnyddiodd: 'Ar y Gyhydedd Ddeuddeg Sill, un o fesurau Morgannwg'. Dyfynnir llinellau 1, 2, 5 a 6:

> Er wylo môr heli ar ôl y marwolion,
> Ni welir un eilwaith yn ôl o'r anwylion ...
> Yr henwr geir yno a'r ieuanc yr unwedd,
> Ac yno mae brenin a gwerin yn gorwedd ...[8]

O fwrw golwg ar y cerddi rhydd, dyma'r dosraniad. Caneuon (amryw fesurau): 23; efelychiadau (amryw fesurau): 8; marwnadau: 2; pryddestau: 2; dramâu mydryddol: 1; dyrïau: 1: arwrgerddi: 1; emynau: 1; cerddi Saesneg: 1.

Yn hogyn yn yr ysgol a dechrau englyna

Hogyn ysgol oedd Taliesin pan ddysgodd y cynganeddion. Tair ar ddeg oed ydoedd ac yn ysgol Grove Park, Wrecsam, pan gyfansoddodd yr englyn a ganlyn i gofio am blentyn seithmlwydd oed a fu'n dioddef yn hir gan boenau pen.

Poen a gês i'm pen i gyd, – a gofid
A gefais drwy'm bywyd;
Yn angau cês ddiengyd
O'i holl boen i fil gwell byd.[9]

Credo ac agwedd meddwl wahanol iawn a fynegir mewn englyn coffa arall o eiddo'r bardd. 'Beddargraff Llanc' yw pennawd yr englyn hwn, a phedair ar ddeg mlwydd oed oedd ei awdur ar y pryd:

O, gwelwch y fan y'm galwyd – i laid,
O 'mlodau fe'm torrwyd;
Pryfyn yw dyn (fe'i profwyd),
Pryfyn fydd i'r pryf yn fwyd.[10]

'Morwyn deg mewn gwisg bob dydd ...': swyddogaeth y bardd yn ei fro

Ac eithrio'r ddau englyn hyn, nid oes gofnod penodol, hyd y gwyddom, o oedran y bardd pan gyfansoddodd ei gerddi, yn arbennig y rhai cynharaf, oni fuont mewn cystadleuaeth, ac ychydig yw'r rheini yn y cyfnod hwn. Yr argraff a gawn, fodd bynnag, yw fod barddoni – neu efallai y dylwn ddweud prydyddu – yn ei waed er yn ifanc iawn, a bod ei hen gyfeilles yr awen yn ymweld ag ef yn bur aml, ac weithiau ar amseroedd ac mewn mannau annisgwyl iawn.

Ambell dro hawdd gweld fod ynddo lawer mwy o anian y prydydd na'r beirniad llenyddol. Creu'r gerdd – y geni o'r newydd – oedd yn rhoi'r pleser pennaf iddo yn hytrach na'i mireinio'n greadigaeth gaboledig. Dyna paham fod angen pwysleisio eto nad er mwyn dangos i'r darllenydd pa mor dda, neu pa mor wael, yw rhai cerddi, y cyhoeddir hwy yn y gyfrol hon. Yr amcan, yn hytrach, yw rhoi darlun o swyddogaeth y bardd yn ei gymdeithas, a bardd a oedd yn defnyddio'r awen fel bo'r galw at ei wasanaeth, boed i ddisgrifio neu i ddathlu, i foli neu i farwnadu. Y gair allweddol yw 'defnyddio'. 'Bardd at iws', fel y byddai rhai yn ei ddisgrifio ar lafar. Bardd bro.

Gwell gennyf ei alw wrth yr enw hwnnw na 'bardd gwlad'. Bardd ei fro yn Nyffryn Llangollen a'r cyffiniau ydoedd; bardd ei bobl.

Ambell dro iddo ef byddai'r awen fel eboles ifanc yn rhydd mewn ffair, neu fel nant fyrlymus yn llifo'n llafar i lawr y llethrau. A defnyddio delwedd arall, eto fyth, nid duwies deg mewn gwisg o sidan ac yn byw yn ei pharlwr crand oedd yr awen iddo, ond morwyn deg mewn gwisg bob dydd, o hyd yn brysur yn y gegin gyda'i gwaith. Llawforwyn ufudd.

Roedd yn hoff o'r canu caeth, meddwn. Eto, iddo ef, nid caethiwed oedd y gynghanedd ond cyfrwng hylaw i fynegi neges yn fyw a chofiadwy. Ar brydiau gallech dybio ei fod yn 'siarad barddoniaeth'. Ystyriwn, er enghraifft, y llinell hon: 'Gwelais ddau lo bach gan Robert Evans'. Dyna linell o ryddiaith, meddem. Ie, o ddarllen y llinell ar ei phen ei hun – disgrifiad syml o'r hyn a welodd y bardd. Ond pan welwn y llinell wedi'i gosod ar bapur gyda'r gwant – y toriad – rhwng 'Robert' ac 'Evans', ac ail linell wedi'i hychwanegu: 'Yr Efail a Roger', sylweddolwn mai darllen paladr englyn yr ydym, a bod cynghanedd ymhob llinell, er nad hawdd yn syth bin yw ei darganfod yn y llinell gyntaf. (Cynghanedd lusg ydyw, wrth gwrs; mae'r 'b' yn 'bach' yn ceseilio gyda 'lo' i ffurfio 'lo-b', ac felly yn odli gyda 'Rob', y sillaf gyntaf yn 'Robert'.) Disgrifiad, felly, yw'r englyn o'r hyn a welodd y bardd un diwrnod mewn cert. Byddai rhai yn dweud mai dyna'n unig yw'r englyn: darn byr o ryddiaith mewn ffurf fydryddol; cyfuniad o gynghanedd ac iaith ar waith. Ond y mae'n amlwg i'r bardd gael boddhad o gyfansoddi, a siawns nad yw'r darllenydd yntau yn cael rhyw gymaint o foddhad wrth ddarllen neu adrodd yr englyn ac edmygu hefyd ei glyfrwch. Dyma fo yn gyflawn ar y testun 'Mi Welais':

Gwelais ddau lo bach gan Robert – Evans
Yr Efail, a Roger
Tanygeulan; a Gelert,
Ci Huw y Felin mewn cert.[11]

Yn yr ychydig atgofion personol a roes John Llewelyn inni am ei dad ar ddechrau'r gyfrol o'i gerddi, y mae'n adrodd yr hanesyn hwn:

> 'Pan yn fachgennyn hoffai fy nhad fynd â mi i'w ganlyn ar ei deithiau yma ac acw. Cofiaf yn dda iddo adrodd ei linellau, ''Drych, 'drych, i'r entrych yr aeth ...' etc., pan welsom ehedydd yn codi i'r glas; a chredaf mai eu cyfansoddi ar y pryd yr oedd.'[12]

Fel hyn yr ymddengys yr englyn yn gyflawn:

> 'Drych, 'drych, i'r entrych yr aeth – yr 'hedydd,
> Ar aden peroriaeth,
> I fyw adroddi 'i fydryddiaeth
> Ar riniog Nef i'r Hwn a'i gwnaeth.[13]

Dyma enghraifft dda, yn arbennig yn y llinell agoriadol, o dad yn siarad yn naturiol â'i fab ar gynghanedd, allan yn y meysydd yng nghanol byd natur, ac yn peri i ni'r darllenwyr dybio bod y bardd yn cynganeddu mor naturiol a rhwydd ag y mae'n siarad.[14] Y mae'r englyn hefyd, gellid ychwanegu, yn enghraifft deg o ddawn cynganeddu'r bardd (clyfar ar brydiau), er nad pawb fyddai'n ffafrio'r defnydd o linellau wythsill, yn lle'r saith arferol, yn esgyll yr englyn.

Enghraifft dda o'r awen fyrfyfyr yw canlyniad sgwrs a gafwyd rhwng y bardd ac un o'i gyfeillion adeg cynnal Eisteddfod Fawr Llangollen, 1858. Cyfeirio y mae'r hanes at J D Jones, 'Sioned Olfyr', Rhuthun, ac fel hyn y mae Lewis Jones, 'Rhuddenfab', yn adrodd yr hanes yn *Cof a Chadw am Ŵyl Fawr 1858.*

> 'Pan yn ysgrifennu llythyr at Mr J D Jones, y cerddor o Ruthyn, yn Hafdy Taliesin o Eifion, i'w wahodd i dreulio y Sul yn Llangollen i helpu gyda dewis yr adran gerddorol yn yr Eisteddfod, fe'm synwyd at barodrwydd awen Taliesin. "Rhowch englyn", ebe fi "ar orffeniad y llythyr, iddo weld fod rhywun heblaw fy hunan yn awyddus iddo ddyfod", pryd y'm hatebai ar un anadl: "Ysgrifenna fo i lawr:

Sa'n d'elfen, 'Sioned Olfyr', – i ganu,
Nes bo gwyneb natur
Yn ufel poeth o fawl pur
Fiwsig, tu hwnt i fesur." '

Eglura Rhuddenfab ymhellach:

> 'Yr oedd Mr J D Jones ar y pryd yn ysgrifennu cyfres o lythyrau, o ddyddordeb mawr, i'r *Herald Cymraeg* ar "Lenorion Cymru", o dan yr enw "Sioned Olfyr", a barent gyffro nid bychan yn y byd llenyddol, a dyna oedd yn cyfrif am "Sioned Olfyr" yn yr englyn difyfyr. Bu ein cais ato yn llwyddiannus, a bu ei gynghorion inni yn dra gwerthfawr.'[15]

'Golwyth o gig i'w goginio' a 'barf Iolo Trefaldwyn'; y 'llyffant dyfrllyd' a 'Neli Ffoulk' yn llosgi: englynion hwyliog i'w mwynhau

Un nodwedd amlwg yng ngherddi byrfyfyr Taliesin o Eifion yw eu hysgafnder. Cerddi hwyliog, braf, a'r bardd yn amlwg yn ei fwynhau ei hun wrth ganu. A cherddi i ninnau eu mwynhau wrth eu darllen. Eu darllen – ond hefyd eu hadrodd; eu cyflwyno ar lafar o berson i berson. Dyma faes a anwybyddwyd gan feirniaid llenyddol. Byddai'n dda, er enghraifft, cael blodeugerdd gynhwysfawr o gerddi ysgafn y bedwaredd ganrif ar bymtheg. Roedd cymaint o feirdd bryd hynny a oedd yn canu yn sobr o sâl pan gyfansoddent eu hawdlau a'u pryddestau meithion, llafurus, diawen. Eto, pan fentrent ganu cerddi byrion ar destunau megis eu hynt a'u helynt hwy eu hunain yn y gymdeithas, a phrofiadau eu cyfeillion, gan gynnwys eu troeon trwstan, cilia'r mynegiant ymdrechgar, hunan ymwybodol lenyddol, a chawn yn aml gerddi bywiog, syml a chlir eu mynegiant. Dyma ychydig enghreifftiau felly o gerddi gan Daliesin o Eifion a roes gymaint mwy o foddhad i mi na'i awdlau a'i bryddestau.

Dechreuwn gydag ychydig o'i englynion. Yn gyntaf, dau englyn wedi'u hysbrydoli drwy ei gysylltiad â dwy eisteddfod. Testun y naill englyn yw 'Englyn y Pum Swllt', a thestun y llall yw 'Neb i'w Rostio'.

'Adroddwyd yn Eisteddfod Dyffryn Maelor, Llun Sulgwyn ar dderbyn gwobr o bumswllt.'

Bob amser lle bo bumswllt, – ni wibiaf
Am wobr bedwarswllt;
Direswm canu am driswllt;
Mae mwy o sain ym mhum swllt.[16]

'Yn Eisteddfod Aberystwyth, ar ôl prynu pwys o gig, yn methu cael neb i'w goginio.'

Prynais a thelais am werth wyth – geiniog
I giniaw, o olwyth;
Er talu, ni cheir tylwyth – i'w ffrio,
Na neb i'w rostio yn Aberystwyth.[17]

Edward Davies, 'Iolo Trefaldwyn' (1818-97). Llun o gasgliad Llyfrgell Genedlaethol Cymru. Dyma ddau englyn 'byrfyfyr' Taliesin o Eifion i farf Iolo Trefaldwyn:

Dwg ellyn rhag ofn dy golli – mewn barf,
Mae'n boen mi wn iti;
O, 'ngwas mwyn, dangos i mi,
Dy wyneb, er mwyn d'ioni.

Dod weled, da di, Iolo, – dy wedd,
Fel dyddiau aeth heibio;
Neu Bardd y farf heb urdd fo
Yn sefyll nes ei shafio.

Un tro derbyniodd y bardd rodd o gap newydd gan 'gyfaill diamgen', ac nid oedd ond un ffordd o ddisgrifio'i deimladau pan wisgai'r cap hwnnw: 'Wrth fy modd', meddai. Ac meddai eto yn llinell olaf yr englyn: 'Cap newydd, cwpan awen'.[18] Lluniodd nifer o englynion i'w gyfeillion, ac un ohonynt oedd Edward Davies, 'Iolo Trefaldwyn' (1818-97), Llanfyllin: dau englyn byrfyfyr ysgafn, yn arbennig i'w farf, a chyhoeddir hwy yn y gyfrol hon gyda'r llun o berchennog y farf honno.[19]

Mwynhau barddoni, ac fel y cawn sylwi'n fanylach eto, mwynhau cystadlu mewn eisteddfod. Ond y mae'n sicr iddo gael boddhad arbennig pan benderfynodd gystadlu ar yr englyn yn 'Eisteddfod Bedyddwyr Rhosllannerchrugog'. Testun yr englyn oedd y llyffant. Roedd y cysylltiad yn lled amlwg, o leiaf fe'i gwelwyd gan y bardd. Y llyffant? Ie, yr un sy'n hoff o fannau gwlyb, a'r Bedyddwyr hwythau yn arfer bedydd trochiad. Dyma felly ganu'n hwyliog i anifail y mannau dyfrllyd fel hyn:

Y llyffant o drachwant sydd drochwr; – brychwisg
A brochus fedyddiwr;
Llon gladda mewn llyn gloywddwr;
Ei fywyd ef yw y dŵr.[20]

O Rosllannerchrugog, Eisteddfod y Bedyddwyr a chwmni'r llyffant, yn ôl i Langollen, ac i gwmni gwraig a elwid yn Neli Ffoulk. Fel hyn y cyflwynir yr hanes sy'n sail i'r englyn nesaf o dan sylw, englyn ar destun anarferol iawn:

> 'Rai blynyddoedd yn ôl ymddangosodd yn rhai o'r papurau Cymreig hanes fod hen wreigan o'r enw Neli Ffoulk (hen gymeriad tra adnabyddus yn Llangollen) wedi llosgi i farwolaeth. Rai misoedd wedi hynny cyfarfu yr Awdur â'r hen chwaer yn lled sydyn wrth gongl heol, a chanodd yr englyn canlynol yn ddifyfyr.'

Rhybuddiwch y torrwr beddau, – hai! wchw!
Ple mae'r clochydd yntau
Ollyngodd, gan dwyllo Angau,
Neli Ffoulk yn ôl o'i ffau?[21]

Ond nid dyna ddiwedd yr hanes, ac fel hyn y cyflwynir yr olygfa olaf yn nrama bywyd yr 'hen wreigan' o Langollen.

> 'Clywai [Taliesin o Eifion] yn ddiweddarach fod yr hen chwaer wedi cyfarfod â'i hangau mewn gwirionedd trwy losgi yr ail waith, a chanai yr Englyn hwn':

Ymorol yn ôl am Neli – wnaeth angau,
A'i thynged fu llosgi
Eilwaith. Os clywir holi
"Ai marw'n iawn?" Dyna marn i![22]

Arch 'Morgan y Crydd'; 'Syr Meurig Grynswth' Ceiriog a'i gŵn hela; ac 'Ewyllys Efa': cerddi difyr yr awen ysgafn

Wedi cyfeirio at rai englynion ysgafn, onid doniol, dyma yn awr ychydig gerddi yn y mesurau rhydd, cerddi y mae'n amlwg i'r bardd gael hwyl fawr yn eu creu. Eisoes buom yng nghwmni un cymeriad o Langollen, Neli Ffoulk. Dyma ddychwelyd felly i gael cwmni cymeriad arall o'r un dref. 'Morgan y Crydd' yw'r cymeriad hwn. Yr oedd 'ers llawer o amser' wedi paratoi ei arch ei hun – ei 'siwt', chwedl Taliesin, ac fel hyn y mae'r bardd yn ei gyfarch mewn pennill cofiadwy iawn:

Wel, dyma siwt ola'r hen Forgan y Crydd;
Fe dalodd amdani ei hun yn ei ddydd.
Fe smociai ei bibell ac yfai ei fir,
A chwarddai mor ddoniol â neb yn y sir.
Bu ei fywyd fel llawer i fyny ac i lawr,
Cadd godwm ofnadwy dros glogwyn craig fawr;
Ail-fywiodd drachefn er syndod pob dyn –
Bu farw'n y diwedd pan leiciodd o'i hun![23]

Yr oedd Taliesin o Eifion, wrth gwrs, yn cydoesi â John Ceiriog Hughes (1832-87) a oedd wedi'i eni ym Mhen y Bryn, Llanarmon Dyffryn Ceiriog, nid nepell o Langollen. Yr oedd yn gybyddus â'i farddoniaeth ac yn edmygydd o'i waith. Dyna, yn sicr, yr argraff a gawn o ddarllen un o gerddi mwyaf anarferol Taliesin, sef awdl fer ar y testun 'Ysmaldod y Ffugenwau'. Yn y gyfrol, *Y Bardd a'r Cerddor* (1863) fe'n cyflwynir i'r cymeriad doniol hwnnw, 'Syr Meurig Grynswth', un o ffugenwau Ceiriog. Cawn, er enghraifft, apologia dros chwerthin a rhai o gerddi ysgafn, dychanol Syr Meurig ei hun. Diddorol ac arwyddocaol iawn yw bod Taliesin wedi dewis ysgrifennu cerdd ar y testun arbennig o ffugenwau, a hynny mewn oes lle roedd ymhlith y beirdd fri mawr ar ddefnyddio ffugenwau, neu lysenwau. Dyma ddetholiad o agoriad ac o ran ganol ei gerdd, gan gynnwys hefyd yr is-deitl:

> 'Anerchiad i Syr Meurig Grynswth, yn deisyfu arno ddyfod i lawr o'i Drigfan yn y Lleuad (gyda'i gŵn hela) i Gymru, i ladd y gwylltfilod a ymdaenodd dros ei hardaloedd, megis llewod, eryrod, ysgorpionau, etc., etc.'

Tyrd, Meurig Loerig i'r wlad – isod,
Mae d'eisiau'n ddidoriad;
Â llu o Gŵn y Lleuad – tyrd ar frys,
Neu wae a'n herys neu newyn irad.

Fe weli yma fwystfilod – crebach
Yn cribo'n ddiddarfod;
Pob rhywogaeth, pob bregod,
Gwyllt, gwâr, i'n daear sy'n dod.

'Gwynion' a 'Chochion' chwe chant,
A 'Duon' a'n handwyant.
Ofnadwy'r cyfnewidiad
Fel hyn drwy bob glyn o'n gwlad.
Y llo blwydd aeth yn Llew blin
Rhuadwy anghyffredin! ...

Y fwyalch fwyn heb un swyn sydd,
A'r llinos aeth o'r llwynydd;
Emyn ni rydd ym min rhôs;
Yr hwyad ydyw'r Eos!
Bronfraith ni chân ar brenfrig;
Mae wedi ffoi, mud ei phig.
Dylluanod y llwyni
Liw nos yw'n Halawon ni!
Y fan gynt lle bu'r fwyn gog,
Ceir pennau Ysgorpionog!
Och! olygfa, Walia Wen:
Tyrchod yn troi pob twarchen,
A'r llyffaint ddaw'n haint, medden nhw,
Yn hoff o gân a ffugenw ... [24]

Yn y gerdd ysgafn a hwyliog nesaf awn ymhell iawn o fro fabwysiedig Taliesin o Eifion a bro mebyd Ceiriog ac i oes hefyd sy'n bell, bell, yn ôl. Mor bell yn ôl, yn wir, ag Adda ei hun! 'Ewyllys Efa' yw testun gogleisiol cerdd Taliesin. Ond os hen yw gwrthrych y gân, cyfoes a pherthnasol iawn yw'r neges i bawb sy'n credu yn hawliau'r ferch.

Fe roes Adda'i gyfoeth, fel gwyddai pob rhai,
I gyd rhwng ei feibion, on'd oedd hynny'n fai?
Gan feddwl rhoi 'i ferched i gyd ar y plwy,
A digon ohonynt i bob dyn gael dwy.

Ond Efa, yn dirion, 'rol claddu'r hen dad,
A alwodd ei merched ynghyd drwy y wlad,
Er mwyn eu cysuro a rhoi i bob un
Gynhysgaeth go helaeth o'i heiddo ei hun.

'Os cafodd y bechgyn y ddaear i gyd,
A'u gwneuthur yn bennaf o bawb yn y byd,
Caent ddigon o drafferth i'w cadw mewn bri,
A gwaetha eu dannedd i wneyd heboch chwi.

'Mae gennyf fi lawer o arfau lled llym
I'ch ymladd eich brwydrau, gwae deimlo eu grym!
Os nad ynt bob amser yn sicr o ladd,
Maent yn sicr bob amser o blygu pob gradd.

'Prydferthwch yw'r cyntaf, mae'n clwyfo ar bob llaw;
Bydd gwŷr archolledig ple bynnag y daw;
Mae'n gwlychu ei saethau yng ngwenwyn swyn serch,
Mae'n trigo yn llygad-gyfaredd teg ferch.

'Hwn gwympa'r un ffunud y corryn a'r cawr;
Rhoes filoedd o ranciau'r hen lanciau ar lawr
I waeddu am 'u bywyd yn wylaidd eu llais,
O, gwneler ni'n ddeiliaid Llywodraeth y Bais!'[25]

6

Pob Dim yn Destun Cân: Byd Natur a'r Byd o Gwmpas; Dathlu, Cyfarch a Chydymdeimlo

'YR AWEN AR waith', meddem yn y bennod ddiwethaf, a hawdd y gallem ychwanegu: a'r gwaith yn gyson ar gael. Bu Taliesin o Eifion, er yn llanc ifanc, yn barddoni drwy gydol ei oes, a bron na ellid dweud bod popeth iddo yn destun cân. Y gair a ddewiswn i fel y gair allweddol i ddisgrifio natur a thestun ei ganu yw 'ymateb'; ei ymateb parod i fywyd, a'i awydd cynhenid yntau i fynegi'r ymateb hwn ar gân. Roedd ystod ei ddiddordebau yn un eang iawn: diddordeb mewn pobl a'u pethau ac mewn digwyddiadau bob dydd yn y byd o'i gwmpas; diddordeb byw mewn byd natur; mewn crefydd a moes; mewn iaith, gwladgarwch a hanes.

'Mae Beibl Duw ym mhob blodeuyn'; 'mae pregeth ym mhob brigyn': rhyfeddod y tymhorau a hyfrydwch byd natur

Ymddengys y ddwy linell a ddyfynnwyd uchod yn englyn agoriadol cerdd gaeth fer gan Daliesin o Eifion ar y testun 'Duw Iôn i'w weld yn ei waith', gyda'r is-bennawd 'Cyfansoddwyd ar fore o wanwyn'.[1] Y mae'r llinellau yn cyfleu yn deg ei agwedd at wyrth a rhyfeddod y tymhorau a phrydferthwch a hyfrydwch byd natur. Y mae'r oll yn destun cân a moliant.

Yn un o'i gerddi sy'n cloi â'r geiriau 'croesaw wanwyn teg', y mae'r bardd yn delweddu'r gwanwyn fel gŵr ifanc nwydus, gyda'i allu mawr i 'lasu'r ddôl'.[2] Gwelir yr un nodyn o werthfawrogiad a mawl yn ei gerdd, 'Su y dyner awel sidanaidd'[3] (darnau o gywydd a dau hir a thoddaid), ac yn ei englyn ac ychydig linellau o gywydd, 'O Mor Deg'.[4] Felly hefyd y mae'r ymdeimlad o fawl a diolchgarwch yn cael ei fynegi'n amlwg yn ei hir a thoddaid, 'Lili'r Prynhawn', y 'wridog lili a'i phryd goleulan',[5] ac yn ei gerdd, 'Yr Hen Dderwen Werddlas'.[6] Hon yw'r dderwen sydd 'fel patriarch o'r cynoesoedd', yn ddelwedd o'r hyn sy'n hardd a pharhaol. Y mae cyfeillion ac aelodau o deulu yn cilio o un i un; y mae hithau, y 'dderwen werddlas', yn aros.

Yn nifer o gerddi'r bardd, ac nid yn annisgwyl, caiff yr haul – a machlud yr haul – sylw arbennig. Y mae, er enghraifft, yn agor ei gyfres o englynion i'r 'Nos' (buddugol yn Eisteddfod Llandeilo, 1858) drwy ddisgrifio'r machlud fel y 'wisg aur tros y gorwel – a daenwyd ...'. A dyma ei ddisgrifiad byw o'r nos ei hun:

Sŵn rhaeadr a sain yr eos – a dorrant
Ddistawrwydd y cyfnos;
Addurnir trwy'r ddu oernos
Barlwr nef gan berlau'r nos.[7]

Ceir o leiaf chwe cherdd arall o eiddo Taliesin sy'n adlewyrchu'n uniongyrchol ei ddiddordeb yn yr awyr, y sêr a'r planedau. Englyn, 'Sêr y Nos yn Dangos Duw', yw'r gyntaf.[8] Mewn un gerdd arall (pedair llinell o gywydd) y mae'n mynegi'i ymateb i'r 'Diffyg ar yr Haul, Gorffennaf 1860'.[9] Y mae ganddo hefyd gerdd (deuddeg llinell o gywydd) sy'n cynnwys disgrifiad cryno o'r 'Eirlys'. Dyma ran gyntaf y cywydd:

Llaw Iôr mewn lliwiau araul
Baentia'i rodd o bont i'r haul:
Fwa hardd o fyw urddas,
Uwch y glyn o goch a glas;
Yna y glân felyn glwys
Yn y glawliw goleulwys
A doddant ... [10]

Cyfeiriwyd eisoes yn y Rhagymadrodd at englyn rhagorol Taliesin i'r lloer.[11] Y mae ganddo ail englyn ar yr un testun, 'englyn byrfyfyr', nad yw o'r un safon o gwbl.[12] Y mae ganddo hefyd englyn ar destun annisgwyl iawn: 'Y Seren Gwener'. Dyma'r esgyll:

A Gwener uwch y sêr sydd
Arglwyddes gwawr goleuddydd.[13]

Fel y gellid disgwyl, y mae gan y bardd gyfres o englynion i adar, sef: 'Y Wennol'; 'Piogen'; 'Alarch'; 'Ehedydd' (y cyfeiriwyd ato eisoes); 'Colomen'; a'r 'Gog'.[14] Y mae ganddo hefyd gyfres o englynion a elwir ganddo yn 'Englynion y Maes'. Soniwyd am ddau ohonynt eisoes: sef yr un i'r 'Llyffant' a'r un i 'Fan', ei ast fach. Dyma deitlau'r englynion eraill: 'Cwch Gwenyn'; 'Y Mul' (buddugol); 'Y Rhosyn'; 'Y Morgrugyn'; a'r 'Fesen'.[15]

'Cadair garreg Huw Morys' a 'Vaults Newydd Mr Twnnah'; y 'cae gwenith', y 'march haearn' ac ymson y crwydryn: y bardd a'r byd o'i gwmpas

'Ystad bardd, astudio byd', meddai Siôn Cent, y bardd o'r bymthegfed ganrif. Cafodd Thomas Jones, Taliesin o Eifion, yntau, gyfle heb ei ail gyda'i waith bob dydd yn Llangollen a'r cyffiniau i weld a sylwi, i sgwrsio a myfyrio, ac i ganu cân i'r hyn aeth â'i fryd. Daeth cyfle pellach i'w ran wrth iddo ymweld â rhai mannau hwnt ac yma yng Nghymru yn sgîl mynychu ambell eisteddfod. Ond rhown y sylw yn gyntaf i gerddi sy'n tarddu, yn bennaf, o Ddyffryn Llangollen a'r cylch.

Disgrifiodd dŵr 'Clochdy Gwrecsam', er enghraifft, mewn englyn fel: 'pinacl mawrwych', gan ychwanegu: 'swyno gwlad wna sain ei glych'.[16] Meddai mewn englyn arall i 'Ffwrnes Haearn Acrefair':

Hen faril du o ferwol dân – boera'r
Berwyllt haearn allan ... [17]

Canodd englyn hefyd i 'Gadair Huw Morys' 'Rhwng Pont-y-Meibion a Phandy Melin Deirw', yn Nyffryn Ceiriog, gan fynegi'i ofid fod y gadair bellach wedi'i chuddio â thyfiant.

Huw Morys, ei sedd amharwyd; – Ow! resyn
Gan ddrysi fe'th guddiwyd.
O! 'rhen gadair, unig ydwyd;
Y mwswgl oer yw'th amwisg lwyd.[18]

Cadair garreg Huw Morys fel y gwelir hi heddiw yng ngardd Erw Gerrig, Pandy Melin Deirw, Dyffryn Ceiriog. Llun gan yr awdur.

Dyma'r gadair garreg, yn ôl traddodiad, y dywedir i'r bardd, Huw Morys, 'Eos Ceiriog' (1622-1709), fod yn eistedd ynddi a chael ei ysbrydoli i farddoni. Bu Ceiriog yntau yn eistedd ynddi, a George Borrow, gan roi disgrifiad manwl ohoni yn ei deithlyfr *Wild Wales* (1862).

Cerddi y cafodd Taliesin foddhad mawr yn eu canu, mae'n sicr, yw'r cerddi hynny i rai o'r gweithwyr a'u meistri yn Llangollen a'r cylch yr oedd yn eu hadnabod yn dda. Dyna, er enghraifft, ei englyn o glod i 'Vaults Newydd Mr Twnnah, Rhosllannerchrugog':

Daw cantoedd at y cownter – i geisio
Negesau o'r Seler;
A chânt bob gwirod parod, per,
Gan Twnnah, gant a hanner![19]

Yr oedd Llangollen yng nghyfnod Taliesin yn bur enwog am ei brethynnau gwlân, ac y mae ganddo ddwy gerdd i gyfarch y gwehyddion. Yn gyntaf, englyn i 'Frethynnau Edward Jones, Gwehydd, Llangollen'. Yna cerdd 'I Weithwyr Meistriaid Hughes a Roberts, Flannel Manufacturers, Llangollen'.[20] Y mae'r gerdd yn agor fel hyn:

Hai wŷr! Chwalwch, gardiwch, nyddwch,
Cy'deddwch, gwnewch oll i gyd,
Nes b'om o'n traed i'n pen
Mewn gwlanen oll yn glyd ...

A dymuniad taer y bardd yw:

Eled gwlanen tref Llangollen
Dros hen bellen fawr y byd ...

('Pellen' yn y llinell hon, wrth gwrs, yn golygu pellen, neu belen, gron o edafedd.)

Clodfori gweithwyr oedd yn cynnal crefft a diwylliant drwy lafur eu dwylo, ond canu clodydd hefyd gynheiliaid oedd yn cynnal adloniant a diwylliant ar lafar ac ar gân. Dyna, er enghraifft, ei englyn o fawl i 'Gôr Pen-y-cae', pentref bychan ger Rhosllannerchrugog: 'Ym Mhen-y-cae, mwyn y Côr ...'.[21]

Er mai yn y dref yr oedd Taliesin yn byw, byddai wedi bod yn gyfarwydd iawn â bywyd amaethyddol yr ardaloedd gwledig cyfagos, ac fe adlewyrchir hynny yn ei farddoniaeth. Fel hyn, er enghraifft, y mae'n disgrifio'r 'Cae Gwenith' yn ei hir a thoddaid:

> Llyna gae gwenith yn llawn gogoniant;
> Awel Awst dyner ei frig lwys donnant;
> Yn wyn a gwridog ei wenyg redant,
> Yn ail i fôr o aur lifeiriant;
> Tyrd y dyn, traw dy dant, – gan ryfeddu
> Weld Duw'n 'i aberthu i'r wlad yn borthiant.[22]

Canodd Taliesin hir a thoddaid i'r 'Peiriant Dyrnu',[23] a chanodd hefyd hir a thoddaid yr un i ddau o anifeiliaid gwerthfawr y fferm. 'Yr Wydd' oedd un ohonynt, pennill a fu'n fuddugol yn un o eisteddfodau Llangollen. Y mae'n cloi fel hyn:

> Er ei chwythiad tra chwithig, – parch i'w henw!
> Hi yw ein delw wyliau Nadolig.[24]

'Y Fuwch' oedd yr ail anifail. Hwn oedd yr hir a thoddaid buddugol yn Eisteddfod Machraeth (Llanfachraeth), Môn, 29 Mai 1855, ac y mae'n cloi gyda'r llinell ragorol hon: 'Hi yw arglwyddes deg y gweirgloddiau'.[25]

Dyma oes hamddenol y fuwch a'r ceffyl ar y tir, ond ar y rheilffordd, wele'r trenau yn gwibio heibio. Fel hyn y mae Taliesin yn disgrifio'r 'March Haearn' yn ei englyn, gan lwyddo'n arbennig i greu a chynnal delwedd sy'n rhoi inni ddarlun byw:

March haearn, chwyrn ei garnau, – a'i weryr
Watworant y creigiau;
A'i fwng gwyn o'i wddf yn gwau
Ym mhalas y cymylau.[26]

Os carlamu heibio a wnâi'r 'march haearn', araf iawn oedd camre'r crwydriaid, ac yr oedd digon o gardotwyr yn cerdded ar hyd y Ffordd Dyrpeg, yr A5, drwy Langollen, yn oes Taliesin o Eifion. Dyma englyn ymson y bardd i un ohonynt:

Unig ydwyf dan gawodau, – a llesg
Yw llusgiad fy nghamrau;
Heb damaid, aeth pob dimai,
A'r nos sydd yn oer nesáu.[27]

O fyd y trên a'r tir i fyd y cartref a'r aelwyd, a chanu i rai o'r pethau yr oedd gwraig y tŷ yn eu defnyddio o ddydd i ddydd. Canodd, er enghraifft, ddau englyn byrfyfyr i declyn bychan iawn, ond cwbl hanfodol a defnyddiol, yn ôl tystiolaeth y bardd, sef y 'Pin',[28] ac englyn i ddodrefnyn filwaith pwysicach eto, sef y 'Crud'. Llinell wych iawn yw llinell glo yr englyn hwn, a gwych hefyd yw ei chynghanedd Groes o Gyswllt, cynghanedd yr oedd Taliesin yn bur hoff ohoni: 'A chysgle bach i siglo byd'.[29]

'Pob dim yn destun cân', dyna'r geiriau a ddefnyddiwyd wrth gyfeirio at farddoniaeth Taliesin. Nid pob bardd a feddyliai am lunio cân neu englyn, er enghraifft, i bendil cloc. Ond dyna a wnaeth ef. Y mae ganddo ddau englyn ar y testun 'Y Pendulum (Dringlyn)'.[30]

Aran Benllyn ac Afon Dyfrdwy; Llangollen, Dinas Brân, a Dyffryn Ceiriog: mynydd ac afon, tref, castell a dyffryn

Cymharol brin yw'r cerddi gan Daliesin i leoedd penodol. Pobl, yn bennaf, nid lleoedd oedd yn mynd â'i fryd. Ond gwelsom eisoes iddo ganu i fro ei febyd. Canodd hefyd englyn i Aran Benllyn;[31]

Adfeilion Castell Dinas Brân. Llun gan Rob Davies, Llanarmon Dyffryn Ceiriog.

pryddest i 'Afon Dyfrdwyf';[32] pedwar englyn i Langollen (1856),[33] ac un englyn sengl (buddugol) i Langollen, sy'n agor gyda'r llinell: 'Dyma le hynod am wlanen', ac yn cloi gyda'r llinell: 'Lle'n gwella yw Llangollen'.[34]

Y mae gan Daliesin hefyd un englyn sengl a chyfres o bedwar englyn i Adfeilion Castell Dinas Brân. Yn yr englyn sengl (buddugol) y pennawd yw 'Castell Dinas Brân (Llangollen)', a dyma sut, yn yr esgyll, y disgrifir yr adfeilion yng nghanol gaeaf:

> Llawr oer a chell yr eira,
> Llety'r gwynt a'r lle trig ia.[35]

Eisoes dyfynnwyd yr englyn sy'n cloi'r gyfres o bedwar. Pennawd y gyfres hon yw: 'Yn Adfeilion Castell Dinas Brân'. Dyma'r trydydd a'r pedwerydd englyn. O gynnwys y ddau gyda'i gilydd, fe welwn fod y pedwerydd englyn clo adnabyddus yn ateb y cwestiwn a ofynnir yn y trydydd englyn.

I'r Castell llwm trwm yw tramwy; – gwaliau
Gweilion de ac aswy;
Neuaddoedd glân Myfanwy
A'u palmant teg, ple maent hwy?

'Englyn a thelyn a thant' – a'r gwleddoedd
Arglwyddawl ddarfuant;
Lle bu bonedd Gwynedd gant,
Adar nos a deyrnasant.[36]

Y mae gan Daliesin o Eifion un gerdd sydd mewn arddull wahanol i bob cerdd arall o'i eiddo, cerdd a gyfansoddwyd ganddo 'ar gais llanc' o Ddyffryn Ceiriog. Y mae tinc yr hen benillion telyn yn y gerdd hon, gyda'i harddull syml a'i mynegiant diffuant. Byddwn wedi hoffi cael rhagor o gerddi tebyg iddi. O'r wyth pennill, dyma benillion 1, 2, 4, 5 a 6.

Clyw di'r galon eill dosturio,
Clyw di'r fron eill gydymdeimlo
Drymllyd gwynion rhyw flinderog
Lanc a'i hiraeth am Lyn Ceiriog?

Ble sy'n llawn o lawen gampau?
Ble sy'n llawn o bob pleserau?
Ble mae ardal llawn o wridog
Lanciau gwrol fel Glyn Ceiriog?

Ble sy'n llawn o goed afalau?
Ble sy'n llawn o felys ffrwythau?
Ble mae meysydd ŷd toreithiog?
O fewn cyrrau Afon Ceiriog.

Yno gynt bu mwyn brydyddion:
Yr hen 'Eos Pont y Meibion';[37]
Gwnai o'r awen bêr gân rywiog
O fewn cyrrau Afon Ceiriog.

Wrth gofio'r ardd o gylch y bwthyn
Lle chwaraeais gynt yn blentyn,
Daw i'r fynwes saethau pigog
Garw o hiraeth am Lyn Ceiriog.[38]

'Ond dau wnaed yn un ydynt': cyfarchion priodasol

'Bardd bro' a 'bardd ei bobl', dyna, meddwn, oedd Thomas Jones, Taliesin o Eifion. Un o swyddogaethau pwysicaf y bardd bro ym mhob oes yw cyd-ddathlu, cyd-gyfarch a chyd-gofio. Dathlu geni, pen-blwydd a phriodi; cyfarch cydnabod a chyfeillion; cofio'r marw a'u teuluoedd. Fel yn achos cymaint o feirdd eraill, y mae'n dra phosibl na chadwyd copïau gan Daliesin o bob un o'r cerddi achlysurol hyn. O'r farddoniaeth a gynhwyswyd yn y gyfrol *Gweithiau Taliesin o Eifion*, ni cheir ond un gerdd i ddathlu genedigaeth, sef cerdd o dri phennill, wyth llinell: 'Anerchiad I Syr Watcyn a Lady Williams Wyn ar enedigaeth Aeres i hen deulu hybarch Wynnstay'.[39] Ceir hefyd un gerdd (cyfres o englynion a phwt o gywydd) 'Ar Ben Blwydd Gŵr Ieuanc', sef Ap Idloes, 'flodyn hardd o Faldwyn hen'.[40]

Cynhwyswyd yn y gyfrol bedwar cyfarchiad priodasol. Y mae tri o'r cyfarchion ar achlysur priodas tair merch ifanc o Langollen: tri englyn, un yr un, i dair merch yr oedd y bardd, mae'n dra thebyg, yn eu hadnabod. Miss Jane Evans, Gwesty'r Sun, oedd un, a briododd Reynold Jones, Lerpwl, Mawrth 1872.[41] Miss Elinor Roberts a briododd William Hughes, Biwmares, oedd yr ail, a dyma'r englyn o gyfarch:

Diddan a llawn dedwyddyd – bo'u heinioes,
Heb boenau nac adfyd;
Hyd fin y bedd boed hufen byd
I William a'i anwylyd.[42]

Y drydedd ferch oedd Miss Amelia Horton. Priododd hi â William Jones, ond ni ddywedir un o ble yr ydoedd. Dyma'r englyn a dderbyniodd y ddau:

I William a'i Amelia – am oes mwy
Eu mis mêl fo'n para;
Hi'n wraig siriol, ddoniol, dda,
Yntau'n ŵr o'r tynera.[43]

A dyma bennawd y pedwerydd cyfarchiad priodasol: 'Priodas Mr T C Jones, Cefn-mawr, a Miss Jones, Sandycroft, Awst 25, 1873.' Dyfynnir y cyntaf a'r olaf o'r tri englyn a luniwyd i gyfarch y pâr ieuanc:

Gwrid ei lwys Fargared lon – a ddenodd
Enaid y llanc tirion;
A gwelodd mai tlawd o galon
A byd heb haul oedd bod heb hon ...

Anwylo'i gilydd wnelynt, – a'u hundeb
Fo'n fendith fyth iddynt;
Dau gorff fel yr oeddid gynt,
Ond dau wnaed yn un ydynt.[44]

Yn ychwanegol at y cyfarchion priodasol hyn yn ymwneud â phersonau o Langollen a'r cylch, y mae gan Daliesin hefyd o leiaf un cyfarchiad priodasol i gyfaill llengar ac adnabyddus ym myd beirdd ac eisteddfodau Cymru. Lewis Jones, 'Rhuddenfab' (1835-1915) oedd y gwrda hwn, argraffydd, bardd a newyddiadurwr, gŵr yn enedigol o Landwrog, ger Rhuthun.

Rhyfeddir, hir cedwir mewn co'
Fawr allu llafur Llew Llwyfo:
Cyfarch cyfeillion a chydnabod ar gân

Y mae gan Daliesin o Eifion nifer fawr o gerddi ble mae'n dal ar y cyfle i gyfarch personau o bob gradd ar gân. Ar adegau, byddai ganddo reswm arbennig dros ganu – rhyw achlysur neu ddigwyddiad neilltuol, efallai. Dro arall, dal ar y cyfle i gyfarch, neu ganu moliant a wneir. Y mae rhai o'r personau yn byw o fewn cyffiniau Llangollen, ond personau yn byw hwnt ac yma yng Nghymru yw'r mwyafrif mawr ohonynt. Roedd rhai yn adnabyddus yn unig yn eu hardaloedd eu hunain. Roedd eraill yn adnabyddus i gylch ehangach, yn arbennig yn y byd llenyddol ac eisteddfodol. Yr hyn sy'n gyffredin i'r cyfan o'r cerddi cyfarch hyn yw bod y bardd naill ai'n adnabod y personau ei hunan, neu yn gwybod yn dda amdanynt. Ef ei hun sydd wedi dewis canu iddynt, ac eithrio, o bosibl, yr ychydig gerddi sy'n ganlyniad cystadlu mewn eisteddfod. Y mae'r un peth yn wir hefyd am ei gerddi marwnad a chydymdeimlad.

Yn gyntaf, felly, dyma deitlau tair cerdd, ar ffurf cyfresi o englynion, a fu'n llwyddiannus mewn eisteddfodau: 'Parch A[bel] Parry' (enwog am ei ddadleuon dirwestol);[45] 'Croesawiad Buckley Hughes, Yswain, a'r Canon Williams i'r Deheudir (Buddugol yn Abertawe, 1863)':

I Forgannwg o fro Gwynedd – gwresog
Groesaw, uchel fonedd ... [46]

A theitl y drydedd gerdd (cyfres o ddeuddeg englyn) yw: 'A Reid. Y daioni a ddeillia i Llangollen a'i hardaloedd oddiwrth anturiaethau A Reid, Yswain. Testun Eisteddfod Llangollen (cyd-fuddugol)'.[47]

Y mae'r drydedd gerdd hon eto yn bwysig, nid yn gymaint oherwydd ei gwerth, neu ddiffyg gwerth, llenyddol, ond oherwydd ei chynnwys. Yn oes Taliesin o Eifion, ac wedi hynny hyd at hanner cyntaf yr ugeinfed ganrif, yr oedd ardal Llangollen a Dyffryn Ceiriog yn nodedig am ei chwareli llechi. Dangoswyd hynny yn ardderchog iawn inni yn ddiweddar gan John Milner yn ei gyfrol gynhwysfawr *Slates from Glyn Ceiriog. The History of the Slate Industry of the Ceiriog Valley*, 1529-1948, cyfrol 1 (2008). Hefyd yn yr ail gyfrol yn y gyfres, gan John Milner a Beryl Williams: *Rails to Glyn Ceiriog* (2011). Bu gan wrthrych y gyfres o englynion gan Daliesin ran bwysig yng ngweithgarwch chwarelyddol y cylch, gan ddarparu gwaith i ugeiniau o'r trigolion lleol. 'A Reid' ydoedd Alexander Reid a ddaeth i fyw i Blas Llandysilio, Llangollen, yn 1842, ac yno y bu'n byw hyd nes y bu farw yn 1866 yn 73 mlwydd oed. Yr oedd yn berchennog (ac wedi hynny yn gyd-bartner) y 'Llangollen Flagstone Company', a oedd hefyd yn cynnwys chwareli Clogau; Oernant, Moel-y-faen; a Rhiw Goch. Yr oedd yn Gyfarwyddwr Chwarel y Cambrian, Dyffryn Ceiriog, ac yn un o arloeswyr cynnar y 'Glyn Valley Railway Company'.[48] (Bu 'Trên Bach y Glyn', 'The Glyn Valley Tramway', mewn bodolaeth, 1873-1933.)

Dyma rai dyfyniadau o gyfres englynion Taliesin i Alexander Reid yn ei foli am ei 'anturiaethau enwog'. Mae'n agor gyda'r cwestiwn 'Pwy yw'r gŵr piau'r gân?' ac yn ateb gyda gosodiad:

Ni fu ac ni ddaw'n un fan
Un o'i well o hyn allan.

Disgrifir y cymwynaswr fel:

Y gordd aur agorodd ddorau – y mŵn
Sy'n mynwes y creigiau ...

A chanlyniad ei gymwynasau ydoedd:

'E dry gymoedd yn dir gemau – ac aur
O gerrig ein bryniau ...

Am i Reid yma i rodio,
Mae'n well byd pob man lle bo. ...

Llawn o waith a llawen weithwyr – yw'n bro,
Mae'n brin ein segurwyr ...

Daeth y wlad o'i thylodi, – a chafwyd
Ei chyfoeth o'i meini ... [49]

Yr oedd yr achlysuron a ysgogodd y bardd i gyfarch cyfeillion a chydnabod yn rhai amrywiol iawn. Cyfarchodd Eben Fardd mewn englyn, er enghraifft, ar achlysur cyflwyno 'Ardeb' (portread) iddo.[50] Dyma deitl un arall o'i englynion cyfarch (byrfyfyr): 'Mostyn. A gyfansoddodd pan glywodd fod E M Ll Mostyn wedi ennill yn etholiad Swydd Fflint, 1842, pan oedd Peel yn ymgeisydd yn ei erbyn.'[51] Y mae gan Daliesin un englyn i'r 'Arglwydd Mostyn' nad yw wedi'i gynnwys, am ryw reswm, yn y casgliad o'i weithiau, ac englyn ardderchog ydyw. Fe'i cyhoeddwyd, er enghraifft, gan Eifionydd, yn ei gyfrol *Pigion Englynion fy Ngwlad* (ail arg. 1882, t.13).

Meistr nid oes ar Mostyn; –pwy a saif,
Pwy sydd ddaw i'w erbyn?
Daw'r Fama fawr i'r llawr yn llyn
Wedi'i Fflint wadu'i phlentyn.

Cyflwynodd y bardd hefyd ddau englyn i 'Aelod Cymreig', aelod seneddol (dienw) dros Ynys Môn, i'w ganmol fel 'dadleuwr da', ac am ei safiad dros 'iawn ein hen Walia'.[52] Yr un modd, cyflwynodd Taliesin englyn i 'William', 'anwylyd y Brython', 'Cawr a Llywydd Caerlleon',[53] ac englyn o gefnogaeth i 'Trefor Ddu'.[54]

Yr oedd gan Daliesin o Eifion gylch eang iawn o gyfeillion llengar, ac yr oedd yn gyfarwydd ag enwau a chyfraniad nifer o wŷr llên eraill ei wlad. Cyfeiriwyd eisoes at ei gyfaill, Edward Davies, 'Iolo Trefaldwyn' (1819-87), a aned ym Moelyfrochas, ger Llanfyllin. Cyfarchodd ef ag englyn o fawl.[55] Canodd hefyd englyn a darn o gywydd i ŵr adnabyddus a phoblogaidd iawn yn y cyfnod, sef Lewis William Lewis, 'Llew Llwyfo' (1831-1901), bardd, cantor, arweinydd eisteddfodau, nofelydd a newyddiadurwr. Fe'i ganed ym Mhen-sarn, Llanwenllwyfo, Môn. Ato ef y cyfeiriodd R Williams Parry yn ei linell 'Y Llew oedd ar y llwyfan'. Er pan oedd yn 47 mlwydd oed bu'n dioddef o'r parlys, a threuliodd gyfnod

Lewis William Lewis, 'Llew Llwyfo' (1831-1901). Llun o gasgliad Llyfrgell Genedlaethol Cymru.

cyn diwedd ei oes yn nhloty Llangefni. Ar achlysur cyflwyno llun ohono a thysteb iddo y canodd Taliesin ei gerdd. O gofio i'r Llew fod yn America, addas iawn yw'r llinell 'Treigliadwy'i barch trwy'r gwledydd'. Gwir iawn hefyd yw cwpled clo wythsillaf y gerdd:

> Rhyfeddir, hir cedwir mewn co'
> Fawr allu llafur Llew Llwyfo.[56]

Cawn sôn eto am y Parchg Robert Ellis, 'Cynddelw' (1810-75), a fu'n weinidog yng Nglyn Ceiriog, 1838-47, ond dyma, am y tro, esgyll englyn a anfonodd Taliesin ato fel cyfarchiad:

> Cynddelw fardd, Cynddelw fawr-ddyn;
> Cynddelw hardd, Cynddelw Wyn.[57]

Mewn un gerdd (cyfres o dri englyn) y mae'r bardd o Langollen yn anfon yr Awen i Dde Cymru i gyfarch ei gyfaill barddonol, 'Twynog enwog', ac i ddiolch iddo 'tros glaf fardd'. Yr awgrym yw i'r gŵr hwn o'r De fod yn garedig wrth Daliesin yn ei waeledd.[58]

Yr oedd nifer o'r personau yr oedd gan Daliesin o Eifion barch mawr tuag atynt wedi gwneud cyfraniad gwir gyfoethog i'w cenedl. Un ohonynt hwy, yn sicr, oedd John Griffith, 'Y Gohebydd' (1821-77). Fe'i ganed ef ym Modgwilym, ger Abermaw, ond yn Llangollen y'i claddwyd. Ar y 25ain o Fawrth 1857, dechreuodd gyhoeddi ei 'Lythyr Llundain' yn *Baner Cymru* Thomas Gee, ac am flynyddoedd bu'r llythyr hwn yn ddylanwad o bwys. Fel 'Gohebydd Llundain', John Griffith oedd prif ohebydd ei oes yng Nghymru. Cyhoeddwyd yn *Baner ac Amserau Cymru* hefyd ei adroddiadau am ei ymweliadau ag America, Ffrainc, Awstria a'r Eidal. Bregus iawn fu ei iechyd am flynyddoedd, a chyfeirir at hyn gan Daliesin yn ei hir a thoddaid iddo. Ei neges galonogol i John Griffith yw: oherwydd ei 'oludog allu' a'i 'hylithr iaith', ei 'Lythyr' rydd eto 'ail egwyl i Walia annwyl'.[59]

Nid Cymro ond Ffrancwr oedd un o'r personau dysgedig a gyfarchwyd gan y bardd o Langollen. Y Tywysog Louis-Lucien Bonaparte (1813-91) oedd y gŵr hwn. Yr oedd yn nai i Napoleon Bonaparte, ond gwahanol iawn oedd ei ddiddordebau. Dychwelodd unwaith yn rhagor i Loegr i fyw, ac ieitheg, nid gwleidyddiaeth nac ymladd, oedd ei ddiddordeb mawr ef. Astudiodd yn arbennig iaith Gweriniaeth y Basg a'r ieithoedd Celtaidd, gan gynnwys y Gymraeg. Yn ei feddiant ef yr oedd yr unig gopi o gyfrol bwysig y ffoadur Catholig, Morys Clynnog: *Athravaeth Gristnogavl* (1568). Yr oedd y Tywysog llengar o Ffrainc yn un o Lywyddion Eisteddfod Genedlaethol Aberystwyth, 1865, ac ar yr achlysur hynny y cyfansoddodd Taliesin ei englyn i'w gyfarch.

Louis-Lucien o'i lwys lysoedd – yn Ffrainc
Wnai ffrwst dros y moroedd,
I hen Gymru'r cu ŵr c'oedd,
Gynhadlwr prif genhedloedd.[60]

Mewn englyn o'i eiddo y mae Taliesin o Eifion yn cyfarch un person mewn modd cwbl wahanol i bob person arall. Nid moliant sydd yn yr englyn hwn, ond beirniadaeth hallt. Gwawd a dychan. Testun yr englyn yw Evan Davies, 'Myfyr Morganwg' (1801-88). Brodor o Blwyf Llangrallo, Morgannwg oedd ef, ond ym Mhontypridd y bu'n byw am y rhan fwyaf o'i oes, a'i waith oedd oriadurwr. Ar y dechrau galwai ei hun yn 'Ieuan Myfyr', ond yn fuan wedyn mabwysiadodd yr enw 'Myfyr Morgannwg'. Effeithiwyd yn drwm arno gan y chwiw dderwyddol, ac ysgrifennodd lyfrau ar y pwnc. Honnai iddo etifeddu swydd Archdderwydd Cymru wedi marw Taliesin Williams, mab Iolo Morganwg, yn 1847, a thua 1853 dechreuodd gynnal seremonïau derwyddol wrth y Maen Chwyf ym Mhontypridd.[61]

Roedd y Myfyr yn un o'r cymeriadau lliwgar a oedd yn bresennol yn Eisteddfod Fawr Llangollen, a byddai Taliesin wedi'i gyfarfod yno bryd hynny, mae'n siwr. Fel hyn y disgrifiwyd ef gan Lewis Jones, 'Rhuddenfab':

> 'Yr oedd pob dyn od yng Nghymru wedi dyfod yno ... yn eu mysg Myfyr Morganwg (Archdderwydd Ynys Prydain, fel ei gelwid), a rhyw ŵy cyfrin wrth linyn ar ei fynwes ... a bu yr ŵy yn gyff clêr i'r beirdd drwy yr Eisteddfod.'[62]

'Y Myfyr (Ieuan Morganwg)' y geilw Taliesin yr Archdderwydd honedig, ac fel hyn mewn iaith gref y mae'n ei ddisgrifio:

> Ho! gau athrylith gythreulig – Ieuan,
> Gyda'i goed a'i gerrig;
> Am ei nodau damnedig – dwedaf fi,
> 'Wel, dyma dlodi mwya diawledig.'[63]

'O dwrw byd i dy'r bedd': cysuro, cofio a chydymdeimlo

Cyfarch cyfeillion a chydnabod. Ond hefyd cysuro a chydymdeimlo. Y mae'r cyfan yn rhan ganolog o swyddogaeth y bardd. Er y byddai Taliesin o Eifion wedi bod yn fwy cyfarwydd â glowyr gogledd ddwyrain Cymru, dewisodd gyfansoddi tri englyn 'Cydymdeimlad â Glowyr y De', ac y mae'n amlwg fod y cydymdeimlad hwnnw yn un diffuant iawn. 'Mawr gwynion gwŷr Morgannwg' yw llinell agoriadol yr englyn cyntaf, ac meddai yn yr un englyn: 'Gormeswyr a'u gweithwyr mewn gwg'. A dyma baladr yr englyn olaf:

Och! weled plant yn chwilio – y domen
Am wael damaid yno ... [64]

'Di-boen yw d'obennydd ...': cerddi coffa i blant

Cyfeiriwyd eisoes at y ddau englyn coffa i ddau blentyn a gyfansoddwyd gan Taliesin pan oedd yn llanc ifanc iawn. Cofiwn hefyd iddo yntau golli dau blentyn bach. Nid yw'n syndod, felly, deall bod ganddo englynion coffa i nifer o blant yr oedd ef yn eu hadnabod, neu yn adnabod eu teuluoedd. Dyma deitlau'r englynion hynny: 'S J Simon (Merch fechan Mr E Simon, Llangollen)'; 'John (Mab i Edward Jackson, Llangollen)'; 'Hugh (Mab John a Jane Jones, Pentre-Crystionydd, Rhiwabon)'; 'Mary Lloyd'; 'Elen (Ym Mynwent Caerffili)'; 'William (Mab Mr J Williams, Rhuthyn)'; 'Ioan Bach'.[65]

Dyma un enghraifft o'r englynion coffa hyn. Englyn ydyw i blentyn o'r enw 'John', a 'gladdwyd yn yr un bedd â'i ddwy chwaer fechan'. Y mae yn yr englyn hefyd fynegiant o gredo sy'n cael lle amlwg yng ngherddi coffa Taliesin, a chredo, fel y gwyddom, oedd mewn bri mawr yn ystod ei oes ef.

Di-boen yw d'obennydd – yn y bedd,
John bach, cwsg yn llonydd,
Hyd fore daw'r Adferydd,
Dwy chwaer fach wrth d'ochr fydd.[66]

'Duodd goleuddydd pan dawodd Golyddan': cerddi coffa i oedolion

Fel ei gerddi cyfarch, y mae cerddi coffa'r bardd i oedolion hwythau yn dilyn patrwm cyffelyb. Cawn farwnadau i bersonau o Ddyffryn

Llangollen a'r cyffiniau, a cherddi i gyfeillion a chydnabod hwnt ac yma yng Nghymru ac amryw ohonynt yn adnabyddus ym myd llên a barddas.

Ceir englyn coffa yr un ganddo i 'Stonewall Jackson';[67] 'I'r Diweddar Barch. Ellis Evans, D.D. Cefn-mawr';[68] ac i 'Hywel Dda (Hen gyfaill a gladdwyd yn Ninbych)';

Ai marw wyt ti fy mrawd Hywel? – O, fy mron!
Fy mrawd mwy ni ddychwel;
Clowyd drws Clwyd-dir isel,
A'i bridd mwy ar y bardd mêl.[69]

Canodd Taliesin bedwar englyn coffa i'r foneddiges 'Mrs Bennet', o Blas Llanddyfnan, Môn, a 'hunodd mewn penwynni'. Y mae'n hael ei glod iddi am ei haelioni.

Ei nawdd roes am flynyddau – i addysg,
I weddwon a'u rheidiau ...

Ond bellach, meddai yn yr englyn olaf, daeth y cyfan i ben:

Er rhodio drwy anrhydedd – a meddu
Moddion, parch, a mawredd,
Âi'n dawel yn y diwedd
O dwrw byd i dy'r bedd.[70]

Y mesur rhydd a ddewisodd i ganu ei benillion: 'Llinellau Coffa am Mrs E Edwards, annwyl briod Mr J Edwards, Pentre House, Chirk', mam, yn ôl y cyfeiriad yn y llinell olaf, i ddeg o blant. Yn y gerdd ddiffuant hon cyflwynir inni bedwar darlun o wrthrych ei gân. Y bardd yn ei chofio gyntaf yn chwarae 'Mor ysgafn ar ei throed / hyd lwybrau glan yr afon / â'r ewig yn y coed.' Yna yn ei chofio ger yr allor yng Nghapel Pen-y-bryn (Llangollen) ar ddydd ei phriodas. A'r trydydd darlun: cofio ei gweld yn ei gwaeledd yn ymweld â chartref ei rhieni 'yn araf wyro'i phen / fel gwedi nos o farrug / y gwywa'r lili wen.' A'r darlun olaf: ei gweld yn dod unwaith eto i Gapel Pen-y-bryn, ond y tro hwn mewn elor-gerbyd.[71]

Cerdd yn y mesur rhydd hefyd yw'r farwnad i 'Jonathan Brown, Diacon yng Nghapel Seion Cefn-mawr'. Llinellau deg sillaf sydd yn y gerdd hon, yn odli'n acennog fesul cwpled. Bu mewn cystadleuaeth yn Eisteddfod Cefn-mawr, Nadolig 1874. Y ffugenw oedd: 'Un a'i hadwaenai'n dda'. Dyma un o gerddi coffa mwyaf diddorol Taliesin, nid oherwydd ei gwerth llenyddol, ond oherwydd ei bod yn cyflwyno inni ddarlun mor onest o'r gwrthrych. Fel y gwyddom, nid bob amser y digwydd hynny ym marwnadau'r bedwaredd ganrif ar bymtheg, mwy nag mewn canrifoedd eraill. Anarferol iawn yw cael bardd yn nodi cymaint o wendidau'r person y mae'n ei goffáu, ac yn gwneud hynny mewn arddull mor uniongyrchol, ddi-flewyn-ar-dafod.

Yn sicr, y mae'r gerdd hon yn wahanol i bob un o gerddi eraill Taliesin. Meddylier, er enghraifft, amdano'n dweud am Jonathan Brown: 'Ei bennaf fai oedd ystyfnigrwydd mawr ...' Un o feibion y 'daran' ydoedd. Haws 'fa'i hollti'r Wyddfa yn ddau ddarn', meddai, na'i 'symud ef o'i benderfynol farn'. A bai arall oedd ganddo pan fyddai'n ceryddu, ei 'law oedd braidd yn drom'. 'Fel meddyg, braidd rhy hoff o'r gyllell oedd.' Ond er yr holl wendidau, yr oedd gan y diacon hwn o Gefn-mawr hefyd rinweddau lu. 'Cristion o'r hen stamp' oedd Jonathan Brown. 'Elias oedd yn llawn o dân a sêl.' 'Un gonest iawn.' Ei gartref: 'tŷ ei Dduw' ydoedd. A gŵr ffyddlon i'r 'moddion gras'.

> Hen wyliwr muriau Seion yn y Cefn;
> Byth odid gwelir ail i hwn drachefn.[72]

Ymhlith y gwŷr llên y canodd Taliesin englyn coffa yr un iddynt yr oedd: Thomas Stephens; John Robert Pryse, 'Golyddan'; a John James Hughes, 'Alfardd'.

Ganed Thomas Stephens (1821-75) yn Nhan-y-gyrchen, Pontneddfechan, Morgannwg. Symudodd i fyw i Ferthyr Tudful, a sefydlu yno fel fferyllydd. Ei draethawd ardderchog ef ar Fadog ap Gwynedd oedd y gorau o ddigon yn Eisteddfod Fawr Llangollen, 1858, ond ni roddwyd y wobr iddo oherwydd na chredai mai Madog a ddarganfu America. Ef oedd un o brif haneswyr ei oes, ac yr oedd ei gyfrol *The Literature of the Kymry* (1849) yn arloesol. Disgrifir Thomas Stephens gan Daliesin fel 'ein Steffan fawr' ac fel 'arwr rhydd'.[73]

Yn y Garreg Lefn, plwyf Llanbadrig, Môn, y ganed John James Hughes, 'Alfardd' (1842-75?). Bu'n is-olygydd *Yr Herald Cymraeg* yng Nghaernarfon; gweithiodd yn galed i sicrhau bod barnwyr yn medru'r Gymraeg yn y llysoedd; a bu'n weithgar gyda'r gorchwyl o ddiwygio'r Eisteddfod Genedlaethol a'r Orsedd. Disgrifiwyd ef gan Daliesin fel 'Alfardd annwyl, fawr ddoniau'.[74]

Bu farw Alfardd yn ifanc, ond yr oedd John Robert Pryse, 'Golyddan' (1840-62), yn iau fyth. Fe'i ganed ef yng Nghae-crin, Llanrhyddlad, Môn, ac yr oedd yn fab i'r hanesydd, Gweirydd ap Rhys (1807-89). Ei uchelgais fel bardd ifanc oedd ysgrifennu arwrgerdd fawr Gristionogol yn null Milton. Bu farw o'r ddarfodedigaeth. Chwaer iddo ydoedd Catherine Prichard, 'Buddug' (`1842-1909), awdur geiriau'r gân boblogaidd 'O, na byddai'n haf o hyd'. Disgrifiwyd Golyddan gan Daliesin fel 'angel y gân', ac meddai amdano yn ei bennill marwnad:

> Dirywiwyd Barddas druan – o'i lleu'rydd;
> Duodd goleuddydd pan dawodd Golyddan.[75]

'At yr Awenbert Fardd, O Gethin Jones' yw'r pennawd a roddwyd i'r ddau englyn a anfonwyd at Owen Gethin Jones (1816-83), y saer a'r adeiladydd dawnus o Benmachno, sir Gaernarfon. Yr oedd yn fardd cynhyrchiol, ond yn rhagori fel hynafiaethydd. Gwelir hynny yn amlwg yn ei draethodau gwybodus ar blwyfi Penmachno, Ysbyty Ifan a Dolwyddelan, a gyhoeddwyd yn y gyfrol *Gweithiau Gethin* (1884). Yr oedd ganddo ddeg o blant, ond bu pedwar farw'n ifanc iawn. Bu dau farw o fewn wythnos i'w gilydd. Yn y ddau englyn a anfonwyd at Gethin gan Daliesin rhoddir y geiriau yng ngenau'r tad. Mor hyfryd ydoedd yn Nyffryn Conwy 'dan lifrai briallu mis Ebrill a Mai'. Yna daeth tro ar fyd:

> Ond Rhagfyr fu'n britho trigfan – lonydd
> F'annwyl faban ... [76]

Cyfaill agos iawn i Daliesin o Eifion oedd David Williams, 'Alaw Goch' (1809-63). Yr oedd yn frodor o Blwyf Ystradowen, Morgannwg, ond symudodd i fyw i Aberdâr. Daeth yn berchennog pyllau glo gan ddringo i safle o bwys yn y diwydiant glo yn Ne Cymru. Ond yr oedd yn gefn bob amser i'r gweithwyr; cefnogai'r eisteddfodau lleol yn aml fel llywydd a rhoes arian i'r Eisteddfod Genedlaethol. Roedd ei gartref yn Aberdâr yn fan cyfarfod i feirdd a llenorion ac yr oedd yntau yn barddoni. Dyfynnwyd eisoes hefyd ym mhennod 4 sylwadau John Llewelyn am Alaw Goch wrth sôn am gystudd ei dad.

> 'Bu Alaw Goch yn noddwr caredig iddo. Yn wir, ychydig cyn marw'r bardd caredig o'r De, yr oedd wedi trefnu i symud Taliesin o Langollen i Ddeheudir Cymru ...'[77]

Dyma deitl cerdd goffa dwymgalon Taliesin i'w gyfaill hoff: 'Llinellau Ar ôl y gwladgarwr twymgalon, y bonheddwr haelionus a'r llenor coethedig D Williams, Ysw (Alaw Goch)'. Bellach, meddai, y mae 'pen seren y gweithiwr' wedi machlud. Cerdd pedwar pennill yw'r farwnad, a dyma'r pennill cyntaf:

> Mae telyn y Cymry yn brudd ar yr helyg,
> Bys gwelwlas angau gyffyrddodd â'i thant;
> Mae calon hen Walia o lewyg i lewyg
> Am Alaw anwylaf yr haelaf o'i phlant.
> Ni thorraist, erch angau, un purach gwladgarwr
> Er dyddiau Llywelyn, er cymaint dy froch;
> Mae calon y Cymro, fel nodwydd y morwr,
> Yn pruddaidd gyfeirio at fedd Alaw Goch.[78]

**'Mawr geidwad y Gymraeg ydoedd,
Ac anadl iaith ein cenedl oedd.'**

Eisoes yn y bennod hon cyfeiriwyd at englyn cyfarch Taliesin i Gynddelw. Y mae ganddo hefyd gyfres o naw englyn coffa iddo, a dyma un o'i gerddi gorau. Ganed Robert Ellis, 'Cynddelw' (1810-75) yn Nhy'nymeini, Pen-y-bont-fawr, a bu'n Weinidog gyda'r Bedyddwyr yn Llanelian a Llanddulas, sir Ddinbych (1836-8); Llansanffraid Glynceiriog (1838-47); Sirhowy, sir Fynwy (1847-62); Caernarfon (1862-75). Yn bregethwr, yn Weinidog, yn ddarlithydd ac yn hynafiaethydd llwyddiannus iawn, Cynddelw, yn ddi-os, oedd un o wŷr llên mwyaf dawnus, poblogaidd a chynhyrchiol y bedwaredd ganrif ar bymtheg. Flwyddyn cyn ei farw cyhoeddodd ei gywydd 'Y Berwyn'. Daeth rhannau o'r cywydd hwn wedyn yn adnabyddus iawn wedi i'r cerddor D Vaughan Thomas osod y geiriau ar gân (Snell 1926). Y mae'r cywydd, fel y cofiwn, yn cynnwys y cwpled:

> Od oes byth gael dewis bedd,
> I Ferwyn af i orwedd.

Cafodd ei ddymuniad. Claddwyd ef ar safle Capel y Llwyn, Llansanffraid Glynceiriog, lle bu'n Weinidog.[79]

Yr oedd Taliesin o Eifion ac yntau, y mae'n amlwg, yn gyfeillion agos. Pennawd ei englynion coffa yw 'Ochenaid Uwch Bedd Cynddelw', gyda'r nodyn hwn:

> 'Claddwyd yr annwyl Cynddelw yn hen fynwent y Bedyddwyr yn Nhrefddegwm Hafodgynfor, traean Glynceiriog, plwyf Llangollen. Saif y fynwent ar lechwedd prydferth yn ochr ddeheuol y Glyn. Rhyw ganllaw islaw iddi rhed afon Ceiriog, gan furmur wrth fyned heibio ar wely o raean.'

Mewn un llinell ardderchog disgrifiwyd Cynddelw gan ei gyfaill fel 'Cannwyll yr oes, canllaw'r iaith', a gwir bob gair ydoedd y geiriau.

Gwir hefyd yr hyn a ddywedwyd ym mhob un o'r englynion. Dyma englynion rhif 1, 2 a 6.

Wrth oer fedd argel Cynddelw – chwith wyf
A chaeth iawn gan dristwch;
Mae'r bardd gwyl, annwyl enw?
Chwith ei le a chaeth ei lwch.

Fardd gwlad, ai dyna d'annedd – oer, unig,
Lle'r huna huawdledd?
Y meirwon yma orwedd –
Ond dyn byw wyt ti'n y bedd ...

Llyw awen, llawn galluoedd, – ei enw
Fydd annwyl am oesoedd;
Mawr geidwad y Gymraeg ydoedd,
Ac anadl iaith ein cenedl oedd.[80]

Robert Ellis, 'Cynddelw' (1810-75). Cerdyn post o gasgliad yr awdur.

7

'Cymru Lân, Cymru Lonydd ...': Crefydd, Cymreictod a Phrydeindod, a Hen Hanes; Rhagor o Gerddi Taliesin

FEL YR AWGRYMWYD eisoes, y mae cerddi Thomas Jones, Taliesin o Eifion, yn rhychwantu ystod eang o bynciau a themâu sy'n adlewyrchu ei ddiddordeb byw mewn bywyd yn ei gyfanrwydd. Rhan o'r cyfanrwydd hwn oedd crefydd a moes, cydwybod gymdeithasol a gweithgarwch dyngarol. Cyfeiriwyd eisoes at rai cerddi perthnasol, megis 'Oriau Olaf Iesu Grist' a'r gerdd 'Cydymdeimlad â Glowyr y De'. Ar ddechrau'r bennod hon cawn gipolwg ar gerddi eraill sy'n adlewyrchu'r wedd hon ar ganu'r bardd o Eifion.

Yn gyntaf, nodwn gerddi sy'n ymwneud yn uniongyrchol â'r Ysgrythur a'r Beibl. Testun tri o'i englynion yw: 'Lili'r Dyffrynnoedd';[1] 'Abraham Uwchben Corff Sarah';[2] ac 'Olewydden Gethsemane'.[3] O blith ei gerddi hirion, y mae ganddo un bryddest, 'Yr Efengyl', buddugol yn Eisteddfod Treherbert, 1875.[4] Y mae ganddo hefyd gywydd 'Cwymp Dyn a datguddiad o ffordd iechydwriaeth trwy'r Gair', ac un emyn: 'Digonolrwydd yr Aberth'. Dyma'r cyntaf o dri phennill ei emyn:

Nid yw y byd a'i bethau
Ond gwael deganau i gyd;
Nid oes un gwrthrych ynddo
I roddi arno 'mryd.
Yn aberth mawr Calfaria,
Fy unig noddfa wnaf;
Pan ballo'r byd a'i wagedd,
Digonedd ynddo gaf.[5]

'Fe yfai hwn afon ddau ddigon i ddeg ...'; y 'dreth fawr' a'r 'dorth fach': prydferthwch cymeriad a chyfiawnder i'r weddw a'r tlawd

Rhai cerddi diddorol o eiddo'r bardd yw'r ychydig gerddi hynny sy'n ymwneud yn uniongyrchol, neu'n anuniongyrchol, â chydwybod bersonol a chymeriad yr unigolyn; yn ymwneud â daearu crefydd: rhoi Cristnogaeth ar waith. Mewn un gerdd, gyda'r pennawd annisgwyl 'Y Diwylliedig', y mae mam dlawd a thrist, 'ar ochr gwyrddlas fryn', yn ymson gyda'i baban newynog. 'Cwsg', meddai wrtho, nid oes raid i'w phlentyn wybod dim am y 'gwradwydd' y mae'n rhaid iddi hi ei ddwyn. Y mae'n erfyn ar i'r Nef faddau i dad y baban am y 'cam' a wnaed. Dyma bedair llinell o'r gân hon:

O, deffro, gwena faban gwyn,
I lonni'm mynwes brudd,
Mae'r gwynt yn oer oddi ar y llyn,
A'm gwaed ar fferu sydd ...[6]

'Y Rhagrithiwr', dyna deitl un arall o gyfansoddiadau Taliesin. Englyn y tro hwn, buddugol mewn eisteddfod yng Nghefn-mawr. Dyma'r esgyll:

'E dwylla wlad oll â'i lŵ;
Duw'n unig adwaen hwnnw.[7]

Diddorol yw pennawd a chynnwys y gerdd (pedwar englyn): 'Y Ddwy Dymer: Siôn natur dda a Wil natur ddrwg'.[8] Ond mwy diddorol fyth yw'r gân 'Y gŵr Ieuanc (o'r Cefn) Oddicartref' (ac fel cân y bwriadai Taliesin i'r gerdd hon gael ei hystyried). Yn un peth, y mae ffurf y gân yn werth dal sylw arni: dwy ferch, un yn y rhan gyntaf a'r llall yn yr ail ran, yn sgwrsio â'i gilydd ac yn mynegi eu barn yn ddifloesgni am ddau ŵr ifanc o bentref Cefn-mawr ger Rhiwabon. Meddai'r ferch gyntaf:

> Mi welais lanc ieuanc, un iawn ydyw o,
> Mae'n debyg i'r bechgyn sy'n gweithio'n y glo ...

'Mae'n hynaws a thirion a moesgar ei iaith'; 'Mae'n gerddor rhagorol a thipyn o fardd'. Y mae hefyd yn mynd yn ffyddlon i'r capel ac i'r Ysgol Sul. A'i dyfarniad terfynol? Byddai'n barod i briodi 'bachgen mor uchel ei glod'.

Ond meddai'r ail ferch wrth y ferch gyntaf yn ail ran y gân:

> Taw, taw â chyboli a moedro dy ben,
> Adwaenost ti'r *Lodger* sy'n nhŷ Modryb Gwen?

'Rodne' yw enw hwnnw. Y mae ei 'sgidiau trwy'i draed' ac y mae yn gwbl 'ddi-drefn'. Wedi diwrnod tâl, bydd am 'dridiau yn sal':

> Mae'n feddw, mae'n ddiog, mae'n garpiog a llwm;
> Mae'n mygu a phoeri, mae'n drewi'n lled drwm ...
>
> Ac ar y Sabothau mae'n boethaf ei geg,
> Fe yfai hwn afon ddau ddigon i ddeg ...

A'r dyfarniad?

> Mil gwell na phriodi gan Shani, rwy'n siŵr,
> Fyth gyda bath hwnnw fa'i marw am ŵr.
> Os na chawn i fachgen yn cadw gwell trefn,

Run fath â'r llanc arall a welaist o'r Cefn.
[Y ddwy ferch gyda'i gilydd]:
A byddem drachefn yn wragedd o'r Cefn,
Heb neb yn yr ardal yn cadw gwell trefn.

Pa beth sydd ar fechgyn direswm, di-rôl?
A ydynt yn meddwl fod merched mor ffôl?
A mynd gyda Rodne i rwymo ei llaw?
Mae meddwl am hynny yn ddigon o fraw!
Wŷr ieuanc o'r Cefn, rhai sydd yn ddi-drefn,
Diwygiwch eich moesau, cewch wragedd drachefn.[9]

Ar derfyn y gân, ychwanegodd Taliesin y sylwadau hyn:

> 'Bwriadwyd y gân hon i fod yn fwy fel fflangell watworllyd ar gymeriadau sydd i'w cael yn rhy fynych yn yr ardal hon [Cefn-mawr], nac fel cwyn hiraethlon Cymro oddi cartref. Gosodir dau nodweddiad yng ngenau dwy fenyw o'r lle y mudasant iddo. Bwriedir hefyd iddi gael ei chanu ddiwrnod yr Eisteddfod gan ddwy fenyw.'[10]

Un o gerddi mwyaf cofiadwy Taliesin, yn fy marn i, yw 'Syniadau yr Annuwiol wrth Farw', er nad oes disgwyl i neb heddiw, dybiwn i, dderbyn yn llythrennol y darlun Danteaidd o dân uffern fel sy'n cael ei ddisgrifio yn ail ran y gerdd. Dyma, yn ôl yr awdur, oedd y sbardun iddo ei llunio: 'Cyfansoddodd y llinellau hyn wedi darllen englynion tlysion Isaled ar "Syniadau y Cristion wrth farw", yn y rhifyn am Medi 17eg o'r *Herald Cymraeg*.' Awdl fer yw'r gerdd iasol hon: tri englyn, dau hir a thoddaid, darn o gywydd, a chwpled o gywydd i gloi. Dyma ddyfyniad o ran gyntaf y gerdd:

Trwy'm buchedd y trwm bechais; – gwaed yr Oen
Gyda'i rinwedd geblais;
Uwchlaw oll, ag uchel lais,
Iesu eilwaith groeshoeliais.

Ow! dyma'r byd i mi ar ben; – dyma
Dymor gras yn gorffen;
Dyma'r nos, duo mae'r nen,
Na welir arni heulwen.

Mil o bechodau mal beichiau ydynt
Yn llethu'n ddibaid fy enaid danynt;
Lli tonnau geirwon mewn gwylltion gerrynt,
Ow! a pha fan y ffoaf ohonynt?
A thra mawr a thrwm ynt; – mwy ei bwysau
Na'r holl fynyddoedd yw'r lleiaf o naddynt.

Ydwyf erchyllaf wedi f'archolli,
Yn fraw i galon, yn friwiau a gweli [clwyf, dolur];
Ffiaidd i gyd, a pha wedd i godi?
O! bentwr anhardd, uwchben trueni!
O dan farn dyna fi, – wrthodedig
Enaid damnedig wedi'm nodi.

Nesu'r wyf yn is i'r afon, – yn noeth,
I wydd fy Nuw digllon!
I fywyd llawn gwasgfeuon, – na dderfydd,
Du nos tragywydd mewn dinistr a gwaeon.[11]

Ac yn ail ran y gerdd nid oes eto un llygedyn o obaith. Am i'r annuwiol 'gablu Duw' 'trwy einioes hir', nid oes trugaredd. Dim ymwared rhag y 'garw fflamau', y 'tragwyddol wae', a 'gwarth' y suddo 'yn is, is, yn oes oesoedd'.

Yn y gerdd hon y mae'r awdur yn odli 'fflamau – gwae', 'du – fyny', a dyma'r nodyn diddorol sydd ganddo ar y diwedd:

> 'Yr wyf yn hysbys fod Y ac U yn ateb i'w gilydd yn cael eu hystyried yn dwyll sain, neu odl, ond gan mai'r glust sydd i farnu sain, ac nid y llygad, rhaid i mi addef nad yw fy nghlust i yn ddigon teneu i wahaniaethu rhyngddynt, megys yn y llinellau uchod; yr un modd 'gwae' ac 'au'. Dymunwn yn fawr weled rhai o'n prif-feirdd yn cymeryd y pwnc hwn dan sylw.' *Taliesin*[12]

Wedi dyfynnu o'r gerdd uchod, 'Syniadau yr Annuwiol wrth Farw', rhaid cyfeirio hefyd at un englyn arall o eiddo'r awdur. Ei destun y tro hwn yw 'Gwadu Eiloes'. A dyma yr hyn sydd ganddo i'w ddatgan:

Y dwlyn wada eiloes, – fe wadodd
Atgyfodiad eisoes;
Gwadu Duw'n Geidwad einioes.
A gwadu grym gwaed y groes.[13]

Afraid dweud, y mae darllen cerddi crefyddol eu hanian o eiddo'r awdur yn rhoi argraff pur dda inni o'i agwedd ef ei hun tuag at grefydd, a thuag at rai credoau crefyddol a oedd mewn bri arbennig yn ystod ei oes ef. Gwelsom, er enghraifft, yn ei englynion coffa i blant, y sylw cyson fod y plant hyn a fu farw wedi mynd o'r byd hwn i well byd – i fyd o wynfyd – yn y dybiaeth, bid siwr, fod dweud hyn yn rhyw gymaint o gysur i'r rhieni.

Ceir hefyd, o leiaf mewn dau englyn, awgrym pendant o gulni crefyddol ac enwadol a oedd mor amlwg yn ystod y cyfnod hwn (ac nad yw eto wedi llwyr gilio o'r tir). Y mae ei ddau englyn i'r 'Pab o Rufain' a'r cyfeiriad yn llinell agoriadol yr englyn cyntaf at 'Pio Nono'r pen wanna', gyda'r disgrifiad ohono fel 'hen ewythr annuwiawl' yn sicr yn sawru o ragfarn crefyddol.[14]

Cyfeiriwyd eisoes at englyn yr awdur i'r 'Cleddyf'.[15] Y mae yn yr englyn hwn awgrym pendant mai gwell yw heddwch na rhyfel. Dyma'r neges hefyd yn yr englyn 'Y Fagnel', hwn eto, fel yr englyn i'r cleddyf, wedi bod mewn cystadleuaeth yn Eisteddfod Llanfair Caereinion.[16] Geilw'r fagnel yn 'beiriant angau'.

Ond yr oedd yn ogystal yn oes Taliesin o Eifion 'beiriant' o'r fath arall. Peiriant a oedd yn gormesu cymdeithas ydoedd hwn, ac y mae'n amlwg oddi wrth ychydig o'i gerddi ei fod yn gefnogol iawn i bob ymdrech i waredu'r fath beiriant ac i sicrhau cyfiawnder cymdeithasol a rhyddid i'r gweithiwr cyffredin. Cyfansoddodd englyn, er enghraifft, ar y testun 'Beddargraff Cyfraith yr Ŷd (Pan basiwyd y "Corn Bill")'. (Pasiwyd y Deddfau Ŷd yn 1791 ac 1813; fe'u diddymwyd yn 1846.)

> Mae'r dreth fawr, mae'r dorth fach – Ow'n gorwedd
> Dan garreg rhyddfasnach;
> Rhad yw i ni, yr ŷd yn iach;
> Digon o beilliaid gawn bellach.[17]

Cyhoeddodd hefyd gerdd ddychanol iawn 'Anerchiad i'r "Protectionists"'. Yn y gerdd hon y mae'n beirniadu'n hallt y boneddigion a'r meistri tir a fu'n rhy hir o lawer yn gorseddu caethfasnach ac yn gormesu'r tlawd a'r gweddwon a'u 'gruddiau llwydion'. Meddai ar derfyn y pennill cyntaf: 'Torrwch ffon eu bara a'u budd'. Ac eilwaith, yn yr ail bennill, y mae'n gofyn i'r boneddigion paham na ddylai'r tlodion 'gael bara'n rhad'? A'r ateb? Dyma paham, medd y bardd:

> Geill hynny fod yn achos ichwi
> Ostwng rhenti eich tai a'ch tir;
> Ple daw cynhaliaeth eich cŵn hela
> Os caiff y tlawd ei wala'n wir?

Eto, yn y trydydd pennill, y mae Taliesin yn parhau â'i ddychan. Beth petai'r trethi ar frandi'n codi a'r trethi ar de a choffi'n gostwng, 'er mwyn y gweithiwr tlawd a'i blant', gan orfodi'r boneddigion i 'yfed llai o win'? Ond meddai cyn diwedd y gân, wele, daeth tro ar fyd:

> O, ynfydion, ai amau'r ydych
> Mai trwy ein hoes y cysgwn ni?
> Ni chewch eto byth ein rhwymo ...

Mae nos caethiwed wedi darfod,
Mae wedi dod yn ormod dydd;
Mor hawdd rhwymo'r haul am ddiwrnod
[Na] gwneud yn rhwym y Fasnach Rydd.
Mae'r byd yn gweld eich twyll a'ch camwedd,
A thynnu ei 'winedd wnaeth o'r blew;
Mor ffôl yw'ch amcan, wedi'r cyfan,
Â gyrru lleian ar ôl llew![18]

'Cymru wen, Cymru annwyl beunydd ...'; 'Prydain Fawr piau'r don fyth': Cymreictod a Phrydeindod

'Cymro glân, gloyw.' 'Cymro i'r carn.' Felly, neu mewn geiriau o'r fath, y byddai bron pawb, mae'n sicr, yn ei ddydd a'i oes yn disgrifio Thomas Jones, Taliesin o Eifion. A theg iawn yw'r disgrifiad. Gŵr hoff o'i wlad ydoedd, a hoff iawn o'i hiaith. Ac onid ef yn un o'i englynion a ddymunodd i'r iaith hon bob rhwyddineb a pharhad, gan wneud hynny gyda hyder a ffydd:

Cei fyw'n hir, cei fy hen iaith; – cei fyw'n well,
Cei fwynhau dyddiau hirfaith;
Mewn purffurf rwymynau perffaith
Cei res o feib, cei hir oes faith.[19]

Ac onid ef yn ei englyn adnabyddus i Gymru, a ddyfynnwyd eisoes yn y Rhagymadrodd, a ddywedodd:

Cymru lân, Cymru lonydd, – Cymru wen,
Cymru annwyl beunydd;
Cymru deg, cymer y dydd,
Gwlad y gân, gwêl dy gynnydd.[20]

Cyfansoddodd hefyd gân o ddau bennill wyth llinell, llinellau deuddeg ac un sillaf ar ddeg yr un bob yn ail, dan y pennawd: 'Hen Fryniau fy Ngwlad Enedigol i Mi'.[21]

Ond os canodd Taliesin y cerddi hyn o foliant i Gymru a'r

Gymraeg, canodd yn ogystal gerddi o fawl i rai o enwogion Lloegr, gan gynnwys y Frenhines Fictoria ei hun. Ym mhaladr ei englyn iddi y mae'n mynegi ei ddymuniad:

I'n tirion weddw Victoria, – Duw Iôr,
Bydd darian a noddfa ...[22]

Ac ar derfyn yr englyn cyfeiria at 'ein Teyrnas dda', sef Prydain, wrth gwrs. Y mae ganddo hefyd englyn i'r Arglwydd Grosvenor, 'seneddwr sy'n haeddu ein cariad', a 'gŵr â phlwm yn gorff i'w wlad'.[23] Yr un modd, lluniodd dri englyn i groesawu Gladstone i 'Eisteddfod Gwyddgrug'. Mae'n agor yr englyn cyntaf drwy ofyn 'pa ŵr drwy Ewrop yr awr hon' sy'n gyffelyb iddo ef? 'Pennaeth llywodraeth' a 'gwladweinydd digyfryw'. 'Nid dyn gwlad unigol ydyw.' 'Na, gŵr byd oll' yw William Ewart Gladstone.[24]

Anfonodd Taliesin o Eifion awdl ar y testun 'Y Môr' i Eisteddfod Caer, 1866, o dan y ffugenw 'Ap Nefydd'. Roedd Ceiriog yntau wedi cystadlu, ond Ap Vychan (Robert Thomas) a enillodd. Mewn englyn yn un rhan o'r awdl cyfeiria Taliesin at rym llynges Prydain ar y môr, gan gloi gyda'r llinell hon: 'Prydain Fawr piau'r don fyth'.[25]

'Eryr eryrod Eryri'; 'Sound the loud horn! Sir Watkin leads our cause ...'

Yn ei gerdd 'Anerchiad i'r "Protectionists"', gwelsom eisoes pa mor finiog ei feirniadaeth oedd Taliesin o'r meistri tir a fu am flynyddoedd maith yn gormesu'r tlawd a'r gwan. Eto, er hyn, fe gyfansoddodd o leiaf dair cerdd i gyfarch a chanu moliant i un o'r meistri tir mwyaf dylanwadol yng Ngogledd Cymru, sef Syr Watkin Williams Wynn, Wynnstay. Meddai mewn englyn i 'Aer Wynnstay':

Uchel o uchel achau – yw'n llywydd,
Fel llu o'i hen dadau;
Gŵr hynaws teg, aer Wynn-stau,
A brenin 'gwlad y bryniau'.[26]

Yn Eisteddfod Caer, 1866, roedd Syr Watkin Williams Wynn yn Llywydd, ac yr oedd cystadleuaeth i gyfansoddi cerdd i'w gyfarch. Taliesin o Eifion enillodd y gystadleuaeth honno gyda dau hir a thoddaid.[27] Fel hyn y cyfeiria ato yn agoriad y pennill cyntaf: 'Eryr eryrod Eryri'. Yna â rhagddo i ddatgan ei glod. Ef yw 'glew noddydd ein henwog lenyddion':

> Un ydyw o'n cenedl wrendy ein cwynion ...
> Heb rith o ddim ond Brython – ynddo'n bod,
> Cymreig o waelod, Cymro o galon.
>
> ... O Owen Gwynedd mae yn eginyn
> O burwaed Gwalia, rhag bradu gelyn.
> Gymru deg, mawrha y dyn – sydd amlwg
> Ei ddull a'i olwg ar wedd Llywelyn.

Lluniodd yr awdur gyfieithiad i'r Saesneg o'i ddau hir a thoddaid, a dyma ddwy linell agoriadol yr ail bennill:

> Sound the loud horn! Sir Watkin leads our cause,
> Till hill and vale awake with swift applause ...[28]

Cyfansoddodd Taliesin hefyd gerdd rydd i annerch 'Syr Watcyn a Lady Williams Wynn ar enedigaeth Aeres i hen deulu hybarch Wynnstay': merch fach 'o hil Owen' [Owen Gwynedd], ac 'anwylyd y Brython'.[29]

'Cymro glân, gloyw.' 'Cymro i'r carn.' Gwladgarwr yn caru'i iaith a'i wlad. Ie, ond Cymro teyrngar hefyd i Brydain Fawr. Bellach, dyfynnwyd digon o gerddi i sylweddoli bod Taliesin o Eifion yn gwbl nodweddiadol o Gymry twymgalon ei oes. Mor wahanol oedd ei wladgarwch ef i wir genedlaetholdeb Cymry megis Michael D Jones (1822-98) a Robert Ambrose Jones, 'Emrys ap Iwan' (1851-1906).

Y mae myfyrio ar farddoniaeth y bardd o Eifionydd, felly, yn gymorth nid bychan inni ddeall seicoleg ac agwedd meddwl beirdd a llenorion yr oes tuag at eu gwlad. Meddai yn ei englyn adnabyddus i Gymru: 'Cymru lân, Cymru lonydd ...' Y mae'r diweddar Hywel Teifi Edwards wedi ein hatgoffa yn ardderchog iawn yn ei gyfrol '*Gŵyl Gwalia*' mor gwbl arwyddocaol yw'r ansoddair 'llonydd' yn yr englyn hwn. Cyfeiriodd hefyd yn yr un gyfrol at englyn William Williams, 'Caledfryn' (1801-69): 'Cymru, Cymro, Cymraeg':

Mawryga gwir Gymreigydd – iaith ei fam,
Mae wrth ei fodd beunydd;
Pa wlad wedi'r siarad sydd
Mor lân â Chymru lonydd?[30]

Cofiwn yn ogystal eiriau eraill o eiddo Caledfryn: 'Cenedl o bobl lonydd a heddychlon, a hynod o ffyddlawn i'r llywodraeth, ydyw'r Cymry.'[31] Yn yr un modd, cofiwn eiriau megis eiddo'r Anrhydeddus G T Kenyon yn Eisteddfod y Gadair Ddu, Wrecsam, 1876:

'Wales now rests secure under the shadow of her ancient enemy. She now rests secure, the most peaceful, loyal, and contented of her majesty's dominions.'[32]

Meddai Hywel Teifi Edwards yntau wrth draethu ymhellach mewn sylwadau eithriadol o werthfawr ar gynnwys englynion Taliesin o Eifion a Chaledfryn:

'Ni all dim ddweud mwy wrthym am gyflwr seicolegol pobol a goncrwyd na'u bod yn ymfalchïo'n eu dofdra gan ei arddel yn brawf o'u teilyngdod. Ni all dim roi golwg gliriach i ni ar argyfwng presennol y Gymraeg na sylweddoli i'w "charedigion" am ganrif dda ei choledd yn rhinwedd ei diniweidrwydd. O'r cannoedd ansoddeiriau a gollwyd dros "wladgarwch" yn Oes Aur Victoria, "llonydd" yw'r un sy'n cyfrif, yr un ansoddair sy'n dal mewn cyswllt ystyrlon â'n seicoleg heddiw, ac arwydd digon sicr o sictod parhaol ein Cymreictod yw bod yr englynion ffein o waith Caledfryn a Thaliesin o Eifion i'r Gymru "lonydd" yn dal yn englynion anwes gennym. O'u gweld yn eu priod gyd-destun siawns

> na chytunem bellach mai mater o sŵn yn hudo synnwyr yw'n hoffter ohonynt, eithr yn eu synnwyr y mae eu lles i'r Cymro a gâr bondro'i etifeddiaeth. Datganiadau twt ydynt o'r meddylfryd "cenedlaethol" a ysgogodd y Rheithor [John] Griffiths i ddweud yn 1863, "I love the home of my fathers, because I find in it from the highest down to the very lowest, hearts which always beat in love and respect to those above them", ac a ysbrydolodd Talhaiarn yn 1868 i ddatgan, "We are a quiet, law-loving people, and we never require to be dragooned into obedience. We are eminently loyal, and we willingly submit to the rule of our gracious Queen and her government." '[33]

'Caswallon ddewr, Pendragon mawr dy wlad ...'; Gwenddydd ac Owain Gwynedd, Llywarch Hen a Llywelyn: ymgolli mewn hen, hen, hanes

Yr oedd gan Daliesin o Eifion ddiddordeb byw mewn hanes, ac yn arbennig hen hanes ei wlad ei hun. Mewn un llythyr at Owain Williams, Waunfawr, sir Gaernarfon, er enghraifft, y mae'n gofyn am wybodaeth ynghylch 'arfau Owain Gwynedd' ac arfau y 'pymtheg llwyth'.[34] Hyd y gellir casglu, yr oedd arno angen gwybod er mwyn ysgrifennu ei ddrama fydryddol, 'Brwydr Crogen', buddugol yn Eisteddfod Genedlaethol Porthmadog, 1872, ac enghraifft ddiddorol o ymdrech gynnar i lunio drama fydryddol o'r fath.[35] Credir i Frwydr Crogen gael ei hymladd ger Pont Melin y Castell a Chlawdd Offa, yn rhan isaf Dyffryn Ceiriog, ac yn agos i'r Waun. Yn ddiweddar gosodwyd hysbysfyrddau gan Gyngor Sir Wrecsam i ddynodi'r fan. Yma, ac yn uwch i fyny ar odre'r Berwyn, yn y flwyddyn 1165, y trechwyd Harri II, brenin Lloegr, pan ymunodd nifer o dywysogion Cymru, dan arweiniad Owain Gwynedd, i'w wrthwynebu.

Un o'r cymeriadau yn nrama Brwydr Crogen yw Gwenddydd, chwaer i Fyrddin, y bardd-ddewin. Cyfeiriwyd eisoes ati hi yn yr ail bennod wrth drafod enw merch ieuengaf Taliesin, Mari Gwenddydd, 'Mair Taliesin'. Cofiwn hefyd i Daliesin a'i briod, Elizabeth Jane, ddewis yr enw John Llewelyn i'w hunig fab a fu fyw. Nid yw'n syndod chwaith i'r bardd ganu hir a thoddaid i'r Tywysog Llywelyn [Llywelyn ap Gruffydd, 'Llywelyn ein Llyw Olaf', bu f. 1282].[36]

'Golygfa o Ben Gorsedd Gwên' yw pennawd un o gywyddau lled faith Taliesin. Fel is-deitl ychwanegodd y geiriau hyn: 'Ger "Aber Morlas lle llas Gwên".'[37] Y mae'r is-deitl hwn a thestunau rhai o'i gerddi eraill yn brawf digonol, pe bai raid, o ehangder maes darllen y paentiwr a'r addurnwr o Langollen. Dyfyniad ydyw o ganu Llywarch Hen yn y nawfed ganrif. Yr oedd gan Lywarch, y bardd-ryfelwr o'r chweched ganrif, yn ôl traddodiad, bedwar mab ar hugain. Yr oeddynt oll, ac eithrio Gwên, wedi'u lladd o un i un gan y Saeson. Dewis y bywyd mynachaidd a wnaeth ef, ond pan glywodd i'w frodyr dewr oll gael eu lladd, y mae'n penderfynu gadael ei fynachlog er mwyn diogelu'r rhyd rhag y Saeson. Ond caiff yntau ei ladd. ('Ar Ryd Forlas y llâs Gwên'), ac mewn cyfres o englynion dwys a chofiadwy y mae Llywarch, ac yntau yn awr yn hen ŵr, yn mynegi ei hiraeth am Gwên, y dewraf o'r brodyr oll. Dyna gefndir y cywydd y dewisodd Taliesin ei ganu.

Yn ei gerdd 'Cynfrig Hir yn Achub Gruffydd ap Cynan o Garchar Caer' dewisodd fesur rhydd, dyri, 23 pennill, pedair llinell, wyth a chwe sillaf bob yn ail, yn odli'n acennog yn yr ail a'r bedwaredd linell.[38]

Pryddest yw 'Afon Dyfrdwyf', yn y mesur rhydd, wrth gwrs, ond fod y mesur yn amrywio. Y mae'r is-deitl yn awgrymu beth yw testun y gerdd: 'Suddiad Palas Gwrthawn ar y gwastadedd lle saif Llyn Tegid'.[39] Bu'r bryddest hon (a seiliwyd ar draddodiad) yn fuddugol yn Eisteddfod Cefn-mawr, Nadolig, 1874.

Ar gyfer dwy o'i gerddi meithion y mae'r bardd yn mynd â ni unwaith yn rhagor ar daith i gyfnodau cynnar iawn. Cawn sylwi'n benodol eto ar un o'r cerddi hyn, sef 'Helen Llwyddawg', cerdd y Gadair Ddu yn Eisteddfod Wrecsam, 1876. Yn yr ail gerdd, a elwir ganddo yn 'Arwrgerdd', cyflwynir inni ddarlun o frwydr rhwng y Rhufeiniaid a'r Brytaniaid, o dan arweiniad Caswallon, a hwy y

Brytaniaid sy'n ennill y frwydr.[40] Disgrifir Caswallon yn yr arwrgerdd gyda'r geiriau: 'Caswallon ddewr, Pendragon mawr dy wlad'. Ac eto, ar derfyn y gerdd, wedi'r fuddugoliaeth, a bellach 'Caesar falch yn troi ei gefn mewn gwarth', dyma'r floedd sydd i'w chlywed:

> A'r dorf yn codi ei rhyfelgar gri,
> "Caswallon, ti yw ein Pendragon ni!
> Rhyddid, neu angau, byth dilynwn di.'[41]

'Moes gusan i'm rhan, Myfanwy; moes fil, moes ddwyfil ...': Efelychiadau ac amryw gerddi a chaneuon

Ceisiwyd yn y penodau blaenorol fras-ddosbarthu cerddi Taliesin o Eifion fesul testun neu thema. Bras iawn fu'r dosbarthu oherwydd nid oes, yn fy marn i, fawr o werth mewn creu rhaniadau gor-bendant. Ym meddwl dadansoddol y beirniaid llenyddol, yn bennaf, y mae rhaniadau o'r fath yn bodoli. I'r bardd ei hun, y mae'r cyfan yn 'gymysg oll i gyd', a'r cerddi yn gwau i'w gilydd yn un cwrlid patrymog, lliwgar. Fel y gwelsom, y mae cruglwyth o'r cerddi, yn arbennig y rhai meithach, yn ddigon diffygiol mewn crefft ac awen. Y mae cerddi eraill yn cyffwrdd calon. Ac am eu gwerth fel drych o fywyd a chymdeithas, y mae'r cyfan yn werth rhoi sylw iddynt.

Ni chyfeiriwyd hyd yn hyn at yr wyth o gerddi rhydd o eiddo Taliesin a osodwyd gyda'i gilydd yn y gyfrol *Gweithiau* a'u galw yn 'Efelychiadau', ond gyda'r nodyn a ganlyn wedi'i gynnwys hefyd gan y Golygydd: 'Nid oes sicrwydd mai efelychiadau ydyw'r cwbl yn y dosbarth hwn.' Dyma deitlau'r cerddi yn ôl eu trefn yn yr adran hon.[42] 'Deigryn y Milwr'; 'Yr Eryr a'r Baban (Eryr yn cipio baban Gwenllian i'w nyth, ond yn ei ddychwelyd yn ddirgel)'; 'Gwarediad John Bach' (pawb yn disgwyl y Tywysog, a'r trên yn teithio dros faban ar y rheilffordd; y baban yn fyw, diolch i Dduw am ei achub); 'Poen a Henaint, Angau a'r Bedd'; 'Dyn, Pa Le y Mae?'; 'Y Gragen'; 'Beddau y Tylwyth'.

Ceir hefyd ychydig o gerddi o eiddo Taliesin na chafwyd cyfeiriad atynt eto yn y penodau hyn, yn eu plith yr englynion ar y testunau a ganlyn: 'Undeb';[43] 'Y Dynwaredwr';[44] 'Y Deigryn' (llinell gyntaf ei ddau englyn yw: 'Ym mlodyn y teimladau ...');[45] 'Y Meddwl';[46] 'Colenso';[47] 'Hen Lanc' (buddugol yn Aber-carn, Sir Fynwy).[48]

Y mae un englyn arall y cyfeiriwyd eisoes ato yn y Rhagymadrodd, un o englynion gorau'r bardd, yn sicr, ac a gynhwyswyd yn y gyfrol o'i weithiau. Yr englyn i'r 'cusan' yw hwn, englyn godidog ei gelfyddyd, yn arbennig yn ei adeiladwaith. Ychwanegwyd y sylw hwn wedi'r pennawd: 'Credir mai Taliesin yw'r awdur.'

Moes gusan i'm rhan, Myfanwy; – moes fil,
Moes ddwyfil, moes ddeufwy;
Moes ugeinmil, moes ganmwy;
A moes, O, moes im un mwy.[49]

Yn y gyfrol *Gweithiau Taliesin o Eifion* gosodwyd rhai cerddi ynghyd yn yr adran 'Caneuon'.[50] Cyfeiriwyd eisoes at nifer o'r cerddi hyn a byddwn yn rhoi sylw arbennig i ddwy arall ohonynt eto yn y bennod nesaf, sef 'Y Saer a'r Teiliwr' a 'Simon Llwyd y Foty'. Rhoddwn sylw arbennig hefyd i'w 'Gân Eisteddfod' ym mhennod 10. Dyma nodyn yn awr, yn eu trefn cyhoeddi, o'r caneuon nas cyfeiriwyd atynt hyd yn hyn: 'O Na Bawn'; 'Cân y Morwr'; 'Ymson y Bachgen Claf'; 'Dafydd Rhys'; 'Y Fenyw Orphwyllog'; 'Cymru yn ei Breintiau' (gyda'r nodyn a ganlyn: 'Mewn cyferbyniad â'r India a gwledydd eraill. Llinellau a adroddwyd mewn "Concert" yng Nghapel yr Annibynwyr yn Llangollen, Chwefror 8fed, 1858.').

8

Hen Gerddi Llafar Gwlad: 'Simon Llwyd y Foty' a'r 'Saer a'r Teiliwr'

'NI WNAED CERDD ond er melyster i'r glust, ac o'r glust i'r galon', meddai Simwnt Fychan yn *Pum Llyfr Cerddwriaeth* (*c.*1570). Ac meddai Dic Jones yntau:

> Mae alaw pan ddistawo,
> Yn mynnu canu'n y co'.

Yn sicr, y mae rhai o englynion a chwpledi cynganeddol Taliesin o Eifion yn felys i'r glust ac wedi byw ar gof pobl am ganrif a mwy, er i enw awdur y geiriau a hanes y bardd, o bosibl, fynd yn angof bellach i lawer un.

O blith caneuon Taliesin hefyd, y mae rhai ohonynt o hyd sy'n bleser i'w darllen a'u gwrando. Cyfeiriwyd eisoes at y penillion telyn sy'n disgrifio Dyffryn Ceiriog, ac at gân ddeifiol y ddwy ferch ifanc o Gefn-mawr. Fe ellid, yn ogystal, nodi ei gân 'Dafydd Rhys': cerdd syml ble mae gwraig wedi bron drigain mlynedd o briodas yn mynegi'n agored a diffuant ei chariad tuag at ei phriod hoff. Pedwar pennill, chwe llinell, ar fesur canadwy, gyda'r ailadrodd yn y llinell olaf a'r odl gyrch yn effeithiol. Felly hefyd ailadrodd yr enw Dafydd

Rhys deirgwaith ymhob pennill. Mae'r cyfan, gan gynnwys patrwm yr odli: aabbba, yn creu melyster i'r glust.

> Mae trigain mlynedd ond tair, Dafydd Rhys,
> Pan ddelo'r hen Ŵyl Fair, Dafydd Rhys,
>   Er pan rwymwyd ni ynghyd,
>   Ac y mae llawer tro ar fyd,
>   Ond waeth lle bo dim yn y byd,
> Rwyt ti'n gariad i gyd, Dafydd Rhys.[1]

Pan drosglwyddir barddoniaeth o ben i ben ar lafar mewn ffurfiau cryno, megis pennill, englyn neu gwpled, gwyddom, wrth gwrs, fod enwau'r awduron eu hunain yn aml yn cael eu hanghofio, neu eu cymysgu. Digwyddodd hynny gyda rhai o englynion Taliesin o Eifion. Fodd bynnag, y mae ef yn awdur dwy gân sydd wedi byw ar lafar gwlad am gyfnod maith ac y mae ei enw yn parhau i gael ei gysylltu â hwy. Teitlau'r cerddi hynny yw 'Simon Llwyd y Foty' a'r 'Saer a'r Teiliwr'. Unwaith yn unig y gwelais i enghraifft o gymysgu awduraeth, sef gweld copi mewn teipysgrif yn tadogi'r 'Saer a'r Teiliwr' i David Roberts, 'Telynor Mawddwy'. Pennawd y gerdd yn y copi hwnnw yw 'Y Ddau Fwrdd, neu Y Saer a'r Teiliwr'.[2]

Yn ei gyflwyniad i *Gweithiau Taliesin o Eifion* y mae gan J Llewelyn Jones nodyn gwerthfawr yn egluro paham yr ysgrifennodd ei dad y ddwy gân arbennig hyn:

> '*Simon Llwyd o'r Foty.* Cyfansoddwyd hon yn arbennig i Llew Llwyfo. Canodd ef a Mynyddog lawer arni, a bu'n hynod boblogaidd.
>
> *Y Saer a'r Teiliwr.* Ysgrifennwyd hon eto i foddloni rhai o gyfeillion y bardd, a bu hwyl fawr ar ei chanu am flynyddoedd.'[3]

Am oddeutu chwarter canrif wedi marw Taliesin cyhoeddwyd y caneuon hyn yn helaeth (ac yn arbennig felly 'Simon Llwyd y Foty'), ar daflenni baledi'r cyfnod. Caent eu canu a'u gwerthu mewn ffair a marchnad, ac yr oeddynt yn rhan o ddifyrrwch min nos mewn llofft stabal. Cyn dyddiau'r radio a'r teledu, dyma ganeuon ysgafn – caneuon pop – y cyfnod. Gan mor bwysig oedd cyfraniad caneuon o'r fath i adloniant y bedwaredd ganrif ar bymtheg a dechrau'r ugeinfed ganrif, neilltuir, felly, yn y gyfrol hon, bennod gyfan i ddwy gerdd y bardd o Eifionydd.

'Simon Llwyd y Foty'

Fel y gall arbenigwr ym maes canu gwerin a chyn-gydweithiwr yn Amgueddfa Werin Cymru, D Roy Saer, dystio, bu'r gân hon yn arbennig o boblogaidd ar lafar gwlad, a chofnodwyd enghreifftiau ohoni ar dâp. Yn ychwanegol at ymddangos yn aml ar daflenni baledi, cynhwyswyd hi hefyd yn y mwyafrif o'r casgliadau o faledi a hen gerddi a gyhoeddwyd yn ystod ail hanner y bedwaredd ganrif ar bymtheg a dechrau'r ugeinfed ganrif, gan gynnwys *Cerddi Gwlad y Gân. Llyfr yn Cynwys Dros 200 o Ganeuon Cymraeg …*;[4] David Samuel, *Cerddi Cymru. Casgliad o Ganeuon Cymreig, Hen a Diweddar …*;[5] Gwaenfab, *Casgliad o Chwe' Ugain a Deg o Gerddi Cymru, Hen a Diweddar* (1917).[6] Y dôn y cenir y gân arni yw 'Wait for the Waggon', un o alawon y 'Nigger Minstrel'. Fel enghraifft o daflen baled, gweler Llsg AWC 2038/58 yng nghasgliad baledi Evan Jones (1850-1928), Ty'n-y-pant, Llanwrtyd, ar gadw yn Amgueddfa Werin Cymru.

Ceir copi o'r gerdd ar gadw ymhlith papurau Taliesin o Eifion yn Llyfrgell Genedlaethol Cymru (Llsg LlGC 9618 D). 'Simon Llwyd' yw'r pennawd ganddo ef. Fel arfer, fodd bynnag, ar y taflenni baledi o'r hen gerddi, fel yn y casgliadau printiedig, ychwanegwyd yr enw 'Y Foty', ac felly y gwnaed gan Wil Ifan, golygydd *Gweithiau Taliesin*. Wrth olygu, er hynny, cadwodd ef yn lled agos at orgraff y copi gwreiddiol. Felly finnau, wrth gwrs. Cadwyd ffurfiau megis 'cydbwys'. Ni cheisiwyd chwaith gysoni rhai ffurfiau llafar / llenyddol. Er enghraifft: twyllai / dwedai / twrne.

Simon Llwyd

Am Simon Llwyd y Foty
Fe dwedai llawer un
Nad oed ei ben o bobtu
Yn gydbwys a chytûn
Fallai or amserau
Fod arno chydig goll
Ond pwy a dwyllai Simon
Er gwaethaf hyny oll   Pwy a &c

Rhyw dyd i ffair Llandegla
Aeth Simon gyda i fuwch
Oherwyd fod y gwartheg
Yn cyrhaed prisiau uwch
A hithau'n hen gymmanes
Yn gyndyn iawn o'i llaeth
Fe dwedodd Simon ganwaith
'Does bosib cael dy waeth
Ond pwy a dwyllai Simon,
Pwy a dwyllai Simon, ~~pwy a dwyllai Simon~~
Pwy a dwyllai Simon a'i chydig bach o goll

Dau bennill agoriadol y gerdd 'Simon Llwyd y Foty', yn llawysgrifen yr awdur, Taliesin o Eifion. (Llsg LlGC 9618 D)

Am Simon Llwyd y Foty
Fe ddwedai llawer un,
Nad oedd ei ben o bobtu
Yn gydbwys a chytûn;
Fe allai, ar amserau,
Fod arno chydig goll,
Ond pwy a dwyllai Simon,
Er gwaethaf hynny oll?
Pwy a dwyllai Simon? Pwy a dwyllai Simon?
Pwy a dwyllai Simon a'i chydig bach o goll?

Rhyw ddydd i ffair Llandegla
Aeth Simon gyda'i fuwch,
Oherwydd fod y gwartheg
Yn cyrraedd prisiau uwch;
A hithau'n hen gymanes,
Yn gyndyn iawn o'i llaeth,
Fe ddwedodd Simon ganwaith
'Does bosib cael dy waeth'.
Pwy a dwyllai Simon? ...

Daeth ato ŵr bonheddig
O ochor Pen-ar-lag,
'Rôl chwilio peth a'i theimlo,
Fe drawyd bargen frag. [brac: llac, rhwydd]
'A newch ei chadw yma?'
Medd hwnnw, 'am hanner awr?'
'Gwnaf siwr, gwnaf siwr', medd Simon,
'Ond dowch â'r pres i lawr.'
Pwy a dwyllai Simon? ...

Daeth Sais cyn pen pum munud,
Gan weiddi nerth ei geg:
'*Hei, what do you ask for that old cow?*'
'Wel, pedair punt ar ddeg;'
'*What, fourteen pounds for that old thing!*
I'll give you seven pounds ten.'

'Wel, dyma ddyn cynddeiriog',
Medd Simon, '*sold again*!'
Pwy a dwyllai Simon? ...

Ond drannoeth wrth y Foty
Roedd gŵr â'r hugan las,
Yn moesgar alw Simon
I lawr o ben y dâs.
Aent law yn llaw i Ruthun,
A Simon Llwyd yn fud,
Er faint a ddwedai'r Bobby,
Doedd berig yn y byd.
Pwy a dwyllai Simon? ...

Ar frys anfonai Simon
Am dwrne mawr y dre,
I geisio sythu'r pethau
A'u gosod yn eu lle.
Fe ddwedai hwnnw'n union
Fod *transport* am y tro,
Os nad oedd modd gwneud allan
Ei fod e mhell o'i go'.
Pwy a dwyllai Simon? ...

'Mi fedraf fi, am bumpunt,
Gael eto'th draed yn rhydd.'
'Wel, bendith', ebe Simon,
'Yr arian ichwi fydd.'
'Pan ei o flaen yr Ustus
Paid ateb hanner gair,
Ond cana rhyw gân ddigri
A glywaist ar ben ffair.'
'Ni fedraf fi', medd Simon, 'ond *Wait for the waggon*.'
'Mae hynny'n eitha digon i ddweyd fod arnat goll.'

Yr Ustus a ddywedai –
'Simon Llwyd, 'rych chwi
Yma i roi atebions
I'n holl gofynions ni;
Yr ych chi gwedi gwerthu
Yr un biwch i dau din,
Am hynny beth sydd gennich
I ateb drosoch hin?'
Yna canai Simon: '*Wait for the waggon.*'
Pwy a dwyllai Simon a'i chydig bach o goll?

Yr Ustus a gyfodai,
Gan waeddi ar flaenau'i draed:
'Mae hyn i'r Mainc a'r Inad
Yr *insult* mwya caed:
Mi buaswn yn ei cospi,
On' bod o'n pell o'i co';
Rwy'n sicr nad yw'n cymwys
I gwerthu piwch na llo!'
Yna canai Simon: '*Wait for the waggon.*'
Pwy a dwyllai Simon a'i chydig bach o goll?

Wel, Simon a gychwynai
Yn union tua thre;
A'r twrne a'i cyfarchai:
'*Bravo! my lad.* Hwrê!
Fe wnaethom iddynt edrych
Fel ffyliaid yn y ffair,
Wel, Simon, dowch â'r pumpunt
I lawr yn ôl eich gair.'
Yna canai Simon: '*Wait for the waggon.*'
Pwy a dwyllai Simon a'i chydig bach o goll.[7]

Yn 1973 fy mraint i, fel rhan o'm gwaith yn Amgueddfa Werin Cymru, oedd cael rhoi ar gof a chadw ryw gymaint o gynhysgaeth gyfoethog y tenor o Landdulas, sir Ddinbych, Robert Pierce Roberts (1889-1986).[8] Cynhwysai'r dystiolaeth hon ddwy ar bymtheg o ganeuon llafar gwlad, a'r cyfan wedi'u cyflwyno oddi ar ei gof, er ei fod bryd hynny yn 84 mlwydd oed. Yn eu plith yr oedd y gân werin nodedig: 'Y Wasgod Goch'[9] a dwy o gerddi Twm o'r Nant o'i anterliwt, *Tri Chryfion Byd*: 'Lowri Lew' a 'Pob Teiladaeth Rhag Tylodi'. Ymhlith y caneuon a recordiwyd ar dâp hefyd yr oedd dwy gerdd Taliesin o Eifion: 'Simon Llwyd y Foty', a'r 'Saer a'r Teiliwr'. Cyflwynodd y ddwy gân (yn sefyll ar ei draed, fel yr hoffai ganu bob amser) mewn arddull hwyliog, ddiffuant a chynnes. Yr oedd dawn arbennig ganddo i adrodd stori, i bortreadu cymeriad, ac i dynnu darlun byw. Dawn hefyd i wahodd y gwrandäwr i fod yn rhan o'r gân, o'r stori, neu o'r ddrama. Ac wedi'r gwahoddiad, cynnal diddordeb o'r dechrau i'r diwedd: rhoi sylw i fynegiant llygad ac wyneb, dwylo a chorff; lliwio gair a chymal; ac amrywio amseriad, traw y llais a'r goslefu. A'r cyfan i bwrpas.

Gwelsai Robert Pierce Roberts gopïau o'r gân 'Simon Llwyd y Foty' ar daflenni baledi. Cofiai brynu rhai pan oedd yn byw yn Rhyd-y-foel. 'Oedd 'na ryw hen bedlyrs yn dwad o gwmpas a'i gwerthu nhw.' Ond gan ei daid, tad ei fam (hithau'n canu), Isaac Jones (1829–1913), Nant Uchaf, Llanefydd, y dysgodd ef y gerdd. Roedd Isaac Jones yn un o brif gynheiliaid y canu gwerin yn Nyffryn Clwyd a Bro Hiraethog bryd hynny. Recordiodd ganeuon megis 'Cerdd y Ffon' a'r 'Person Pren' i Mrs Herbert Lewis, Caerwys, ar y peiriant ffonograff. Gan ei daid hefyd y dysgodd Robert Pierce Roberts y gân 'Yr Hen Leuad Wen', a dwy o ganeuon Twm o'r Nant, y cyfeiriwyd atynt eisoes. Canodd (yn ddi-gyfeiliant) y gân 'Simon Llwyd y Foty' yn gyhoeddus am y tro cyntaf yn Rhyd-y-foel pan oedd tua phymtheg mlwydd oed. Yr oedd hi yn un o'i ganeuon mwyaf poblogaidd, a phobl cylch Abergele, meddai ef, yn 'dotio' ato.

Yn 1995 cyhoeddodd Amgueddfa Werin Cymru ddetholiad o dapiau sain Robert Pierce Roberts ar ffurf dau gasét, gan gynnwys,

Robert Pierce Roberts (1889-1986), Llanddulas, canwr gwerin. Llun gan yr awdur, o gasgliad Amgueddfa Werin Cymru.

Isaac Jones (1829-1913), Llanefydd, canwr gwerin. Llun o gasgliad Amgueddfa Werin Cymru, drwy garedigrwydd Gwyn Jones, Llanefydd.

afraid dweud, dwy gân Taliesin o Eifion.[10] Y mae modd i gymharu, felly, eiriau gwreiddiol y bardd â chyflwyniad llafar y datgeiniad o Landdulas. Ar y cyfan, y mae Robert Pierce Roberts yn dilyn y geiriau fel y cofnodwyd hwy gan yr awdur, ond, yn naturiol, ceir blas mwy llafar ar rai geiriau ac ymadroddion. Er enghraifft, 'Pwy a dwylle Simon' (nid 'dwyllai').

Y mae Taliesin o Eifion eisoes wedi llwyddo i gyfleu llediaith yr Ustus yn y llys yn ardderchog iawn, ond y mae Robert Pierce yn mentro gam neu ddau ymhellach eto er mwyn rhoi hyd yn oed ragor o liw i'r darlun ac ychwanegu at yr hwyl a geir wrth wrando ar ŵr y llys yn straffaglio i ynganu'r geiriau Cymraeg. Er enghraifft, 'Simon Llwyd' yw'r fersiwn gan yr awdur, ond yr hyn a genir gan y cantor gwerin yw 'Simon Cliwyd'. Mae'r Ustus druan yn methu'n lân ag ynganu'r sain 'Ll'!

Yr unig brif newid yn ystyr y geiriau rhwng y fersiwn lenyddol a'r fersiwn lafar yw bod y gân fel y mae hi yn wreiddiol yn cyfeirio at ail-werthu'r fuwch i'r Sais am bris o saith bunt a hanner: '*I'll give you seven pounds ten.*' Yn fersiwn Robert Pierce Roberts, yr hyn a ddywedir yw: '*Look here, I'll give you ten.*' Y geiriau a gyhoeddwyd yn y casgliadau printiedig y cyfeiriwyd atynt eisoes yw a ganlyn: '*I'll only give ten.*' Dyma enghraifft dda o gyflwynydd llafar yn ychwanegu ymadrodd megis '*look here*' sy'n ychwanegu at ddrama'r digwyddiad.

Y mae dau newid arall y gellid cyfeirio atynt, y ddau newid yn yr un llinell, sef yn ail ran ail linell y gytgan. Yn fersiwn Taliesin ac yn y ffurfiau printiedig eraill a welais i, dyma'r llinell: '...a'i chydig bach o goll.' Yn y fersiwn lafar, a genir gan Robert Pierce Roberts, dyma'r ffurf ar y llinell hon: '... ar chydig bach o doll.'

'Y Saer a'r Teiliwr'

Dyma yn awr destun o ail gân boblogaidd Taliesin o Eifion.

Fy nhad a nhaid oedd seiri coed,
A saer wyf finnau hefyd,
Yn colli chwys o fore i hwyr
I foddio'r ffermwyr celyd.
Ni bu cenfigen dan fy mron,
Na gwenwyn at un crefftwr,
Nes mynd i weithio i Dan y Fron[11]
'Run pryd â Shôn y Teiliwr.

Yr hofel oedd fy ngweithdy oer,
A'r gwynt oedd yn chwibanu,
At ddrws y tŷ y cerddai Shôn,
Gan wneud rhyw fwmian canu;
A Lowri'r wraig yn cario glo
O'i flaen ar dân y parlwr;
Bu agos imi fynd o'm co
Wrth weld fath barch i deiliwr.

Ar amser brecwast, gŵr y tŷ
A'm galwodd i i'r gegin
I ymyl torth o fara haidd
A photes lonaid picin;
A'r wraig yn cario mwy na mwy
O de a thost i'r parlwr;
Bu agos imi lyncu'm llwy
Wrth weld tri ŵy i'r teiliwr!

Daeth amser cinio wedi hyn,
A minnau'n synfyfyrio:
Os na chawn innau ddarn o bîff
Neu futton wedi'i rostio.
Na! lwmp o facon melyn, bras,
I mi, y gwas a'r dyrnwr,
Ond hwyaden a phys gleision neis
A phwdin reis i'r teiliwr.

Cyn amser tê eis at y tân
  I dwymo dannedd ogau,
A phwy oedd yno o fy mlaen
  Ond Lowri'n gwneud crempogau;
A chyda hi fe ddaeth 'rhen Shôn
  I dwymo'i wydd o'r parlwr,
Gan ddweud yn ddistaw yn fy nglust:
  'Beth roet am fod yn deiliwr?'

Wel, gormod peth i'w ddal oedd hyn,
  Fe neidiais i'r crempogau,
Gan daflu Shôn ar draws y fainc,
  Nes torrodd ei grymogau;
A'i waed yn llifo hyd y llawr
  A Lowri'n llefain mwrdwr,
A minnau'n gweiddi nerth fy mrest:
  'Beth gêst am fod yn deiliwr'![12]

Dysgu'r gerdd hon oddi ar daflen baled a wnaeth Robert Pierce Roberts, Llanddulas. Canai hi ar alaw 'Yr Eneth Gadd ei Gwrthod'. Yn union fel 'Simon Llwyd y Foty', roedd hon eto yn hynod o boblogaidd, ac yr oedd yntau wrth ei fodd yn ei chanu. Canai'r ddwy mewn cyngherddau yng nghylch Llanddulas ac yn nhai cyfeillion, yn arbennig pan oedd yn ifanc. Yr oedd y ddwy gân hyn, fel y gweddill o'r caneuon llafar gwlad yr oedd wedi'u dysgu flynyddoedd yn ôl, yn rhan bwysig o'i gynhysgaeth lafar ddiwylliannol ac wedi rhoi boddhad tu hwnt iddo ar hyd ei fywyd. Er iddo yn 1973 pan recordiwyd ef gyfaddef nad oedd wedi canu'r caneuon hyn 'yn gyhoeddus ... erstalwm iawn', ychwanegodd y sylw diddorol a ganlyn:

> '... ond cofiwch, fydda i'n mynd trostyn nhw'n 'y ngwely, 'ndê. Fyddai'n mynd trostyn nhw naill un, fel ma'n nhw'n dwad ar 'y ngho' fi. Cadw nhw ar y co', trio'u cadw nhw, yn 'y ngwely, hyd yn oed, wyddoch chi.'[13]

Mân newidiadau sydd rhwng fersiwn wreiddiol yr awdur a fersiwn lafar yr hynafgwr o Landdulas, ond y maent yn newidiadau diddorol iawn ac yn gymorth inni ddeall natur y traddodiad llafar a'r trosglwyddo llafar. Llinell agoriadol Taliesin yw: 'Fy nhad a nhaid oedd seiri coed ...'. Fersiwn Robert Pierce yw: 'Saer oedd Nhad a saer oedd Nhaid ...' Ym mhennill 2, wrth sôn am y teiliwr, meddai'r awdur: 'At ddrws y tŷ y cerddai Shôn ...' Ond sylwer ar linell y canwr gwerin: 'I'r tŷ yn *syth* y rhodiai Shôn'. Y tro hwn mae'r mynegiant hyd yn oed yn well fyth. Tra bo'r saer druan yn gorfod oedi yn yr hofel oer, y mae'r teiliwr yn anelu ar ei union – yn syth bin – am y tŷ cynnes.

Oherwydd mai cerdd i'w hadrodd a'i chanu ar lafar yw hon, yn hytrach na'i darllen yn unig, y mae'r mân newidiadau i lafareiddio'r arddull a wnaed gan Robert Pierce Roberts wrth gyflwyno'r gân yn gyhoeddus hefyd wedi bod yn newidiadau o fantais. Er enghraifft, pennill 3: 'lonaid picin' > 'loned picin'; 'Bu agos imi lyncu'm llwy' > '... lyncu'r llwy'; pennill 4: hwyaden > chwyaden/chwaden; pennill 5: ogau, crempogau, crymogau > oga, crempoga, crymoga.[14]

' ... Hwyaden a phys gleision neis
A phwdin reis i'r teiliwr'

Oherwydd natur ei waith, yr oedd yn naturiol i gael rhyw gymaint o dynnu coes y teiliwr. Roedd y gwas fferm, y saer, y dyrnwr, a gweithwyr eraill allan ymhob tywydd ac yn teimlo bod y teiliwr yn cael ffafriaeth, yn cael bod i mewn yn y tŷ cynnes, yn cael gwell bwyd, ac yn cael bwyta ar wahân gyda'r meistr a'r feistres. Anaml, dybiwn i, y byddai'r tynnu coes yn troi'n dynnu'n groes. Cymharol ychydig o dystiolaeth sydd gennym o wrthdaro agored rhwng crefftwr a chrefftwr. Er hynny, y mae ar gael rai penillion dychanol i'r teiliwr, megis y tri thriban a ganlyn:

Mi welais bump ryw grefftwr
Yn byw ar Gefen Cribwr:
Crydd a sadler, gwëydd, saer,
A neb mor daer â'r teiliwr.[15]

Y teiliwr tinwyn tene
Sy'n bwyta'r bwydydd gore;
A chanddo fodrwy ar bob bys
A chwt ei grys yn llarpe!

Tydi yw'r teiliwr tene
Sy'n rhodio pen mynydde,
A nodwydd ddur a'r edau fain
Yn tynnu chwain o'th facse![16]

Fel y tribannau a ddyfynnwyd uchod, yr oedd yn amlwg fod i gerdd Taliesin o Eifion hithau swyddogaeth arbennig. Yn hyn o beth yr oedd gwahaniaeth amlwg rhyngddi a'r gerdd 'Simon Llwyd y Foty'. Adrodd stori y mae honno, a'r stori yn un eithriadol o ddifyr. A dyna oedd y prif amcan: difyrru. Y stori hefyd i'w chyflwyno ar gân. Roedd yr alaw hwyliog, 'Wait for the Waggon', yn ychwanegu at y difyrrwch. Hawdd deall paham y bu i'r gân hon gael ei chynnwys yn y prif gasgliadau o hen gerddi llafar gwlad a baledi.

Y mae'r gerdd 'Y Saer a'r Teiliwr' hithau yn adrodd stori, a hynny'n gryno a difyr iawn. Difyrru yw ei hamcan hithau. Ond yr oedd iddi yn ogystal swyddogaeth ychwanegol, sef dychanu. Dychanu a goganu mewn modd hwyliog. Roedd bri ar ganu'r gân, ond yr oedd bri hefyd ar ei hadrodd. Neu, efallai, y dylid dweud: ar adrodd rhannau ohoni. A dyma'r prif wahaniaeth rhwng dwy gerdd y bardd o Eifionydd. 'Y Saer a'r Teiliwr': cerdd i'w chanu a'i chyflwyno'n gyfan fel stori ddifyr i ddiddanu. Ie, ond cerdd hefyd oedd yn ateb diben penodol. Roedd y gân yn arbennig o boblogaidd mewn ardaloedd gwledig, amaethyddol, megis Llŷn ac Eifionydd, Uwchaled, Edeirnion a Phenllyn. Byddai rhannau ohoni yn cael eu canu, eu llafarganu neu'u hadrodd ar lafar i gyfeirio'n benodol at fwyd y 'ffarm a'r ffarm' neu'r 'lle a'r lle'. Y llinellau a ddyfynnid amlaf oedd y rhai a ganlyn, ond yn cynnwys, yn naturiol, sawl amrywiad llafar:

Na, lwmp o facyn melyn, bras,
I mi, y gwas a'r dyrnwr;
Hwyaden a phys gleision neis
A phwdin reis i'r teiliwr.

Cafwyd prawf o boblogrwydd y gân – a'r llinellau hyn yn arbennig – ar raglen radio BBC, 'Blas y Bore', Tachwedd 1992, pan fu Dei Thomas yn sgwrsio am y gerdd arbennig hon. Cafwyd ymateb brwd, dros ddeuddeg o wrandawyr yn ffonio ac yn ysgrifennu. Yr un ohonynt yn cofio'r gerdd yn gyflawn, ond y mwyafrif yn cofio rhannau ohoni. Dyma un dyfyniad byr nodweddiadol o'r llythyrau a dderbyniwyd yn sgîl y drafodaeth ar y radio: llythyr dyddiedig 2 Tachwedd 1992, gan W Jones Lewis o Aberystwyth.

'Roeddwn yn falch iawn o glywed y dyn o Bandy Tudur yn sôn am y gerdd oedd yn sôn am y ffafrau oedd y teiliwr yn gael wrth fynd o amgylch ei waith ar hyd y wlad. Rwyf yn cofio ewyrth i mi yn rhyw lafar ganu y geiriau yma ryw saith deg o flynyddoedd yn ôl pan oeddwn yn blentyn yn Y Brithdir, Dolgellau ...'[17]

Gellid, yr un modd, gyfeirio at drafodaeth a gafwyd ynglŷn â'r gerdd hon yn *Y Bedol*, papur bro Rhuthun a'r cylch, yn rhifynnau Medi, Hydref a Thachwedd 1992. Dyma ddyfyniad o ddau lythyr. Yn gyntaf, llythyr gan M Lloyd, Llandyrnog, yn rhifyn mis Hydref:

'Roeddwn yn falch o ddarllen penillion "Y Saer a'r Teiliwr" gan Robert Williams, Betws GG yn *Y Bedol* (fis Medi), er na wn pwy yw'r awdur. Byddai fy nhad (brodor o Glocaenog) yn arfer dweud y darn hwn wrthym ni yn blant, a'r unig bedair llinell a gofiaf ar fy nghof yw:

"Lwmp o facyn melyn bras ..." '

Yn ail, llythyr Eirlys Jones, Llanelidan, eto yn rhifyn mis Hydref o'r *Bedol*:

> 'Roeddwn yn falch iawn o ddarllen "Y Saer a'r Teiliwr", oherwydd mi fyddai fy nhad yng nghyfraith, sef y diweddar Enoc Jones, Pen Cae (Tomen y Rhodwy cyn hynny) yn dyfynnu ohoni pan fyddai pys gleision ar y bwrdd. Felly hefyd pan fyddai cig moch yn dechrau melynu at ddiwedd tymor.'

'Y Teiliwr a'r Saer': Y Parchg John Thomas, 'Tom Deiliwr', Waunfawr, yn ateb Taliesin

Pan oedd y Parchg John Thomas, 'Tom Deiliwr', Waunfawr, Caernarfon, ar ei wely angau, gofynnodd ei fab iddo gyfansoddi cân, gwrth-gerdd, i ateb cerdd Taliesin. Dyma'r wybodaeth a roddwyd i ddarllenwyr *Baner ac Amserau Cymru*, Ionawr 1921, gan H Parry-Williams, Prifathro Ysgol Rhyd-ddu (a thad Syr T H Parry-Williams). Roedd H Parry-Williams yn ymateb i lythyr cynharach gan Hugh Llewelyn Hughes, Parc, Bontuchel, ger Rhuthun, yn holi am y gân 'Y Teiliwr a'r Saer'. Mewn llythyr yn *Y Bedol*, Tachwedd 1982, aeth T J Evans, Nebo, ger Llanrwst, i'r drafferth i ysgrifennu'r gerdd yn gyflawn ar gyfer y darllenwyr.

Ymddengys cerdd y Parchg John Thomas, 'Tom Deiliwr', hefyd ar daflenni baledi. Er enghraifft, fe'i ceir yn yr un daflen â'r gerdd 'Y Saer a'r Teiliwr' yng nghasgliad Evan Jones, Ty'n-y-pant: Llsg AWC 2038/132. Dyma destun o'r gân wedi'i seilio yn bennaf ar y fersiwn yn *Y Faner* a'r *Bedol*.[18]

Wel, gwrandaw di, Taliesin Fardd,
    Nid gardd yw pob anialwch,
Ac nid yw'r holl glogwyni serth
    Yn gydradd mewn prydferthwch;
Mae rhagor mawr, heblaw mewn lles,
    Rhwng te a photes erfin,
Felly hefyd rhwng dau fol
    A throl a gwasgod satin.

Ieir a moch, yn saith neu wyth,
  Yw tylwyth yr hofelau,
Lle mae'r saer yn clytio'r og
  A thrwsio hen gamogau;
I ŵr fel hyn, dyrchafiad mawr
  Yw dod i lawr y gegin,
I weld y teiliwr o hir bell
  Mewn gorwech gell yn chwerthin.

Mae'r saer mewn gwisg o felfaréd
  Fel Bili Ned, y potiwr,
A phâr o glocsiau llydain, rhwth,
  Yn ormod peth i deiliwr,
Y rhai a gylchwyd fel ystên
  A danynt hen benstympiau;
Beth dalai rhain ar unrhyw bryd
  I redeg hyd garpedau?

Mewn trowsus du a gwasgod wen,
  Fel mab i ryw bendefig,
A'i oriawr aur a chadwen hir
  Mae'r teiliwr gwir barchedig;
Cusana aeres Plas y Llan,
  A hynny pan y mynno,
Pan na chai'r saer, er maint ei gŵyn,
  Gusanu'r forwyn odro!

Fel mae'r haul a'i araul bryd
  Yn addurn byd naturiol,
Felly'r teiliwr yn ddiau
  I'r cylchoedd cymdeithasol;
Ni byddai brenin, mwy na saer,
  Heb lewyrch claer ei alwad
Ond deiliaid cefn-noeth gwlad a nos
  Yn aros mewn neilltuad.

Efe yw tad holl gelfau'r dydd,
    Y siapus weydd a'r siopwr;
O, bobol annwyl! Ar bob pryd
    Beth dalai'r byd heb deiliwr?
Rhowch iddo de a bara brith
    A llefrith yn llifeiriant,
Rhag ofn iddo fynd o'i go'
    A'n difa mewn digofaint.

Y Parchg John Thomas, 'Tom Deiliwr'

9

'Eisteddfod Fawr Llangollen', 1858

EISTEDDFOD LLANGOLLEN, 21-24 Medi 1858, heb os, oedd un o eisteddfodau hynotaf a phwysicaf y bedwaredd ganrif ar bymtheg. Dyma 'Eisteddfod Fawr Llangollen'. Yn ôl yr enw Saesneg yn y rhestr testunau gelwid hi: 'the Grand Eisteddfod'. Dyma 'Eisteddfod y Bastai Fawr', chwedl Ceiriog. Yn wir, eisteddfod a ddaeth â Cheiriog i sylw'r genedl wedi iddo ennill y goron arian am ei rieingerdd, 'Myfanwy Fychan'. Dyma'r eisteddfod oedd wedi denu'r tyrfaoedd yn eu miloedd, o bell ac agos. A hon oedd yr eisteddfod, er hynoted ydoedd, y daethpwyd i'w hystyried fel rhagflaenydd yr Eisteddfod Genedlaethol swyddogol gyntaf yn Aberdâr (1861).

Yn ystod oes Cymreigyddion y Fenni, 1833-54, ac o dan arweiniad personau diwylliedig, megis y Parchg Thomas Price, 'Carnhuanawc' (1787-1848), ac Arglwyddes Llanofer (1802-96), fe gynhaliwyd cyfres o ddeg o eisteddfodau gwir werthfawr.[1] Wedi llwyddiant yr eisteddfodau hyn, ni fu bri mawr ar y mudiad eisteddfodol yng Nghymru am rai blynyddoedd. Ond yr oedd, serch hynny, nifer o Gymry llengar yn parhau yn fawr eu sêl dros gynnal gwyliau cystadleuol o'r fath. Y mwyaf brwd ohonynt oedd y Parchg John Williams, Ab

Y Parchg John Williams, 'Ab Ithel' (1811-62), pensaer a phrif hyrwyddwr Eisteddfod Llangollen, 1858. Llun o gasgliad Llyfrgell Genedlaethol Cymru.

Ithel (1811-62), rheithor Llanymawddwy: brodor o Langynhafal, sir Ddinbych; Cymro gwlatgar; ysgolhaig diwyd, ond anysgolheigaidd; a gŵr oedd wedi meddwi'n llwyr ar ddamcaniaethau Iolo Morganwg ynghylch y derwyddon a'u cysylltiad â beirdd Ynys Prydain.[2]

Eisteddfod Ab Ithel, yn anad yr un person arall, oedd Eisteddfod Llangollen, 1858. Yn rhifyn cyntaf *Taliesin* (1859), y cylchgrawn yr oedd ef ei hun yn ei olygu, fe eglurodd paham fod ganddo freuddwyd i gynnal eisteddfod fawr, fel yr un yn Llangollen, a honno'n un wir 'genedlaethol'. Meddai ymhellach:

> 'Yr oedd enyd o amser wedi myned heibio heb i un Eisteddfod wladol neu daleithiol gael ei chynal ... Yr oedd Cymru megys wedi fferu yn hyn o beth ...'

Yn iawn am hynny, ei nod oedd cynnal eisteddfod 'heb ymorol am lywydd yn gyntaf, yn fawreddog ei rhwysg, a chan belled ag y gellid yn ôl yr hen ddefod.'[3] Ystyr hynny oedd 'yn ôl braint a defod Beirdd Ynys Prydain'.[4]

Yr oedd Ab Ithel hefyd am i'r eisteddfod 'fawreddog' hon gael ei chynnal o dan nawdd Cadair Powys. Yr oedd Iolo Morganwg wedi datgan: 'Pedair Cadair wrth Gerdd a Barddoniaeth y sydd yng Nghymru', ac y mae Geraint a Zonia Bowen yn eu cyfrol eithriadol o werthfawr, *Hanes Gorsedd y Beirdd*, wedi rhoi darlun cyflawn iawn inni o nodweddion arbennig y Cadeiriau hynny: Morgannwg a Gwent, Gwynedd, Dyfed a Phowys. Yn ei anerchiad o'r Maen Llog yn Eisteddfod Llangollen roedd Ab Ithel yntau wedi cyfeirio'n benodol at 'uchafiaeth' Cadair Powys:

> 'Yr oedd [Cadair] Powys yn cael ei galw yn Freiniol am ei bod wedi ei sefydlu gan dri bardd brenhinol, Llywarch Hen, Brochwel Ysgythrog a Gwron ab Cynferch.'[5]

Dylid nodi hefyd fod yr ansoddair 'Breiniol' yn cael ei gynnwys yn nheitl swyddogol yr Eisteddfod.

O gynnal yr Eisteddfod ym Mhowys, ac er mwyn denu'r tyrfaoedd o bob rhan o Gymru, yr oedd yn bwysig ei bod mewn ardal gyfleus i'r trên. Dyma un rheswm dros ddewis Llangollen. Erbyn 1854 roedd modd teithio ar drên i orsafoedd Rhiwabon, 'Stesion Tŷ Coch' (Whitehurst), a'r Waun, y cyfan o fewn ychydig filltiroedd i Langollen.

Yr oedd yr 'Eisteddfod Fawr Freiniol', fel y gelwir hi yn *Yr Amserau* (15 Gorffennaf 1857), wedi'i chyhoeddi flwyddyn dda rhag-blaen yn y De a'r Gogledd. Cyhoeddwyd hi gan Myfyr Morganwg o'r Maen Llog ar Fryn Castell y Brenin, Saint-y-brid, Morgannwg, ar Alban Hefin, 1857. Ond yr oedd hi hefyd wedi cael ei chyhoeddi yn ystod Eisteddfod leol yn Llangollen, 6 Gorffennaf 1857. Gwnaed hynny gan Ab Ithel ei hunan 'o'r Orsedd garreg yn y Cylch crwn'. Ab Ithel oedd yn llywyddu seremonïau'r Orsedd yn Llangollen, 6 Gorffennaf 1857, ond câi ei gynorthwyo gan Daliesin o Eifion.[6]

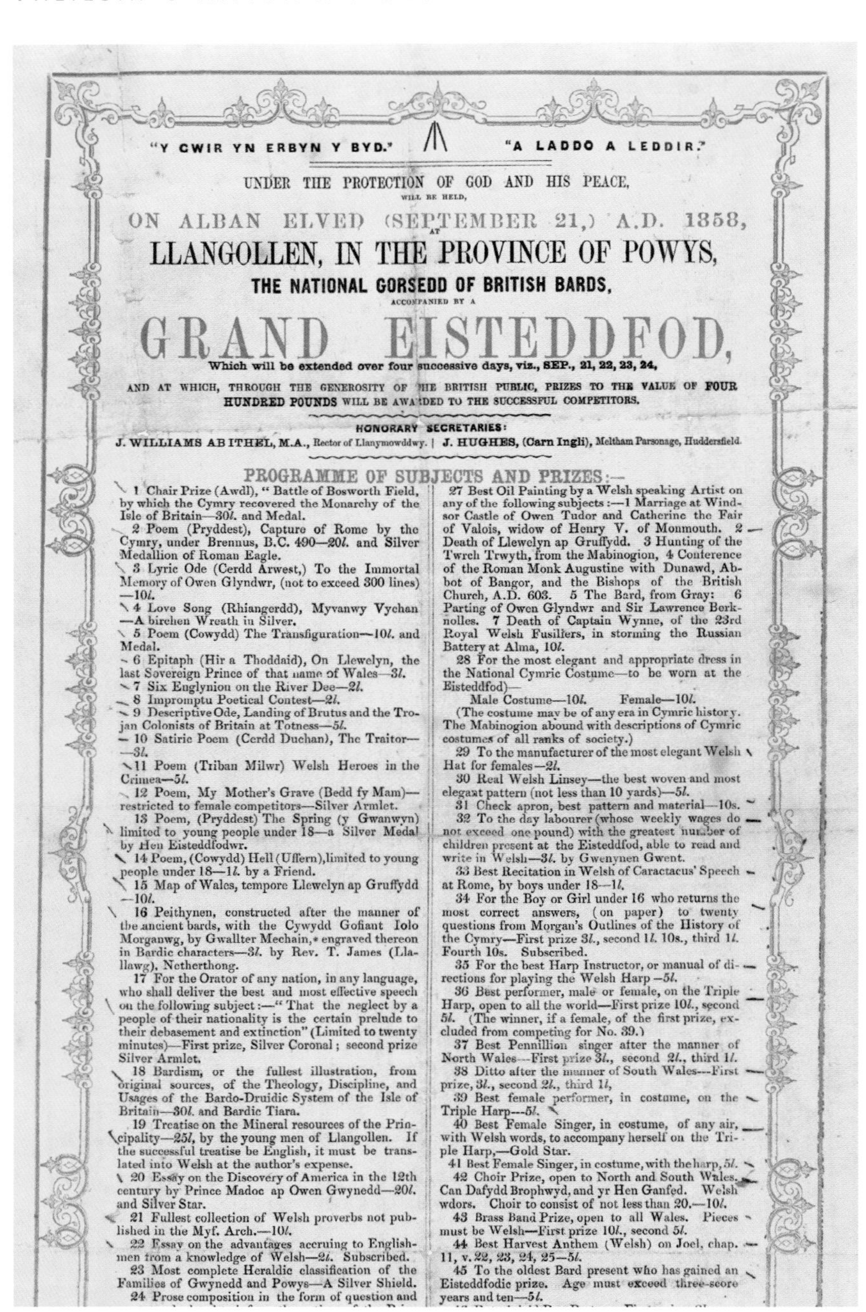

"Y GWIR YN ERBYN Y BYD." /|\ "A LADDO A LEDDIR."

UNDER THE PROTECTION OF GOD AND HIS PEACE,

WILL BE HELD,

ON ALBAN ELVED (SEPTEMBER 21,) A.D. 1858,

AT

LLANGOLLEN, IN THE PROVINCE OF POWYS,

THE NATIONAL GORSEDD OF BRITISH BARDS,

ACCOMPANIED BY A

GRAND EISTEDDFOD,

Which will be extended over four successive days, viz., SEP., 21, 22, 23, 24,

AND AT WHICH, THROUGH THE GENEROSITY OF THE BRITISH PUBLIC, PRIZES TO THE VALUE OF **FOUR HUNDRED POUNDS** WILL BE AWARDED TO THE SUCCESSFUL COMPETITORS.

HONORARY SECRETARIES:

J. WILLIAMS AB ITHEL, M.A., Rector of Llanymowddwy. | J. HUGHES, (Carn Ingli), Meltham Parsonage, Huddersfield.

PROGRAMME OF SUBJECTS AND PRIZES:—

1 Chair Prize (Awdl), "Battle of Bosworth Field, by which the Cymry recovered the Monarchy of the Isle of Britain—30*l.* and Medal.

2 Poem (Pryddest), Capture of Rome by the Cymry, under Brennus, B.C. 490—20*l.* and Silver Medallion of Roman Eagle.

3 Lyric Ode (Cerdd Arwest,) To the Immortal Memory of Owen Glyndwr, (not to exceed 300 lines) —10*l.*

4 Love Song (Rhiangerdd), Myvanwy Vychan —A birchen Wreath in Silver.

5 Poem (Cowydd) The Transfiguration—10*l.* and Medal.

6 Epitaph (Hir a Thoddaid), On Llewelyn, the last Sovereign Prince of that name of Wales—3*l.*

7 Six Englynion on the River Dee—2*l.*

8 Impromptu Poetical Contest—2*l.*

9 Descriptive Ode, Landing of Brutus and the Trojan Colonists of Britain at Totness—5*l.*

10 Satiric Poem (Cerdd Duchan), The Traitor—3*l.*

11 Poem (Triban Milwr) Welsh Heroes in the Crimea—5*l.*

12 Poem, My Mother's Grave (Bedd fy Mam)—restricted to female competitors—Silver Armlet.

13 Poem, (Pryddest) The Spring (y Gwanwyn) limited to young people under 18—a Silver Medal by Hen Eisteddfodwr.

14 Poem, (Cowydd) Hell (Uffern), limited to young people under 18—1*l.* by a Friend.

15 Map of Wales, tempore Llewelyn ap Gruffydd —10*l.*

16 Peithynen, constructed after the manner of the ancient bards, with the Cywydd Gofiant Iolo Morganwg, by Gwallter Mechain,* engraved thereon in Bardic characters—3*l.* by Rev. T. James (Llallawg), Netherthong.

17 For the Orator of any nation, in any language, who shall deliver the best and most effective speech on the following subject:—"That the neglect by a people of their nationality is the certain prelude to their debasement and extinction" (Limited to twenty minutes)—First prize, Silver Coronal; second prize Silver Armlet.

18 Bardism, or the fullest illustration, from original sources, of the Theology, Discipline, and Usages of the Bardo-Druidic System of the Isle of Britain—30*l.* and Bardic Tiara.

19 Treatise on the Mineral resources of the Principality—25*l*, by the young men of Llangollen. If the successful treatise be English, it must be translated into Welsh at the author's expense.

20 Essay on the Discovery of America in the 12th century by Prince Madoc ap Owen Gwynedd—20*l.* and Silver Star.

21 Fullest collection of Welsh proverbs not published in the Myf. Arch.—10*l.*

22 Essay on the advantages accruing to Englishmen from a knowledge of Welsh—2*l.* Subscribed.

23 Most complete Heraldic classification of the Families of Gwynedd and Powys—A Silver Shield.

24 Prose composition in the form of question and

27 Best Oil Painting by a Welsh speaking Artist on any of the following subjects:—1 Marriage at Windsor Castle of Owen Tudor and Catherine the Fair of Valois, widow of Henry V. of Monmouth. 2 Death of Llewelyn ap Gruffydd. 3 Hunting of the Twrch Trwyth, from the Mabinogion, 4 Conference of the Roman Monk Augustine with Dunawd, Abbot of Bangor, and the Bishops of the British Church, A.D. 603. 5 The Bard, from Gray: 6 Parting of Owen Glyndwr and Sir Lawrence Berkrolles. 7 Death of Captain Wynne, of the 23rd Royal Welsh Fusiliers, in storming the Russian Battery at Alma, 10*l.*

28 For the most elegant and appropriate dress in the National Cymric Costume—to be worn at the Eisteddfod)—
Male Costume—10*l.* Female—10*l.*
(The costume may be of any era in Cymric history. The Mabinogion abound with descriptions of Cymric costumes of all ranks of society.)

29 To the manufacturer of the most elegant Welsh Hat for females—2*l.*

30 Real Welsh Linsey—the best woven and most elegant pattern (not less than 10 yards)—5*l.*

31 Check apron, best pattern and material—10s.

32 To the day labourer (whose weekly wages do not exceed one pound) with the greatest number of children present at the Eisteddfod, able to read and write in Welsh—3*l.* by Gwenynen Gwent.

33 Best Recitation in Welsh of Caractacus' Speech at Rome, by boys under 18—1*l.*

34 For the Boy or Girl under 16 who returns the most correct answers, (on paper) to twenty questions from Morgan's Outlines of the History of the Cymry—First prize 3*l.*, second 1*l.* 10s., third 1*l.* Fourth 10s. Subscribed.

35 For the best Harp Instructor, or manual of directions for playing the Welsh Harp—5*l.*

36 Best performer, male or female, on the Triple Harp, open to all the world—First prize 10*l.*, second 5*l.* (The winner, if a female, of the first prize, excluded from competing for No. 39.)

37 Best Pennillion singer after the manner of North Wales—First prize 3*l.*, second 2*l.*, third 1*l.*

38 Ditto after the manner of South Wales—First prize, 3*l.*, second 2*l.*, third 1*l*,

39 Best female performer, in costume, on the Triple Harp—5*l.*

40 Best Female Singer, in costume, of any air, with Welsh words, to accompany herself on the Triple Harp,—Gold Star.

41 Best Female Singer, in costume, with the harp, 5*l.*

42 Choir Prize, open to North and South Wales. Can Dafydd Brophwyd, and yr Hen Ganfed. Welsh wdors. Choir to consist of not less than 20.—10*l.*

43 Brass Band Prize, open to all Wales. Pieces must be Welsh—First prize 10*l.*, second 5*l.*

44 Best Harvest Anthem (Welsh) on Joel, chap. 11, v. 22, 23, 24, 25—5*l.*

45 To the oldest Bard present who has gained an Eisteddfodic prize. Age must exceed three-score years and ten—5*l.*

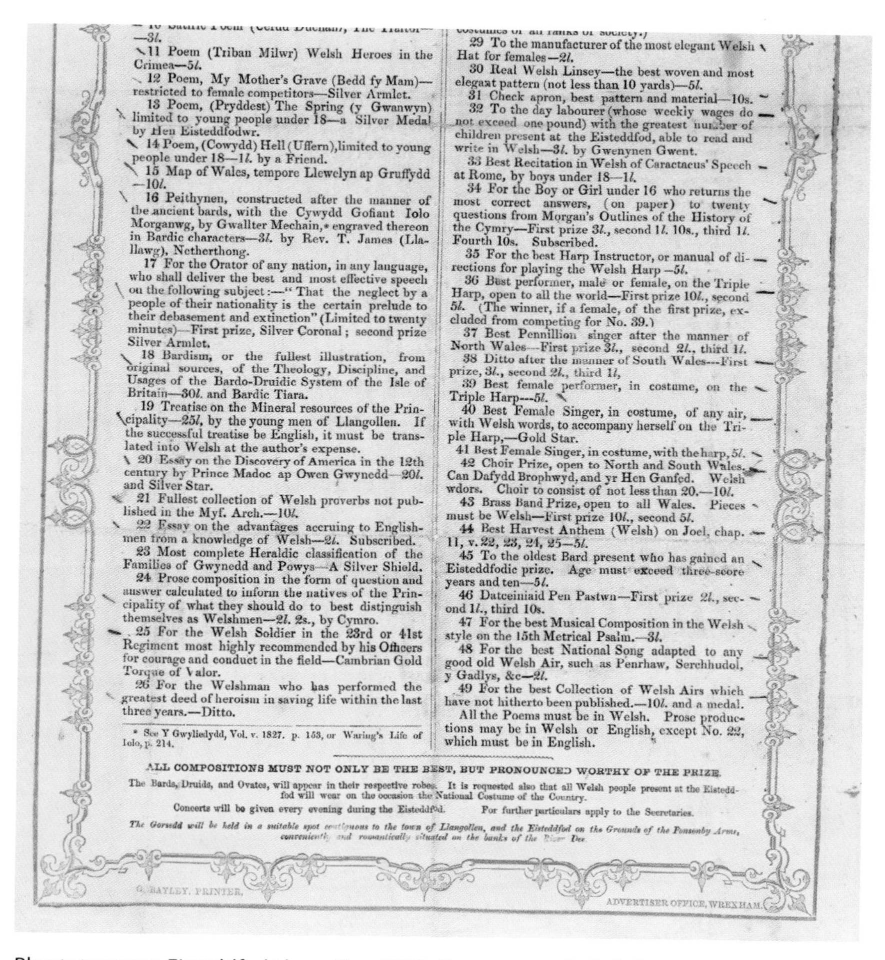

—3*l*.

11 Poem (Triban Milwr) Welsh Heroes in the Crimea—5*l*.

12 Poem, My Mother's Grave (Bedd fy Mam)—restricted to female competitors—Silver Armlet.

13 Poem, (Pryddest) The Spring (y Gwanwyn) limited to young people under 18—a Silver Medal by Hen Eisteddfodwr.

14 Poem, (Cowydd) Hell (Uffern), limited to young people under 18—1*l*. by a Friend.

15 Map of Wales, tempore Llewelyn ap Gruffydd —10*l*.

16 Peithynen, constructed after the manner of the ancient bards, with the Cywydd Gofiant Iolo Morganwg, by Gwallter Mechain,* engraved thereon in Bardic characters—3*l*. by Rev. T. James (Llallawg), Netherthong.

17 For the Orator of any nation, in any language, who shall deliver the best and most effective speech on the following subject:—"That the neglect by a people of their nationality is the certain prelude to their debasement and extinction" (Limited to twenty minutes)—First prize, Silver Coronal; second prize Silver Armlet.

18 Bardism, or the fullest illustration, from original sources, of the Theology, Discipline, and Usages of the Bardo-Druidic System of the Isle of Britain—30*l*. and Bardic Tiara.

19 Treatise on the Mineral resources of the Principality—25*l*, by the young men of Llangollen. If the successful treatise be English, it must be translated into Welsh at the author's expense.

20 Essay on the Discovery of America in the 12th century by Prince Madoc ap Owen Gwynedd—20*l*. and Silver Star.

21 Fullest collection of Welsh proverbs not published in the Myf. Arch.—10*l*.

22 Essay on the advantages accruing to Englishmen from a knowledge of Welsh—2*l*. Subscribed.

23 Most complete Heraldic classification of the Families of Gwynedd and Powys—A Silver Shield.

24 Prose composition in the form of question and answer calculated to inform the natives of the Principality of what they should do to best distinguish themselves as Welshmen—2*l*. 2s., by Cymro.

25 For the Welsh Soldier in the 23rd or 41st Regiment most highly recommended by his Officers for courage and conduct in the field—Cambrian Gold Torque of Valor.

26 For the Welshman who has performed the greatest deed of heroism in saving life within the last three years.—Ditto.

* See Y Gwyliedydd, Vol. v. 1827. p. 153, or Waring's Life of Iolo, p. 214.

29 To the manufacturer of the most elegant Welsh Hat for females—2*l*.

30 Real Welsh Linsey—the best woven and most elegant pattern (not less than 10 yards)—5*l*.

31 Check apron, best pattern and material—10s.

32 To the day labourer (whose weekly wages do not exceed one pound) with the greatest number of children present at the Eisteddfod, able to read and write in Welsh—3*l*. by Gwenynen Gwent.

33 Best Recitation in Welsh of Caractacus' Speech at Rome, by boys under 18—1*l*.

34 For the Boy or Girl under 16 who returns the most correct answers, (on paper) to twenty questions from Morgan's Outlines of the History of the Cymry—First prize 3*l*., second 1*l*. 10s., third 1*l*. Fourth 10s. Subscribed.

35 For the best Harp Instructor, or manual of directions for playing the Welsh Harp—5*l*.

36 Best performer, male or female, on the Triple Harp, open to all the world—First prize 10*l*., second 5*l*. (The winner, if a female, of the first prize, excluded from competing for No. 39.)

37 Best Pennillion singer after the manner of North Wales—First prize 3*l*., second 2*l*., third 1*l*.

38 Ditto after the manner of South Wales—First prize, 3*l*., second 2*l*., third 1*l*,

39 Best female performer, in costume, on the Triple Harp—5*l*.

40 Best Female Singer, in costume, of any air, with Welsh words, to accompany herself on the Triple Harp,—Gold Star.

41 Best Female Singer, in costume, with the harp, 5*l*.

42 Choir Prize, open to North and South Wales. Can Dafydd Brophwyd, and yr Hen Ganfed. Welsh wdors. Choir to consist of not less than 20.—10*l*.

43 Brass Band Prize, open to all Wales. Pieces must be Welsh—First prize 10*l*., second 5*l*.

44 Best Harvest Anthem (Welsh) on Joel, chap. 11, v. 22, 23, 24, 25—5*l*.

45 To the oldest Bard present who has gained an Eisteddfodic prize. Age must exceed three-score years and ten—5*l*.

46 Datceiniaid Pen Pastwn—First prize 2*l*., second 1*l*., third 10s.

47 For the best Musical Composition in the Welsh style on the 15th Metrical Psalm.—3*l*.

48 For the best National Song adapted to any good old Welsh Air, such as Penrhaw, Serchhudol, y Gadlys, &c—2*l*.

49 For the best Collection of Welsh Airs which have not hitherto been published.—10*l*. and a medal.

All the Poems must be in Welsh. Prose productions may be in Welsh or English, except No. 22, which must be in English.

ALL COMPOSITIONS MUST NOT ONLY BE THE BEST, BUT PRONOUNCED WORTHY OF THE PRIZE.

The Bards, Druids, and Ovates, will appear in their respective robes. It is requested also that all Welsh people present at the Eisteddfod will wear on the occasion the National Costume of the Country.

Concerts will be given every evening during the Eisteddfod. For further particulars apply to the Secretaries.

The Gorsedd will be held in a suitable spot contiguous to the town of Llangollen, and the Eisteddfod on the Grounds of the Ponsonby Arms, conveniently and romantically situated on the banks of the River Dee.

G. BAYLEY, PRINTER, ADVERTISER OFFICE, WREXHAM.

Rhestr testunau Eisteddfod Llangollen, 1858. Poster o gasgliad Llyfrgell Genedlaethol Cymru.

Tocyn wythnos ail ddosbarth Eisteddfod Llangollen, 1858. O gasgliad Llyfrgell Genedlaethol Cymru.

'The figure of the dragon was no less than five or six feet long': Taliesin a'i faner fawr o'r Ddraig Goch

Mae'n amlwg y bu gan Daliesin hefyd ran yn y paratoi tuag at yr eisteddfod fawr 'freiniol', i'w chynnal ymhen y flwyddyn ac ychydig fisoedd. Cyfeiriwyd eisoes (pennod 1) at y gyfrol denau, hirsgwar, clawr caled, yn Llyfrgell Genedlaethol Cymru (Llsg LlGC 9616 E) sy'n cynnwys bras nodiadau am ei waith fel paentiwr ac addurnwr. Sylwyd yn arbennig ar y cofnod ar gyfer 13-17 Medi 1858, sef 'painting Flags for the Eisteddfod'.

Tua phythefnos cyn ysgrifennu'r cofnod hwn roedd Taliesin wedi anfon llythyr at Ab Ithel, dyddiedig 30 Awst 1858, yn holi ynghylch sut i gerfio peithynen. Cawn sylwi eto ar ran gyntaf y llythyr, ond dyma yn awr un dyfyniad ohono:

'Mae y tent yn myned yn ei flaen yn gyflym iawn. Mae'r olwg ar y tu fewn allan o bob maintiolaeth, eto ofnir yn fawr y bydd yn rhy fach. Yr wyf wedi paentio Baner o'r Ddraig-goch yn bedair llath o hyd wrth dair o led. Ni chefais orchymyn i hyny. Os na bydd y pwyllgor yn dewis ei chael, gallaf ei gwerthu i rywyn arall. Nid wyf yn meddwl y gwelwch ei hail mewn un eisteddfod flaenorol.

T Jones (Taliesin)
Painter, Llangollen.'[7]

Derbyniodd y Pwyllgor y faner, a rhoddwyd iddi le o anrhydedd ym mhafiliwn yr eisteddfod. Yn y cylchgrawn, *The Cambrian Journal* (cylchgrawn wedi'i sefydlu gan Ab Ithel yn 1854 a'i olygu ganddo), ceir adroddiad cynhwysfawr am yr eisteddfod (tudalennau 262-313), o dan y teitl: 'Gorsedd of the Bards of the Isle of Britain. The Royal Chair of Powys and the Grand Eisteddfod held at Llangollen on Alban Elfed, 1858'. Ar derfyn yr erthygl (tud. 313) ceir y nodyn hwn: 'The above Report was compiled from various newspapers, but chiefly from the Caernarvon Herald, with the aid also of our own notes.' Ychwanegwyd hefyd y sylw hwn: '... all newspapers ... pronounced the eisteddfod a grand success'.

Wedi nodi bod y pafiliwn yn dal 5000 o bobl ac yn mesur 180 troedfedd o hyd a 144 troedfedd o led, y mae awdur yr erthygl, Ab Ithel ei hun, y mae'n fwy na thebyg, yn cynnwys y disgrifiad a ganlyn (tud. 266):

'... the three front gables being decorated by three flags respectively of the bardic colours, blue, green and white, and bearing the inscriptions 'Heddwch', 'Gwybodaeth', 'Sancteiddrwydd', the attributes of the three orders. The interior was formed in three compartments, in the middle one of which, at the north end, was a raised dais or platform (constructed for 120 persons), for the use of the president and others taking part in the business of the congress. Over the president's seat was the red dragon of Wales with the motto, "Y ddraig goch a ddyry gychwyn", painted on canvas by Mr Thomas Jones (Taliesin o Eifion), Llangollen. The figure of the dragon was no less than five or six feet long.'

Defnyddiwyd baner fawr Taliesin hefyd yn nefod agor yr Orsedd ar ddydd cyntaf yr Eisteddfod, 20 Medi 1858. Dyma ran o ddisgrifiad Geraint a Zonia Bowen o'r ddefod honno:

> 'Gorseddogion yn eu gwahanol urddwisgoedd, 'yn gwisgo y cenin a'r twysenau yd' ac yn cario 'berllysg (ffyn) yn eu dwylo' ynghyd â'r disteiniaid a orymdeithiodd o Westy Ponsonby i'r Cylch. Ar y blaen roedd baner fawr y Ddraig Goch wedi'i dylunio gan Taliesin o Eifion. Cludid tair baner yr urddau, un werdd, un las, ac un wen, a chanwyd alawon Cymreig gan Seindorf Royal Rifles Dinbych ... Am yr ychydig wŷr bonheddig yn yr orymdaith, gwisgent hwy 'wasgodau amliwiog ac arnynt ymadroddion cysegredig yn llythrennau henafol Coelbren y Beirdd'.'[8]

A dyma ddisgrifiad James Kenward, cofiannydd Ab Ithel, o Gylch yr Orsedd:

> 'On the central stone stands Ab Ithel – his white robe as a Druid-Bard. A naked sword lies beside him. Ovates, bards and druids are grouped around him – their respective dresses of green, blue and white, typefying the progress of knowledge, the truth of poesy and the purity of religion ...'[9]

Wedi i Ab Ithel adrodd yn fyr hanes Barddas, cyflwynodd Môr Meirion Weddi'r Orsedd. Yna aeth Ab Ithel rhagddo i agor yr Orsedd yn swyddogol drwy gyhoeddi y geiriau a ganlyn ar uchaf ei lais:

> ' 'Gwaedd uwch adwaedd', 'Y gwir yn erbyn y byd', 'Yn nawdd Beirdd Ynys Prydain y mae pawb a ddeuant o agos i'r lle hwn, yma ni thynir arf noeth i'w herbyn, a phawb a ddymunant urddfraint a rhyddid mewn cân neu gerdd, ymofynant hyny gan Ab Ithel, Carn Ingli, Myfyr Morganwg, Môr Meirion, Cynddelw, Gwalchmai, ac eraill – beirdd wrth fraint a defod beirdd Ynys Prydain. Y gwir yn erbyn y byd.'[10]

Beirdd a derwyddon a chymeriadau hynod

Eisoes (pennod 6) dyfynnwyd englyn dychanol Taliesin o Eifion i Myfyr Morganwg, archdderwydd honedig Cymru, un o'r cymeriadau hynod a lliwgar oedd yn bresennol yn Llangollen. Disgrifiwyd ef gan James Kenward yn ei gofiant i Ab Ithel fel hyn:

> '... the most profound living exponent of the uncompromising Pan-druidic philosophy ... in his white robes, bearing the mystic egg and other insignia.'[11]

Dau arall oedd wedi teithio bob cam o'r De ac a wnaeth argraff ryfeddol ar y dorf yn Llangollen oedd y Dr William Price, Llantrisant, a'i ferch. Yn ôl disgrifiad James Kenward ohono yr oedd yn union fel:

Dr William Price (1800-93), Llantrisant, yn ei wisg dderwyddol a'i gap o groen llwynog. Llun o gasgliad Amgueddfa Werin Cymru.

'... a primeval British physician ... dressed in a short velvet jacket or hunting suit with an enormous foxskin cap, sword and flowing beard.'[12]

Gwisgai'r ferch:

'a long scarlet robe with the paternal head dress of a foxskin.'[13]

Yn goron ar y cyfan, yn yr orymdaith yr oedd hi yn marchogaeth ceffyl.[14]

Un o'r gwŷr llên a fu'n bresennol yn Eisteddfod Llangollen oedd Isaac Foulkes, 'Llyfrbryf' (1836-1904), y cymwynaswr mawr o Lanfwrog, ger Rhuthun, a dreuliodd ei oes yn Lerpwl yn cyhoeddi llyfrau gwir ddiddorol a gwerthfawr ac a sefydlodd a golygu *Y Cymro* (22 Mai 1890). Yr ydym yn ddyledus iddo ef am ei ddisgrifiad byw iawn o rai o'i gyd-eisteddfodwyr yn yr eisteddfod hynod honno. Cyhoeddwyd ei atgofion yn ei gyfrol *John Ceiriog Hughes. Ei Fywyd, ei Athrylith a'i Waith.*

'Cynhaliwyd Eisteddfod fythgofiadwy Llangollen yn Medi, 1858, ar faes rhwng y gamlas a'r afon Ddyfrdwy, ac mewn pabell o liain. Y mae yn anmheus os oedd yn ngweledigaeth Pedr fwy o amrywiaeth cymeriadau, nag oedd yn y babell ridyllog honno. Yr oedd pob dyn od yn Nghymru wedi dyfod yno; hyny ydyw, os wedi ei bigo rhyw dro gan y wenynen a elwir Awen. Yn eu mysg, Myfyr Morganwg (Archdderwydd Ynys Prydain a'i rhagynysoedd, fel y gelwir ef), a rhyw wy cyfrin wrth linyn ar ei fynwes ... Bod arall rhyfedd iawn, oedd rhyw grachuchelwr o'r enw Pym ab Ednyfed, a'i odrwydd ef yn tori allan mewn gwisgiadau o liwiau yr enfys. Eto, Caradog, fel bardd wrth ei enw, a Father Jones fel offeiriad Pabaidd; sant pygddu a rhyfedd oedd yntau. George Hammond Whalley a Colonel Tottenham; bu agos i'r ddau foneddwr hynod hyn fyned i ymryson ymladd ar yr esgynlawr ... Thomas Stephen o Ferthyr, yr hanesydd hyglod; Nefydd; Carn Ingli, dyn mawr yn gwisgo ei wenwisg fel ar y Sul yn ei eglwys; gwasanaethai fel arweinydd neu ostegwr y cyfarfodydd, gan waeddi yn awr ac eilwaith mewn llais cryf, "Go-osteg," nes byddai'r holl gwm yn diaspedain; Morgan, Tregynon, awdwr *Hanes y Kymry*, a'r offeiriad pigog; Cynddelw; Eben Fardd; Creuddynfab;

> Nicander; Huw Tegai; Gwalchmai; Rhuddenfab; Ceiriog; Taliesin o Eifion, etc., etc. Y fath gynulliad o ddoniau cymysgryw ...'[15]

Y glaw mawr, englyn Cynddelw (y Bedyddiwr), a ffraethineb Taliesin

Bu'n bwrw glaw fel o grwc yn Llangollen yn ystod wythnos yr eisteddfod fawr, a chyfeiria'r Llyfrbryf yn benodol at hyn mewn adran arall o'i atgofion:

> 'Danfonodd natur hefyd ddau o'i chenhadon i fod yn "erwynebol" yn yr Eisteddfod hono, sef comed danbaid yn y ffurfafen, a gwlaw na welwyd ond anfynych ei gyffelyb hyd yn nod yn Llangollen, ar y ddaear. Pistylliai yr olaf trwy y tô rhidyllog, fel na welid dim ond gwlawleni trwy yr holl babell, ac na chlywid dim am yspeidiau hirion ond tabyrddiad y curwlaw, rhu y llifeiriant yn yr afon, ac ebychiad ambell i linell oddiar y llwyfan, megys, "Wel, broliwch yr ymbrelos".'[16]

Ar achlysur cynnal yr Eisteddfod Genedlaethol yn Llangollen, 1908, cyhoeddodd Gwasg y Brython, Lerpwl, lyfryn hardd ei ddiwyg, *Cof a Chadw am Ŵyl Fawr 1858. Y Prif Fuddugwyr: eu Llun a'u Gorchest. Souvenir of the Great National Eisteddfod held at Llangollen in 1858.* Ysgrifennwyd cyflwyniad i'r cyhoeddiad hwn gan Lewis Jones, 'Rhuddenfab': 'Melus Atgo' am Eisteddfod 1858'. O'r personau oedd yn cael eu coffáu yn y llyfryn, ac a fu yn Eisteddfod Llangollen yn 1858, ef oedd yr unig un bellach yn fyw.

Y mae Rhuddenfab yntau'n dyfynnu o atgofion Llyfrbryf y cyfeiriwyd atynt eisoes, ac meddai yn dilyn ei sylwadau am y glaw mawr:

> 'a gallasai y cofiantwr hyglod [Llyfrbryf] ychwanegu mewn cysylltiad â'r storm i wobr o £1 gael ei chynnyg ddydd Iau am y chwe englyn goreu i 'Seren yr Orsedd', fel y galwai Carn Ingli y comed ymddangosai yn y ffurfafen uwchben, ac i Cynddelw ennill y wobr 'cyn brecwast' y diwrnod hwnnw oddiar lu o englynwyr goreu Cymru ...'[17]

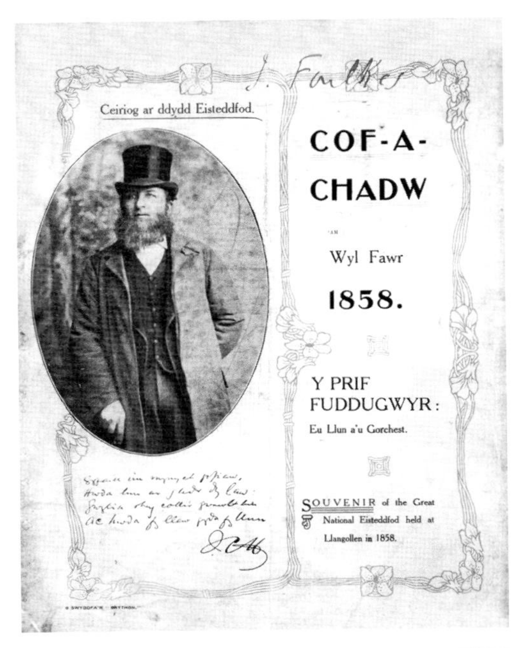

Ceiriog ar ddydd Eisteddfod.

COF-A-CHADW

AM

Wyl Fawr

1858.

Y PRIF FUDDUGWYR:

Eu Llun a'u Gorchest.

SOUVENIR of the Great National Eisteddfod held at Llangollen in 1858.

Clawr blaen llyfryn a gyhoeddwyd gan Wasg y Brython, Lerpwl, yn 1908, ar achlysur cynnal yr Eisteddfod Genedlaethol yn Llangollen y flwyddyn honno, ac i gofio am Eisteddfod 'Fawr' Llangollen, 1858.

Lewis Jones, 'Rhuddenfab' (1835-1915), awdur yr ysgrif 'Melus Atgo am Eisteddfod 1858', yn y llyfryn *Cof a Chadw am Wyl Fawr [Llangollen] 1858*. Cyhoeddwyd llun Rhuddenfab ac eraill o wŷr amlwg Eisteddfod Llangollen yn y cyhoeddiad hwn.

Wedi dweud hyn y mae Rhuddenfab yn ychwanegu'r sylw a ganlyn sy'n ein hatgoffa o ffraethineb Taliesin o Eifion. I lwyr ddeall ergyd ei eiriau rhaid cofio, wrth gwrs, mai Bedyddiwr oedd Robert Ellis, 'Cynddelw', yn arfer 'bedydd trochiad':

> 'Wrth son am y gystadleuaeth englynol, wedi cyhoeddi y feirniadaeth, fe gafwyd hwyl ryfeddol ymhlith y beirdd pan sisialodd Taliesin o Eifion: "Rhyfedd iawn, yntê, fod holl feirdd y diferynnau (y gwlaw mawr) yn gorfod bowio i'r Trochwr!" '[18]

Bodawen: Hafdy Taliesin a man cyfarfod y beirdd

Y mae'n amlwg fod Bodawen, cartref Taliesin o Eifion, neu ei 'Hafdy', fel y cyfeiriodd Rhuddenfab ato unwaith, yn fan cyfarfod poblogaidd i rai o'r beirdd. Gwelsom eisoes mai yno yn yr 'Hafdy' yr oedd Rhuddenfab (gyda chymorth Taliesin) yn anfon llythyr at J D Jones, y cerddor, beth amser cyn yr Eisteddfod.[19] A dyma un dystiolaeth arall arbennig o ddiddorol a gwerthfawr gan awdur yr ysgrif 'Melus Atgo' am Eisteddfod 1858':

> 'Yn union wedi cyhoeddi yr Eisteddfod yn 1858, pwy alwodd yn Llangollen ond Creuddynfab a Cheiriog, ac wedi i mi eu cymeryd i Bodawen, cartref Taliesin, pwy oedd yno ond Iolo Trefaldwyn yn adrodd ei Bryddest fuddugol ar "Lyn Bethesda" yn Eisteddfod Leol Llangollen yn 1857, a Thaliesin yn "porthi y pregethwr" yn awr ac eilwaith drwy ddweyd "da iawn" fel "amen" y clochydd i selio rhaith y Person. Addoli y mesurau caethion yr oedd Creuddynfab a Thaliesin wedi hynny, a Cheiriog a Iolo yn moli y mesur rhydd mewn barddoniaeth, ac yn tystio mai y "*nonsense* mwya' fu 'rioed" oedd y mesurau caethion! Fynnai Taliesin ddim addef fod *caethder* yn y cynghaneddion; a fynnai Ceiriog ddim nad pentwr o ddylni oedd yr holl awdlau i gyd gyda'u gilydd! Yr oedd yno gyfarfod i'w hir gofio, a'r frawdoliaeth farddol yn eu hafiaeth, fel y gallesid disgwyl, yn Bodawen.'[20]

'The people have spoken out! The Welsh language is not dead!' Llwyddiant ysgubol Gŵyl Fawr Llangollen

Yn ei ysgrif 'Melus Atgo' ...' y mae gan Rhuddenfab hefyd sylwadau diddorol i'w cyflwyno wrth egluro paham, yn ei farn ef, y bu'r 'Grand Eisteddfod' yn gymaint o lwyddiant. Dyma un rheswm:

> 'Yn Eisteddfod 1858 y tynnwyd i sylw y genedl Gymreig lu o'i henwogion wedi hynny, megis Llew Llwyfo, Ceiriog, Cynddelw, ac eraill y gellid eu henwi.'[21]

A rheswm da arall, meddai, 'fe drodd Eisteddfod 1858 y fantol hefyd yn ffafr gwladgarwch cenedl y Cymry, yr hyn na allai y Sais ei oddef cyn hynny.' Ac ychwanegodd:

> 'Gellir dweyd am Eisteddfod 1858 mai hi ddygodd sylw y Saeson at yr hen sefydliad cenedlaethol. Gyda gwawd a dirmyg yr edrychai y Wasg Saesneg ar yr Eisteddfod yn flaenorol i hynny ... [ond] byth wedyn siaradent yn barchus am dani.'[22]

Yna y mae'n dyfynnu o erthygl flaen mewn 'newyddiadur Seisnig':

> 'Now that our report of this great Welsh National Festival is brought to a conclusion, we cannot help congratulating its promoters on the complete success with which their spirited undertaking has been crowned. The people have 'spoken out'. The Welsh language is not dead, and Welsh nationality is as hale and as youthful as in the days of Caradoc ... It may be very fine in theory to talk of fusing Welsh and English; but it cannot be done, so there is an end of it. We must submit to the laws of Nature and God.'[23]

'Taliesin y teulu isel ...' Ab Ithel yn gwrthod urddo

Cawn sôn eto yn y bennod nesaf am un o ddiddordebau arbennig Taliesin o Eifion, sef canu penillion, ond dyma'r man gorau i wneud un sylw. O'r 49 o gystadlaethau yn Eisteddfod Llangollen, geiriad cystadleuaeth rhif 37 ydoedd: 'Best Penillion singer after the manner of North Wales'. Roedd hefyd gystadleuaeth (rhif 38) i ganu penillion 'yn ôl dull y De'. Beirniaid y gystadleuaeth canu yn ôl dull y Gogledd oedd Eos Meirion, Taliesin o Eifion, a Llew Llwyfo. Yn ôl y feirniadaeth fer yn *The Cambrian Journal*, 'this was an interesting competition. Five singers entered the lists.' Cyflwynwyd y feirniadaeth gan Llew Llwyfo, a'r buddugol ydoedd Idris Fychan (£3).[24]

Os derbyniodd Taliesin o Eifion anrhydeddau yn Eisteddfod Llangollen, megis cael bod yn feirniad y canu penillion, cael llunio baner fawr y Ddraig Goch, a chael croesawu'r beirdd i'w gartref, yn yr eisteddfod hon y cafodd hefyd o leiaf ddwy siom.

Yn Llangollen fe urddwyd Ceiriog ac eraill yn feirdd 'yn ôl braint a defod beirdd Ynys Prydain', ond cael ei wrthod gan Ab Ithel a wnaeth Taliesin. Dyna'r siom gyntaf. A hawdd deall ei siom. Cael ei wrthod yn Llangollen o bob man – ymysg ei bobl ei hun. Cael ei wrthod, ac Ab Ithel eisoes wedi manteisio ar ei gymorth yn nefodau'r Orsedd pan gynhaliwyd eisteddfod yn Llangollen, 6 Gorffennaf 1857. Ond sut yr ymatebodd Taliesin i'r siom? Yn gwbl nodweddiadol ohono: fe gyfansoddodd englyn ar ei union. Ei deitl yw: 'Heb Urdd'. A dyma'r is-deitl: 'Englyn a gyfansoddais pan yn ymwthiaw drwy y dorf, ac urdd bardd wedi ei nacau i mi gan Ab Ithel, yng Nghadair Powys, Llangollen, 1858.'

Byw heb fendith Ab Ithel – o raid fydd
Ar hyd f'oes yn dawel,
Och! Wael un, wyf bellach, – wel! wel! –
Taliesin y teulu isel![25]

Cyfeiriwyd eisoes at ysgrif goffa Iolo Trefaldwyn i'w gyfaill Taliesin yn *Y Darlunydd*: 'Cyhoeddiad Misol y Bobl', Medi 1877. Y mae'r ysgrif yn cynnwys hefyd lun o'r bardd ynghyd â'r 'Gadair Ddu'. Ar derfyn yr ysgrif cyhoeddwyd y nodyn a ganlyn o dan y pennawd: 'Adgof', wedi'i ysgrifennu gan 'Gyfaill' (Iolo Trefaldwyn ei hun, yn ôl pob tebyg).

> 'Yn Eisteddfod Llangollen, 1858, oherwydd anwybodaeth arweddwyr yr Orsedd o athrylith Taliesin o Eifion, gwrthodwyd iddo urdd Bardd "yn ôl braint a defawd". Yntau a wnaeth englyn duchan, yr hwn a ddiweddo gyda'r llinell "Taliesin y teulu isel". Wrth edrych ar ei ddarlun uchod, a'r "gadair ddu" a roddwyd i'w goffadwriaeth wedi iddo ef fyned fry i'w gadair anllygredig, daeth y llinellau hyn i fy meddwl:
>
> "Taliesin y teulu isel" – [d]dywedodd
> E' wedi'r diarddel
> Mewn sen, yn Llangollen, ond gwel:
> Gwedi'r ing ca'dd Gadair Angel.'[26]

Bu raid i Daliesin aros pedair blynedd arall cyn y cafodd ei urddo. Digwyddodd hynny yn Eisteddfod Caernarfon, 1862. Dyma adroddiad cryno o hanes yr urddo, bore Iau 28 Awst, o'r *North Wales Chronicle*:

> 'The proceedings were commenced this morning at half past nine o'clock by the usual and ordinary procession through the streets of the town, the excellent band of the Caernarvonshire militia heading it.
>
> The several candidates for Bardic degrees underwent a rigid examination on the preceding evening, the examiners appointed being Clwydfardd, Nicander, Nefydd, Gwilym Tawe, Ioan Emlyn, and Creuddynfab.'[27]

Urddwyd wyth person yn Fardd, yn eu plith Owen Jones, Penmachno: Owain Gethin Jones; Robert Williams, Llanrwst: Trebor Mai; a Thomas Jones: Taliesin o Eifion. Derbyniwyd 25 o bersonau i urdd Ofydd, yn eu plith Sarah Edith Wynne: Eos Cymru.[28] Yn ei hachos hi, ail-urddo oedd hwn, oherwydd yr oedd hi eisoes wedi'i hurddo yn Eisteddfod Conwy (1861). 'Winifred' oedd ei henw barddol bryd hynny.[29]

Iolo Morganwg ac Ab Ithel; y beithynen a Choelbren y Beirdd

Un o'r cystadlaethau mwyaf diddorol yn Eisteddfod Llangollen, 1858, oedd rhif 16:

> 'Peithynen, constructed after the manner of the ancient bards, with the Cywydd Gofiant Iolo Morganwg*, by Gwallter Mechain, engraved thereon in Bardic characters - £3 by Rev. T James (Llallawg), Netherthong.
>
> * *Y Gwyliedydd*, Vol. v, 1827, p. 153, or [Elijah] Waring's *Life of Iolo*, p. 214.'[30]

Edward Williams, 'Iolo Morganwg' (1747-1826). O ddarlun gan Elijah Waring a gyhoeddwyd yn ei gyfrol *Recollections and Anecdotes of Edward Williams, The Bard of Glamorgan ...*, 1850. O dan y llun yn y llyfr ceir y geiriau: 'Iolo Morganwg, a personal recollection.' Ysgythrwyd y llun, yn ôl pob tebyg, gan yr arlunydd, Robert Cruickshank.

Llyfr pren y beirdd oedd y beithynen, un o ddyfeisiadau Iolo Morganwg. A Choelbren y Beirdd oedd enw'r wyddor a ddyfeisiwyd ganddo. Câi'r llythrennau eu cerfio ar ffyn y beithynen. Wedi gwrthryfel Owain Glyndŵr, yn ôl yr athrylith llawn dychymyg o Forgannwg, fe waharddodd Brenin Lloegr y Cymry rhag defnyddio papur, a gwahardd hefyd y beirdd 'i gerdded i gylchoedd ag ymweld ar ofwy [ymweliad] a'r Teuluoedd yn ei swyddau.' Yna, medd Iolo eto:

> '... cofiwyd a daddygwyd ar arfer henffordd Beirdd Ynys Prydain sef torri'r llythrenau a elwaint awgrymmau Iaith a llafar ar goed neu wydd triniedig i'r achos, a elwid Coelbren y Beirdd ...'[31]

Rhoes Iolo ddisgrifiad manwl o'r modd i lunio peithynen, a sylw penodol i enwau'r rhannau. Yr enw ar ddwy ochr y beithynen – y ffrâm – oedd 'pillwydd'. Y 'peithwydd' oedd enwau'r ffyn sgwarog (a phedair ochr iddynt) oedd i'w gosod rhwng y ddwy ffrâm, ac 'ebillion' oedd enwau pennau'r peithwydd. Trwch pob ffon, neu led bob ochr iddi, ydoedd 'hyd heiddyn neu wenithyn'. Ynglŷn â'r nifer o beithwydd y gellid eu defnyddio, dyma ei sylw: 'gan arfer yn fynychaf bedwar ar hugain'. Ond, ychwanegodd, gellid cael 'y rhif a fynner'. A dyma ei gyngor parthed pa bren i'w ddefnyddio ar gyfer y ffyn:

> 'Goreu o bob coed eu parhâd Deri, hawsaf eu gweithio cyll neu helig neu wern. Bedwen yn bren da, felly eirin ag yspyddaden, yr hen brydyddion gynt a hoffynt gerdinwydd ...'[32]

Roedd ganddo gyfarwyddyd sut i liwio'r pren fel bod y llythrennau yn rhwyddach i'w darllen, a gair diddorol hefyd o gyngor hyd yn oed sut orau i ddiogelu pren y beithynen. Beth tybed fyddai barn arbenigwyr ym maes cadwraeth gyfoes am y sylwadau hyn?

> 'Berwi pillwydd a pheithwydd mewn Llyssu sur [lleisw: piso, golch] au ceidw rhag bryfed, eu twymo'n frwd ag iro cwyr gwenyn ynddynt au

> Lledbobi onid elo'r cwyr iddynt gan wres. au ceidw rhag mall a phydri, [pa] bynnag o bren a fythawr.'[33]

Seiliwyd llythrennau Coelbren y Beirdd ar y Nod Cyfrin /|\, un arall o ddyfeisiadau Iolo Morganwg. Cynrychiolai'r nod hwn dri llafn yr haul, neu'r Pelydr Goleuni. Credai Iolo i Dduw greu'r byd pan ynganodd ei enw sanctaidd. Ffurf yr enw oedd toriad y wawr a chanol gaeaf, gan roi bod i 'lygad goleuni'. Roedd y pelydrau haul hyn yn arddangos tair agwedd ar gymeriad Duw: y Creawdwr, y Cynhaliwr a'r Diddymwr. Bellach, y mae'r pelydrau'n cynrychioli rhinweddau Cariad, Cyfiawnder a Gwirionedd, a defnyddir y nod yn gyson, wrth gwrs, ar regalia Gorsedd y Beirdd.

Fel y gwyddom, yn ystod y bedwaredd ganrif ar bymtheg daeth yn arfer i gerfio llythrennau gwyddor Iolo, Coelbren y Beirdd, ar gadeiriau eisteddfodol. Daeth yn arfer hefyd, ond ar raddfa lawer llai, i ambell grefftwr mwy medrus na'i gilydd roi cynnig ar gerfio peithynen. Ceir naw enghraifft ar gadw yn Amgueddfa Werin Cymru a dwy yn Llyfrgell Genedlaethol Cymru, un ohonynt wedi'i cherfio gan Thomas Price, 'Carnhuanawc'.[34] O blith y rhai sydd yn yr Amgueddfa Werin, y mae un wedi'i cherfio gan T C Evans, 'Cadrawd', ac un gan Myfyr Morganwg.[35]

O gofio am y gystadleuaeth arbennig i gerfio peithynen yn Eisteddfod Llangollen, cyd-ddigwyddiad diddorol yw i Geiriog gyfeirio at y beithynen yn ei rieingerdd fuddugol, 'Myfanwy Fychan', o Gastell Dinas Brân, yn yr un Eisteddfod. Drwy gyfrwng dwy beithynen y mae Myfanwy Fychan a Hywel ap Einion yn mynegi eu serch, y naill wrth y llall. Cofiwn eiriau cyfarwydd Hywel:

> O! na bawn yn awel o wynt
> Yn crwydro trwy ardd Dinas Brân,
> I suo i'th glust ar fy hynt,
> A throelli dy wallt ar wahân...[36]

Y beithynen fechan blaen yn fuddugol, a pheithynen gain Taliesin yn cael cam?

Yn ffodus iawn, y mae tri llythyr wedi'u diogelu sy'n rhoi gwybodaeth ddiddorol inni am gefndir cystadleuaeth y beithynen yn Eisteddfod Llangollen, a thrwy garedigrwydd Hedd ap Emlyn cefais innau gopïau o'r llythyrau hyn. Anfonwyd y tri llythyr at Ab Ithel ei hun, prif feirniad y gystadleuaeth. Ef oedd y gŵr, fel y dywedwyd eisoes, oedd wedi llwyr lyncu damcaniaethau Iolo Morganwg, gan gynnwys yr un am Goelbren y Beirdd, a'i syniad ef, mae'n siwr, oedd gosod y gystadleuaeth arbennig hon yn Llangollen.

Taliesin o Eifion yw awdur un o'r llythyrau. Cyfeirir at ei waith ef rai troeon fel 'cabinet maker'. Fodd bynnag, yr oedd yn ddigon o grefftwr coed i roi cynnig ar gerfio peithynen, a dyma'r prif reswm iddo ysgrifennu at Ab Ithel. Nodwyd eisoes iddo sôn hefyd yn yr un llythyr am y faner fawr o'r Ddraig Goch yr oedd yn brysur yn ei pharatoi. Dyma ddyfyniad o weddill y llythyr hwn:

> 'Llangollen, Awst 30ain/58
> Barchedig Syr
> Maddeuwch fy hyfdra yn ysgrifenu atoch. Yr wyf wedi bod yn lled ddygn yn gwneyd Peithynen, ac wedi rhoi llawer iawn o waith cerfio arni, ac wedi chwilio yn bell ac agos am y Cywydd sydd i fod arni, ond yn hollol aflwyddianus yn mhob man. A fyddech chwi gystal a rhoddi copi i mi o hono, onide aiff fy holl lafur yn ofer. Dymunwn ei gael yn fuan, gan fod yr amser wedi rhedeg mor fyr a chymmaint o waith i dorri y llythrenau eto ...
>
> Ydwyf yr eiddoch yn ufudd
> T Jones (Taliesin)
> Painter
> Llangollen.[37]
>
> O.N. Nis gallaf gael hyd i'r *Gwyliedydd* yn y wlad yma na'r llyfr arall.'

Holi am gyfarwyddyd sut i wneud y beithynen y mae'r ddau lythyr arall. Dyma un ohonynt.

'Llangollen Sept 14/58
Rev. Sir
We know of two or three in this locality who are making Peithynenau. They were told lately that the letters are not to be above such and such a size – which however is not specified in the Programme. As they have gone to much expense & trouble – they feel uneasy about this and requested me to ask of you whether what they had heard is true or not.
Your early reply will much oblige them.

Yours Rev. Sir,
very obediently,
The Loc Sec
WH'[38]

Y mae'n anodd iawn darllen y llawysgrifen ar derfyn y llythyr hwn. Gall 'The Loc Sec' olygu 'The Loc[al] Sec[retary]'. Os felly, gall y ddwy lythyren sy'n lled debyg i 'WH' olygu 'W[illiam] H[ughes]', un o gyd-ysgrifenyddion yr Eisteddfod.

Y mae'r trydydd llythyr yn gryn syndod. Fe'i hysgrifennwyd gan y Parchg Thomas Richard Lloyd, 'Yr Estyn', genedigol o Lanfynydd, Sir y Fflint, un o brif ysgrifenyddion yr Eisteddfod. Ie, a'i ysgrifennu ar ran ei frawd, un o'r cystadleuwyr! Llythyr at y beirniad yn gofyn am gyfarwyddyd.

'Cefnybedd, Wrexham
3 Dec. 1857
Dear Ab Ithel,
My Brother, Edward Lloyd of the Rectory, Cerrigydrudion, who is a very fair Mechanic, wishes to make a Peithynen, but is short of proper instructions how to set about it. I should feel obliged to you if you would supply him with instructions as to form, size, wood, etc, as I have no doubt but that he will 'turn out' a respectable article. He says that lots from Cerrigydrudion will attend, & is trying to get up a Tent to live in on the occasion. He will be an useful help to us, if he succeeds.

Yours very truly,
T. R. / Estyn

P.S. Edward had better be appointed local Agent at Cerrigydrudion.'[39]

Y mae'n rhaid fod Taleisin wedi llwyddo i gael hyd i Gywydd Cofiant Iolo Morganwg, ac i Edward Lloyd, Cerrigydrudion, dderbyn cyfarwyddiadau gan y beirniad, oherwydd nhw ill dau oedd yr unig rai a fentrodd gystadlu. Ceir nodyn byr yn *Baner Cymru*, 29 Medi 1858, yn datgelu enw'r buddugol;

> 'Darllenodd Ab Ithel ei feirniadaeth ef ei hun a'i gydfeirniaid. Y gorau oedd eiddo Mr Edward Lloyd (Brawd Estyn).'

Felly, ail yn y gystadleuaeth oedd Taliesin.

Ceir beirniadaeth fanylach lawer, fodd bynnag, yn *The Cambrian Journal*:

> 'Ab Ithel delivered the adjudication of himself and his colleagues on this subject. He said that the peithynen was the wooden book of the bard. Two of these had been sent in for competition, and the judges deemed that that which he held in his hand was the best. There were several things looked upon as generally necessary in the construction of the peithynen. *First*, – The material was to be, if possible, of the mountain ash, which was considered the best kind of wood for the purpose; *Secondly*, – The letters thereon must be about the size of a barleycorn; *Thirdly*, – The angles must be slightly taken off to the full depth of the letter, so that the letters upon one side may not appear on the edge of the other side; and *lastly*, the peithynen must be of such a size as will allow the ovate to carry it conveniently in his hand at the Gorsedd. All these regulations were strictly observed in the one, whilst they were as uniformly neglected in the other.
>
> On being called upon, Mr. Edward Lloyd (brother of Estyn) appeared as the successful candidate, and was duly invested amidst loud cheers.
>
> Mr. Lloyd's peithynen had, we understand, been on view at Llangollen some days prior to the Eisteddfod. The other shown was made by a cabinet-maker in the town. It was massive and well finished as a piece of furniture, but the artizan had evidently not studied the use to which the article was to be supplied.'[40]

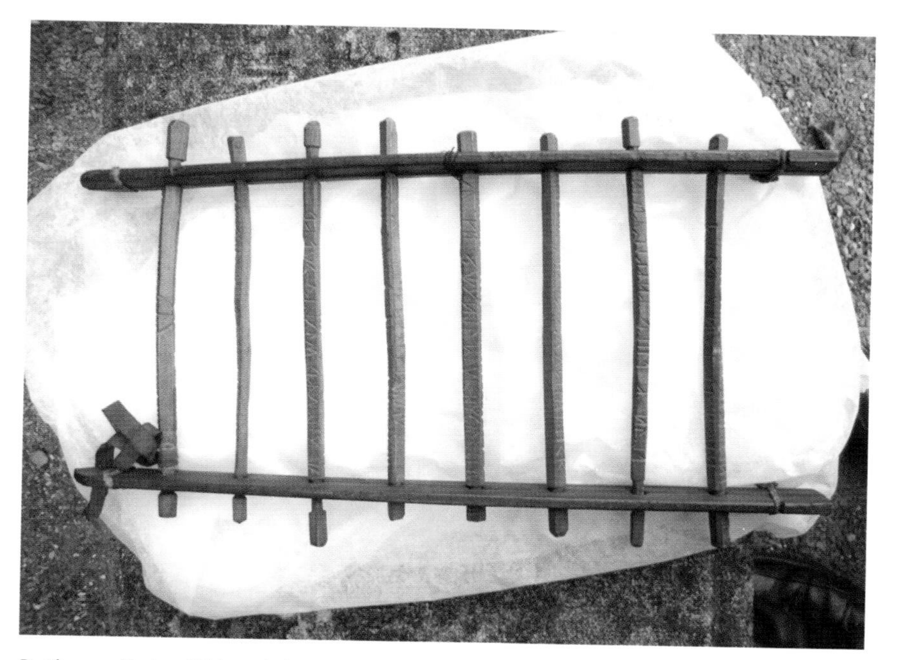

Peithynen 'fechan' Edward Lloyd, buddugol yn Eisteddfod Llangollen, 1858. Llun gan Peter Alexander, Gwasanaeth Treftadaeth Sir Ddinbych, Rhuthun.

Y 'cabinet-maker in the town', wrth gwrs, oedd Thomas Jones, Taliesin o Eifion. Felly, enillydd cystadleuaeth y beithynen oedd y Parchg Edward Lloyd o Gerrigydrudion, y gŵr, yn ôl pob arwydd, oedd drwy ei frawd, Yr Estyn, un o ysgrifenyddion yr eisteddfod, wedi derbyn yn uniongyrchol gan y beirniad, Ab Ithel, gyfarwyddiadau pendant sut i wneud peithynen. Dyna beth ydoedd tegwch i'r holl gystadleuwyr! Dylid nodi hefyd i Ab Ithel, yn ôl ei feirniadaeth yn *The Cambrian Journal*, roi ei ddehongliad ei hun ar ba bren y dylid cerfio llythrennau gwyddor y beirdd. Meddai ef: 'The material was to be, if possible, of mountain ash ...'; Ond nid dyma a ddywedodd Iolo. Dweud a wnaeth ef, wedi nodi nifer o goed posibl: 'yr hen brydyddion gynt a hoffynt gerdinwydd ...' Ac y mae hewl o wahaniaeth.

Pan ddechreuwyd ysgrifennu'r gyfrol hon am Daliesin o Eifion, ni wyddai neb a holais am fodolaeth y beithynen o eiddo Edward Lloyd nac am beithynen Taliesin. Fodd bynnag, yn ffodus iawn, pan aed ati i chwilio ymhellach ymhlith casgliadau Plas Newydd, Llangollen, cafwyd hyd iddynt yno. Bu'r ddwy beithynen ar un adeg yn cael eu harddangos i'r cyhoedd, ond nid ers blynyddoedd bellach. Yn ôl y catalog o gynnwys gwrthrychau Plas Newydd yn 1934, peithynen Edward Lloyd oedd eitem rhif 29. Fe'i cyflwynwyd i Blas Newydd gan Mrs Myfanwy Bubb, Ivanhoe, Llangollen.[41]

Diddorol yw sylwi i beithynen fuddugol Edward Lloyd, ymysg nifer o wrthrychau eraill, gael ei chyflwyno i Blas Newydd, Llangollen, gan Mrs Myfanwy Bubb, ar achlysur agor y Plas i'r cyhoedd fel amgueddfa, 25 Mai 1933. Dyma ddyfyniad o'r *Llangollen Chronicle*, 21 Ebrill 1933, sy'n nodi'r gwrthrychau a gyflwynwyd i Blas Newydd gan 16 o gymwynaswyr. Mrs Bubb a gyflwynodd y nifer fwyaf o greiriau:

> 'The townspeople will be interested to know that although Plas Newydd has not yet been officially opened, it is reckoned that nearly a thousand visitors paid a visit to the old Mansion during the Easter week-end.
>
> Loans of exhibits for the Museum from the following are gratefully acknowledged by the committee in charge ...
>
> Mrs Bubb, Ivanhoe – Card Basket Ivory inlaid, Two Essence Bottles, 3 Pieces of Wedgwood Dinner Service, Snuff Box and Seals – owned by the Old Ladies; Oak Table, Welsh Doll (made of material produced in Llangollen), Sampler, Two Antique Plates, Horn, Six Old Books, including a rare copy of the Welsh Works of Jonathan Hughes; a **Peithynen** and Oak Slipper Box that belonged to the late Dewi and Gwenllian Llwyd, and a copy of the Catalogue of Sale of Plas Newydd in 1832: also a Token of the Bersham Steel Works when founded by Wilkinson, and a Pageant Photo.'[42]

Fel y gwelir oddi wrth y llun ohoni, peithynen fechan, blaen iawn, yw peithynen fuddugol y Parchg Edward Lloyd, Cerrigydrudion. Ei huchder yw: 370 mm, a'i lled: 200 mm. Y mae iddi wyth o beithwydd, ac ar y ffyn hyn y cerfiwyd y cywydd coffa i Iolo Morganwg yng ngwyddor y beirdd.

Peithynen Taliesin o Eifion, ail yng nghystadleuaeth y beithynen yn Eisteddfod Llangollen, 1858. Llun gan Hedd ap Emlyn, Llyfrgell Wrecsam.

Pen uchaf y beithynen gain a wnaed gan Daliesin o Eifion, yn cynnwys cerfiad o bedwar llew ar darian, sef arfbais tywysogion canoloesol Cymru. Bob ochr i'r darian, ac yn ei chynnal, y mae'r ddraig a'r llew, arwyddlun o'r cynheiliaid Tuduraidd. Llun gan Hedd ap Emlyn.

Llun agos o'r 'peithwydd', sef y ffyn, ar beithynen Taliesin o Eifion, gyda 'Chywydd Cofiant' Iolo Morganwg wedi'i gerfio arnynt yng ngwyddor y beirdd. Llun gan Hedd ap Emlyn.

Cwbl wahanol yw'r beithynen a gerfiwyd gan Daliesin o Eifion, eitem rhif 1983.59 yng nghasgliadau Plas Newydd. O ran maint, y mae'n fwy ac yn llawer trymach. Ei huchder yw: 645 mm a'i lled: 540 mm, ac y mae iddi 18 ffon (peithwydd). Y gwahaniaeth pennaf, fodd bynnag, yw'r gwaith cerfio cain sydd arni. Ar y pillwydd, y ddwy ffrâm neu fraich bob ochr i'r beithynen, cerfiwyd dail y dderwen, un o goed cysegredig y derwyddon. Ar frig y beithynen gwelir coron a tharian, ac ar y darian gerfiad o bedwar llew, sef arfbais tywysogion canoloesol Cymru. Bob ochr i'r darian ac yn ei chynnal y mae'r ddraig a'r llew – arwyddlun o'r cynheiliaid Tuduraidd. A'r cyfan wedi'i gerfio'n gelfydd: y cywydd cofiant i Iolo Morganwg yng ngwyddor y beirdd, y ffrâm a'r arwyddluniau ar y brig. Darn o gelfyddyd yn wir, ac er ei bod yn drymach ac yn fwy na'r beithynen fuddugol, fe ellid ei chario mewn seremonïau gorseddol. A fu i beithynen Taliesin, felly, gael cam?

Diddorol yw sylwi fod yr hyn a gerfiwyd ar frig y beithynen hon yn cyfateb yn union i'r hyn a gerfiwyd ar frig Cadair Ddu Eisteddfod Wrecsam, 1876, gan John Roberts, Llangollen. O gofio hyn, y mae rhai cwestiynau, ar eu hunion, yn procio'r meddwl. Ai cyd-ddigwyddiad yn gyfan gwbl oedd hyn? A fyddai Taleisin yn 1858 wedi gwybod am yr arwyddluniau oedd yn cynrychioli'r tywysogion canoloesol? Yr ateb? O gofio'i ddiddordeb mawr yn hanes Cymru: byddai. Er hynny, a allai fod wedi gofyn am gyfarwyddyd gan grefftwr proffesiynol, megis John Roberts? Gallai.

Dirgelwch y beithynen fawr hardd

Ond y mae rhagor o gwestiynau i'w gofyn, a heb fodd i'w hateb yn derfynol. Cwyd y cwestiynau hyn oherwydd i beithynen arall, trydedd beithynen, ddod i'r fei, a honno hefyd, fe ddywedir, yn cael ei chysylltu ag Eisteddfod Llangollen. Cyflwynwyd hi yn rhodd i Amgueddfa Werin Cymru, 10 Gorffennaf 1980. (Y rhif derbynodi yw F80.152.1.) Cyflwynwyd hi gan Mrs Marsia Gwynedd Rhys

Y beithynen fawr hardd sydd ar gadw yn Amgueddfa Werin Cymru. (AWC 80.152/1) (Yn gysylltiedig ag Eisteddfod Llangollen, 1858?) Llun gan Emyr Davies, Amgueddfa Werin Cymru.

Brig y beithynen sydd ar gadw yn Amgueddfa Werin Cymru.
Llun gan Emyr Davies.

Simpson, gynt o Lansanffraid Glynceiriog, ond a oedd yn byw ar y pryd yn Ninbych-y-pysgod. Bu'r beithynen ym meddiant ei mam, Ethel Hilda, priod y Parchg Ddr William Rhys Jones, 'Gwenith Gwyn', hynafiaethydd nodedig a gŵr oedd wedi ymddiddori'n fawr yn y beithynen.[43]

Os oedd Ab Ithel yn datgan fod y beithynen anfuddugol (sef eiddo Taliesin) yn Eisteddfod Llangollen yn rhy fawr, y mae'r beithynen arbennig hon, yn sicr, yn wir fawr. Ei huchder yw: 1090 mm. Ei lled: 600 mm. A'i dyfnder: 420 mm. Nifer y ffyn yw 23, yn cynnwys llythreniad o gywydd cofiant i Iolo Morganwg. Fel y gwelir oddi wrth y llun, y mae'r beithynen ar ffurf sgrin y gellir ei gosod o flaen tân. Ar y brig ceir cerfiad o ddau lew, un bob ochr i'r ffrâm, a gwelir un troed llew bob ochr ar waelod y beithynen. Y mae'n sefyll hefyd ychydig ar oledd, y brig yn gwyro mymryn at yn ôl, er mwyn ei gwneud yn haws i ddarllen y llythrennau yng ngwyddor y beirdd. Dyma ddodrefnyn eithriadol o hardd, gyda'r cerfio a'r llythrennu yn arbennig o gain.

Y mae'n amlwg fod gan y crefftwr a luniodd y beithynen hon wybodaeth fanwl am addasrwydd y gwahanol fathau o goed oedd orau i'w defnyddio ar gyfer creu gwrthrych cain o'r fath. Drwy garedigrwydd Emyr Davies, arbenigwr ym maes cadwraeth dodrefn yn Amgueddfa Werin Cymru, cafwyd disgrifiad manwl o wneuthuriad y beithynen. Y mae'r cefn o bren mahogani Honduras, pren sydd ychydig yn oleuach na mahogani Cuba a ddefnyddid mewn cyfnod cynharach. Pîn, neu binwydden, yw defnydd y ffrâm, sef y ddwy fraich ar yr ochrau, y pren ar y brig ar ffurf hanner lleuad, a gwaelod y beithynen, ynghyd â'r traed, ac eithrio'r cerfiad o draed llew. Ond gorchuddiwyd y pîn bron yn gyfan gwbl gan haen denau o bren llwyfen cnotiog (*veneer burr elm*). Deunydd y darn pren costus hwn (y '*burr*') yw'r clwmpyn neu lwmpyn sydd i'w ganfod weithiau ar risgl llwyfen glaf. Pan holltir y clwmpyn yn denau, yr effaith yw haen o bren cnotiog, hardd a 'chrogod' arno. Math o gancr yw'r clwmpyn hwn, a'r enw diddorol arno gan y diweddar Bob Gruff Jones, y saer coed galluog o Langwm, Uwchaled, yw 'traed cathod'.[44] Cerfiwyd y ddau lew ar frig y beithynen a'r traed llew ar ei gwaelod o bren ffawydden.

Mahogani ebonaidd yw defnydd y peithwydd, neu ffyn, y beithynen, ynghyd â'r stribed o bren ar y brig ble cerfiwyd y geiriau 'Cywydd Cofiant Iolo Morganwg'. Duwyd y ffyn a'r stribedyn ar y brig drwy staenio'r pren yn gyntaf, yna cymysgu lliw du (carbonaidd) gyda pholish Shellac a'i daenu'n ofalus ar y pren gan ddefnyddio clwtyn a gwlân. Pwrpas y duo oedd ei gwneud hi'n haws i ddarllen y llythrennau. Eto, er mwyn hwyluso'r darllen, gosodwyd haen o liain golau sidan y tu ôl i'r ffyn, er bod rhan uchaf y lliain hwn bellach wedi diflannu.[45]

Wrth gyflwyno'r beithynen hon i'r Amgueddfa Werin, dyma a

ddywedwyd wrthyf gan Mrs Marsia Simpson. Gwyddwn eisoes fod John Hughes (g. 1802), ei hen daid (tad Henry Hughes, tad Ethel Hilda, ei mam) yn frodor o Ddôl-y-wern, Dyffryn Ceiriog ac wedi symud i fyw i felin wlân Dolhiryd, Llangollen. Roedd yn hynafiaethydd arbennig iawn ac wedi cofnodi cruglwyth o lên a llafar ei fro.[46] Yn ôl ei or-wyres, roedd wedi cynnig y beithynen hardd hon yn wobr ar gyfer cystadleuaeth yn 'Eisteddfod Llangollen', 1858. Pa gystadleuaeth yn union, nid oedd yn siwr. Ai John Hughes ei hun oedd wedi llunio'r beithynen? Dyna'r dybiaeth, oherwydd yr oedd, fel melinydd, yn grefftus a deheuig â'i ddwylo.

Ond pa gystadleuaeth? Yn ôl y rhestr o'r cystadlaethau, nid oedd yr un yn cynnig peithynen fel gwobr. A fu i Marsia Simpson gymysgu gyda'r gystadleuaeth arbennig i lunio peithynen? A sut y daeth y beithynen yn ôl i feddiant John Hughes, ac wedi hynny ei ddisgynyddion? Erys y dirgelwch.

Un peth sy'n sicr, fodd bynnag. Os oes cwestiynau heb eu hateb parthed y beithynen hon, nid oes amheuaeth o gwbl ynglŷn ag 'Eisteddfod Fawr Llangollen': ni fu eisteddfod debyg iddi na chynt nac wedyn.

10

'O Steddfod i Steddfod ...': Canu Penillion, Annerch a Chystadlu

Y MAE'N LLED amlwg fod gan Daliesin o Eifion gryn ddiddordeb mewn cerddoriaeth. Ym mhennod 7, er enghraifft, yn y gân ble mae'r ddwy ferch o Gefn-mawr yn cyflwyno dau ddarlun cwbl wrthgyferbyniol o wŷr ifanc y pentref, gwelsom eisoes i'r awdur ychwanegu'r nodyn hwn ar derfyn y gerdd: 'Bwriedir hefyd iddi gael ei chanu ddiwrnod yr Eisteddfod gan ddwy fenyw.'[1] Yr un modd, cofiwn inni ym mhennod 8 fod yn trafod y ddwy gerdd 'Simon Llwyd y Foty' a'r 'Saer a'r Teiliwr', y naill i'w chanu ar alaw 'Wait for the Waggon', a'r llall ar alaw 'Yr Eneth Gadd ei Gwrthod'. Y mae ganddo hefyd dri englyn i groesawu 'Llyfr Tonau Ieuan Gwyllt', ac i ddiolch iddo am y 'môr o lafur';[2] un englyn a hir a thoddaid i Owen Jones (Telynor Seiriol); [3] a thri englyn i'r 'Delyn'.[4]

Ymddiddorai'n arbennig yn y delyn a cherdd dant, a meistrolodd y gelfyddyd o ganu penillion, neu, fel y dywedid ar adegau bryd hynny, 'dadganu penillion'. Nodwyd eisoes (pennod 9) ei fod yn cyd-feirniadu gyda Llew Llwyfo ac Eos Meirion y gystadleuaeth i'r 'canwr penillion goreu yn ôl dull Gogledd Cymru', yn Eisteddfod Llangollen, 1858.

Yn ôl yr adroddiad yn *Baner ac Amserau Cymru*, yr oedd 'Eisteddfod Fawreddog Rhosllannerchrugog', 25 Mehefin 1866, yn eisteddfod lwyddiannus iawn. Cymysgedd o gystadlaethau ac eitemau gan artistiaid yng nghyfarfodydd y bore a'r prynhawn, gyda chyngerdd yn y nos. Llew Llwyfo oedd y prif ddatgeiniad, yn ôl nifer y troeon y bu'n canu. Yn ystod cyfarfod y prynhawn, dyma un o'r perfformiadau a gafwyd, ynghyd â sylw'r gohebydd: 'Canu penillion gyda'r delyn: y Llew a Taliesin o Eifion. Y ddau yn wir feistrolgar.'[5]

Ceir hefyd beth tystiolaeth i Daliesin gystadlu ar ganu penillion. Eto yn *Baner ac Amserau Cymru*, 21 Awst 1867, ceir adroddiad am eisteddfod a gynhaliwyd 'ddydd Mawrth diweddaf o fewn muriau yr hen gastell' yn Y Fflint. Roedd lle i 2000 o bobl yn y babell, a honno 'wedi ei haddurno yn brydferth. Amryw o ddiarhebion Cymreig, etc. yma a thraw yn argraffedig oddi mewn ...' A dyma ddyfarniad un o'r cystadlaethau:

> 'Rhoddwyd gwobr gyfartal i Mr Price Roberts, Rhythyn a Mr Thomas [Jones] (Taliesin o Eifion) am ganu penillion.'

Yn yr un cyfnodolyn, dyddiedig 8 Gorffennaf 1874, ceir y nodyn a ganlyn yn rhan o'r adroddiad am Eisteddfod Gadeiriol Dyffryn Maelor.

> 'Cystadleuaeth mewn dadganu penillion gyda'r delyn. Taliesin o Eifion yn unig a ddaeth ymlaen a chafodd y wobr. Gwisgwyd ef gan Mrs Peter Brown, Rhyl.'

Annerch ar gân mewn eisteddfod a gorsedd

Yn *Baner ac Amserau Cymru* ceir adroddiad cryno am eisteddfod leol a gynhaliwyd yng Nghefn-mawr, 24, 26, Rhagfyr 1864. Yr oedd yr eisteddfod leol hon yn nodweddiadol, dybiwn i, o'r cannoedd o gyfarfodydd tebyg a gynhelid yn ystod y bedwaredd ganrif ar bymtheg a hanner cyntaf yr ugeinfed ganrif, fel arfer mewn capeli ac, ar brydiau, mewn eglwysi. Y maent wedi ffynnu hyd heddiw mewn rhai ardaloedd Cymraeg eu hiaith (megis Uwchaled a Phenllyn, yn y Gogledd). Gelwid y cyfarfodydd hyn wrth enwau megis: cyfarfod (cwarfod) cystadleuol, cyfarfod llenyddol, cyfarfod bach, cwrdd pishis, a band of hope. Enw arall oedd cylchwyl lenyddol. A dyma'r enw a roddid ar y cyfarfod yng Nghefn-mawr.

Mawr fu dylanwad diwylliannol cyfarfodydd o'r fath. Er na chawsant hyd yn hyn gymaint â hynny o sylw gan haneswyr cymdeithasol, yr oeddent yn bwysicach fyth hyd yn oed na'r eisteddfodau mwy eu maint fel cyfrwng i hyrwyddo a meithrin doniau lleol. Hynny oherwydd mai lleol oedd y prif bwyslais a'r cyfle yr oeddent yn ei gynnig. Plant, ieuenctid ac oedolion o'r ardal fyddai'n cystadlu, yn bennaf, nid cystadleuwyr mwy 'proffesiynol' oedd yn tueddu i 'fynd o steddfod i steddfod'.[6] Y mae gohebydd y gylchwyl lenyddol a gynhaliwyd yng Nghefn-mawr, Nadolig 1864, yn llwyr gydnabod gwerth y cylchwyliau hyn. Meddai ar derfyn ei adroddiad:

> 'Nid oes dwywaith nad ydynt yn gwneyd lles dirfawr. Magant chwaeth at lenyddiaeth yn y bobl ieuaingc. Cadwant ugeiniau ar y dydd hwn o'r tafarndai, ac y maent wedi dyfod erbyn hyn yn sefydliad yn yr ardal. Cynghorem y pwyllgor i feddwl yn brydlawn am destynau erbyn y nesaf.'[7]

Y mae'n sicr i Daliesin fynychu sawl cylchwyl, megis yr uchod, ac yr oedd yn bresennol yng nghylchwyl 24, 26, Rhagfyr 1864. Nid oes awgrym o gwbl iddo gystadlu nac annerch y tro hwn. Yn wir, y mae'r cyfeiriad ato ef a rhai o'i gyd-westeion hytrach yn ddychanol. Cyn dyfynnu'r sylwadau hyn, fodd bynnag, dyma beth sydd gan y gohebydd i'w ddweud ar ddechrau ei adroddiad:

> 'Cefnmawr. *Yr Eisteddfod.* Cynnaliwyd cylchwyl lenyddol Nadolig y lle uchod, yn nghapel y Bedyddwyr, nos Sadwrn a dydd Llun, Rhagfyr y 24ain a'r 26ain. Neillduwyd cyfarfod nos Sadwrn yn unig i gystadleuaeth mewn canu carolau. Rhoddwyd chwech o wobrwyon i'r goreuon. Yr oedd gwaith y cyfarfodydd dydd Llun yn fwy amrywiol, cynnhwysai ymgystadlu mewn canu, darllen, adrodd ac areithio, a darllen beirniadaethau traethodau a barddoniaeth ...

> Yr oedd yn bresennol ar y *platform*, ac nid yn cyfrannu ond ychydig o ddyddordeb at y cyfarfodydd, Iolo Trefaldwyn – bardd yr eisteddfod –; Eos Myllin; Penrhyn Fardd; Taliesin o Eifion; Meistri J Roberts, Merthyr; Seth Roberts, Brymbo; T Jones, gynt Nannerch; Joseph Roberts, Gwrecsam.'[8]

Fodd bynnag, onid oedd Taliesin wedi 'cyfrannu ond ychydig at ddyddordeb' y gylchwyl yng Nghefn-mawr, yr oedd ei gyfraniad, fel arfer, yn amlwg ddigon, naill ai ym myd y cystadlu, neu fel un o'r beirdd a fyddai'n annerch ar gân. Yn eisteddfodau'r bedwaredd ganrif ar bymtheg a dechrau'r ugeinfed ganrif roedd cyfle aml i'r bardd gyflwyno ei anerchiad barddol, fel rhan annatod o seremonïau'r Orsedd, neu oddi ar lwyfan eisteddfod rhwng cystadlaethau.

Drych o fwrlwm barddol yr eisteddfodau

Gwnaed hynny droeon gan y bardd o Langollen ac, yn ffodus, fe ddiogelwyd rhai o'r anerchiadau barddol hyn a'u cyhoeddi flynyddoedd wedi hynny yn y gyfrol *Gweithiau Taliesin*. Byrfyfyr yw naws y mwyafrif o'r cynhyrchion, ac nid oes iddynt werth llenyddol parhaol. Eto i gyd, y maent yn ddrych o'r bwrlwm barddol a oedd yn rhan mor amlwg o eisteddfodau'r bedwaredd ganrif ar bymtheg a hanner cyntaf yr ugeinfed ganrif.

Y mae gan Daliesin un englyn ag iddo'r pennawd 'Anerchiad Eisteddfod' sy'n werth ei ddyfynnu oherwydd ei fod yn mynegi'n groyw iawn hoffter y Cymry o eisteddfodau:

> Mae'n wir fod Sais yn mwynhau – yr adeg
> Y rhedir ceffylau,
> Ond Brython gloywon yn glau
> Ydynt am eisteddfodau.[9]

Ni wyddom ym mha eisteddfod y cyflwynwyd yr englyn uchod. Yn yr enghreifftiau a ganlyn, fodd bynnag, fe nododd y bardd enw'r eisteddfod a'r flwyddyn. Fel is-bennawd i'w ddau englyn ar y testun

'Manceinion', fe ychwanegodd y geiriau 'Byrfyfyr, buddugol yng Ngyfarfod y Beirdd, Eisteddfod Llangollen, 1858'.[10] 'Ar Agoriad Eisteddfod Gwrecsam, Mai 2il, 1859', fe gyflwynodd bum englyn yn 'fyrfyfyr', a phob englyn yn mynegi ei obaith fod yr iaith a'r diwylliant Cymraeg yn ffynnu. Dyma'r trydydd a'r pedwerydd englyn:

> Ciliodd effaith Clawdd Offa, – byw y'm ni,
> Byw, mae'n hiaith yn para;
> A'n hawen fyw ni wywa,
> A byw'n wir, er pawb a wna.
>
> Boed brodyr a gwŷr na fyn gam – iddi
> Yn nawdd rhag pob dryglam;
> Na wêl fynd o'r annwyl fam
> Ar *auction* fyth yng Ngwrecsam.[11]

Eisteddfod Genedlaethol Cymru, Aberystwyth, 1865. O'r *Illustrated London News*, 21. x. 1865, t. 293.

O'r 4ydd i'r 7fed o Fedi 1866 cynhaliwyd yr Eisteddfod Genedlaethol yng Nghaer, a cheir adroddiad manwl yn *Baner ac Amserau Cymru*, fesul diwrnod. Agorwyd yr Eisteddfod am ddeg o'r gloch gan yr Orsedd. Darllenwyd y proclamasiwn, 'y Gwir yn Erbyn y Byd ...', yn Gymraeg a Saesneg. Yna, yr un modd eto, darllenwyd Gweddi'r Orsedd yn y ddwy iaith. Yn dilyn hyn:

> 'Traddodwyd anerchiadau gan Mr Owen Williams, Waenfawr; Clwydfardd; Meilir; Iolo Trefaldwyn; Taliesin o Eifion; Caswallon; Jabes Maldwyn; Penbryn; Glwysfryn, ac ereill.'[12]

Nodyn eto o obaith sydd gan Daliesin yn yr hir a thoddaid a gyflwynwyd ganddo ef: 'Anerchiad yr Orsedd yng Nghaerlleon ar Ddyfrdwy'. Bydd chwalfa fawr ar drefn natur:

> 'Y lloer a wywa, tywylla'r huan,
> Y Nef a rwygir fel llen frau, egwan,
> Cyn pallu o Gymru gân ...'[13]

Nid amhriodol yn y fan hon yw cymharu neges optimistaidd Taliesin ynglŷn â Chymru â neges ganolog y ddau anerchiad a gafwyd ar ddiwrnod cyntaf Eisteddfod Caer. Llywydd y diwrnod hwnnw oedd Syr Watkin Williams Wynn, Barwnig ac AS. Gofidiai na fu modd i Dywysog Cymru ddod i'r Eisteddfod. Yna ychwanegodd:

> 'Yr oeddynt oll yn dra hoff o'u hiaith, ac yn dra hoff o'u harferion; ond nid efe [Tywysog Cymru] yw un o'r rhai hynny a ddywedai, am fod ganddynt un iaith, na ddylent ymdrechu dysgu pob iaith arall a allant ... nid yn unig iaith Lloegr ond ieithoedd gwledydd ereill hefyd (clywch, clywch). Yr oedd efe yn gobeithio, pa fodd bynnag, na byddai iddynt byth anghofio eu hen iaith eu hunain – (cymeradwyaeth) ...'[14]

Araith Talhaiarn, y bardd, y pensaer a'r Prydeiniwr; 'anerchiad grymus a doniol' yr 'hybarch Glwydfardd'; a dau fyd Taliesin o Eifion

Wedi araith Syr Watkin, cafwyd anerchiadau gan y beirdd, a chân 'genhedlaethol' yn dilyn hynny gan Llew Llwyfo. Yna, ail anerchiad y dydd, y tro hwn gan Talhaiarn. Cyfeiriwyd eisoes (pennod 7) fel yr oedd agwedd Taliesin o Eifion at wladgarwch yn nodweddiadol o agwedd y mwyafrif o Gymry llengar Oes Fictoria. Ffyddlon i Gymru, ie; ond teyrngar hefyd i Brydain. O'r beirdd Cymraeg, un o'r rhai mwyaf Sais-addolgar oedd John Jones, 'Talhaiarn' (1810-70), y pensaer galluog o bentref Llanfair Talhaearn, sir Ddinbych. Cafodd gyfle euraid yn Eisteddfod Caer i fynegi ei ddaliadau gwleidyddol, gan ragdybio y byddai mwyafrif y gynulleidfa yn cytuno ag ef. Dechreuodd drwy sôn am yr 'hen amseroedd' pan oedd ymrafael cyson rhwng y Cymry a'r Saeson yng nghyffiniau Caer, ac meddai:

> '... Yr oedd llanw coch rhyfel yn arfer llifeirio o byrth y ddinas hynafol hon i lannau y Gonwy, ac oddi yno drachefn llifai yn ôl yr un mor gryf ... Diolch i Dduw! y mae'r amseroedd hynny wedi myned heibio, byth i ddychwelyd mwy (cymeradwyaeth). Yr ydym yn awr i bob amcan a phwrpas fel un genedl – (clywch, clywch). Yr ydym yn cael ein llywodraethu gan yr un frenhines, yn ddeiliaid yr un cyfreithiau, ac yn mwynhau yr un hawliau a breintiau â'r genedl fawr Saesnig – (clywch, clywch). Gan hynny, yr ydym ni, Gymry y dydd hwn, wedi goresgyn cymydogaeth eich dinas hynafol – nid â thân a chleddyf ond â changen olewydden heddwch ...'[15]

Yr oedd gan Dalhaiarn ei farn bendant hefyd am un agwedd arall a ddaeth yn bwysig iawn i laweroedd o Gymry Oes Fictoria, a Chymry'r Eisteddfod Genedlaethol yn eu plith, gan gynnwys Taliesin o Eifion, agwedd oedd yn cael ei chrisialu mewn un gair, sef 'cynnydd'. Meddai Talhaiarn yn ail ran ei araith:

> 'Yr ydym, i ryw raddau, wedi cael gwared o'n hen ragfarnau, ac yr ydym yn dymuno ar i'n sefydliad cenedlaethol [yr Eisteddfod] fod yn gydnaws ag ysbryd yr oes ac ag ysbryd cynnydd - (clywch, clywch). Y mae'r byd yn myned yn ei flaen yn barhaus, ac y mae'n rhaid i ninnau gamu yn mlaen, neu ynte fe'n methrir yn y llaid - (clywch, clywch) ... Nyni a gawsom ein sefydliad cenedlaethol fel hen Dderwydd hybarch wedi ei orchuddio ag eiddew a mwsogl. Yr ydym wedi symud ymaith yr eiddew a'r mwsogl; ac wedi adferu, neu, yn hytrach, ail adeiladu, ein sefydliad yn unol ag ysbryd yr oes ac ag ysbryd cynnydd.'[16]

Eisteddfod arall y bu Taliesin yn annerch ynddi oedd Eisteddfod Môn, Llannerch-y-medd. Meddai am yr Ynys mewn cerdd yn cynnwys un englyn toddaid; un pennill toddaid, un llinell ar ddeg; ac un hir a thoddaid:

> Ynys y Delyn, ynys y dolydd.
> Ynys y Cedyrn, ynys y coedydd,
> Ynys y Llew, ac ynys y llwydd ...[17]

(Y 'Llew' yw Llew Llwyfo, brodor o bentref Pen-sarn, Llanwenllwyfo, Môn.)

Y mae un eisteddfod arall y dylid cyfeirio ati lle bu Taliesin yn annerch, sef Eisteddfod Gadeiriol Dyffryn Maelor a gynhaliwyd yng Nghoed-poeth, ger Wrecsam, dydd Mawrth hyd ddydd Iau, 30 Mehefin, 1 a 2 Gorffennaf, 1874. Pwy bynnag ydoedd gohebydd *Baner ac Amserau Cymru* a roes adroddiad am yr eisteddfod hon, yr oedd ganddo un sylw annisgwyl iawn i'w wneud wrth ddisgrifio gweithgareddau'r Orsedd:

> 'Canfyddem yn yr Orsedd y beirdd a ganlyn, pa rai oedd yn edrych yn ddigon digalon, sef Clwydfardd; Tan y marian; Taliesin o Eifion; Parch J Cadvan Davies, Coed-poeth; Penrhynfardd; Eilir Aled, etc.'[18]

Ond wedi'r sylw cellweirus hwn, y mae'r gohebydd yn mynd rhagddo i ychwanegu:

> 'Yna galwyd am anerchiadau barddonol gan y beirdd pryd y daeth y rhai canlynol ymlaen i annerch y dorf: sef Mr John Edwards, Coed-poeth; Eilir Aled; Taliesin o Eifion; Clwydfardd; Penrhyn-fardd, a Cadfan.'[19]

Yn dilyn yr anerchiadau hyn ar gân, cafwyd 'anerchiad grymus a doniol dros ben gan yr hybarch Clwydfardd ar yr Eisteddfod fel sefydliad'. Roedd ef yn un o'r tri arweinydd yn Eisteddfod Dyffryn Maelor (Mynyddog a Thanymarian oedd y ddau arall.)

> 'Dywedai mai efe [yr Eisteddfod] yw sefydliad hynaf yn y byd, a'i fod yn dal ei dir, pan y mae cannoedd o sefydliadau eraill wedi [eu] colli mewn ebargofiant tragwyddol. Dywedai am yr iaith Gymraeg fod pobl yn sôn am ei dileu a'i marw hi, ond nid oedd efe etto wedi clywed ei bod yn sâl. "Marw, wir", meddai, "na fydd hi ddim marw, y mae hi mor fyw heddyw ag erioed. Y mae yr hen Gymraeg yn fyw hyd yn oed yng nghoedwigoedd mawrion America." Aeth yr hen frawd ymlaen yn ddoniol anghyffredin.[20]

Brodor o Ddinbych oedd David Griffith, 'Clwydfardd' (1800-94). Wrth ei grefft yr oedd, fel ei dad, yn oriadurwr ac yn wneuthurwr clociau. Yr oedd hefyd yn bregethwr lleyg gyda'r Wesleaid. Bu'n llywyddu gorseddau'r Eisteddfod yn achlysurol o'r flwyddyn 1835 hyd ei farw. Yn Eisteddfod Genedlaethol Wrecsam, 'Eisteddfod y Gadair Ddu', rhoed iddo'r teitl 'Archdderwydd'. Ef, felly, oedd archdderwydd swyddogol cyntaf yr Eisteddfod Genedlaethol, er na ddefnyddid y teitl yn gyhoeddus hyd 1888 pan fu farw Myfyr Morganwg, y gŵr, a defnyddio disgrifiad y Dr Geraint Bowen ohono, oedd wedi 'ymorchestu yn y teitl Archdderwydd Ynys Prydain'.[21] Oherwydd ei wasanaeth maith a ffyddlon i'r Orsedd am dros drigain mlynedd, cyfeirid at Glwydfardd fel 'Tad y Beirdd'.

Ag yntau'n gefnogwr mor frwd ei hunan i'r Orsedd a'r eisteddfod,

Beirdd a selogion Eisteddfod Genedlaethol Rhuthun, 1868, ger muriau Castell Rhuthun. Rhes flaen, o'r chwith: Llew Llwyfo; y Parchg John Griffiths; Thomas Gee; Hugh Owen; John Rhŷs; Gwalchmai; ? . Ail res, o'r chwith: ? ; ? ; Nefydd; Hwfa Môn; Clwydfardd; Taliesin o Eifion; John Griffith, 'Y Gohebydd'. (Pwy yw'r person mewn barf ddu sydd yn union y tu ôl i'r Gohebydd? A phwy yw'r person mewn barf wen, laes, sydd yn ei ymyl? Yn y drydedd res, ar y chwith eithaf: Idris Fychan; yr ail o'r dde yn yr un rhes: Ceiriog; yn ei ymyl, ar y dde eithaf: Creuddynfab. Llun gan John Thomas (1838-1905), o gasgliad Llyfrgell Genedlaethol Cymru.

byddai Taliesin o Eifion, mae'n bur sicr, yn un o'r beirdd a fyddai wedi cael llawer o gwmni'r gorseddwr a'r oriadurwr difyr o Ddinbych. Dyma ddau fyd Thomas Jones. Byd Taliesin, y paentiwr, y papurwr, y gwydrwr a'r crefftwr coed di-goleg, hunan-ddysgedig, o wlad Eifion a Dyffryn Llangollen. A byd Gorsedd ac eisteddfod; byd plant, ieuenctid ac oedolion yn cystadlu; byd beirdd yn cyfarch ar gân; a byd pobl fel Clwydfardd, Talhaiarn a Syr Watkin yn annerch. Byd mor wahanol i fyd y paent a'r brwsh, y cŷn a'r morthwyl. Ac eto, y ddau fyd: byd gwaith a bywyd bob dydd, byd y bobl a'r gymdeithas yn Llangollen a'r cylch, a byd Gorsedd ac eisteddfod, cylchwyl a chyngerdd, hwnt ac yma yng Nghymru, yn arbennig yn y Gogledd – y ddau fyd yn destun cân ac yn ysbrydoli cân.

Ac fe ellid ychwanegu: byd y cantata. Yn *Gweithiau Taliesin o Eifion* cyhoeddwyd pedwar englyn ar y pennawd: 'Y Cantata yn Llangollen (Byrfyfyr)'.[22] Ymhlith casgliad llawysgrifau'r bardd yn y Llyfrgell Genedlaethol ceir toriad papur newydd, heb enwi'r papur na dyddiad, ond sy'n ychwanegu gwybodaeth ddiddorol a gwerthfawr am gefndir y cyflwyniad arbennig hwn.

> 'Nos Iau, cynnaliwyd cyngherdd yn nghapel yr Annibynwyr [Capel Glanrafon, Llangollen] gan y "Llangollen Choral Union", yn cael eu cynnorthwyo gan Owain Alaw gyda'r *Harmonium*. Cynnwysai y rhan gyntaf rannau o Handel, Mozart, a Haydn. Yn y cyfwng cyn dechreu y "Cantata" galwyd ar Ohebydd Llundain [John Griffith (1821-77)] (yr hwn oedd yn digwydd bod yn y dref) i roddi deng munyd o anerchiad. Cymmerodd yn destyn – y "Cantata", ystyr y gair, ei hanes, ei hawdwyr, ei beirniaid, ac eglurodd y gwahanol *characters* yn y ddrama ...
>
> Yr oedd y capel yn orlawn, a rhoddodd y cyngerdd drwyddi, yn enwedig y "Cantata", foddlonrwydd neillduol i'r gynnulleidfa. Yr oedd yr elw i fyned at dalu am yr *harmonium* sydd newydd ei chael i'r capel, yr hon yn ddiau sydd yn welliant mawr i'r canu.
>
> Daeth Taliesin o Eifion ymlaen, ac adroddodd yr englynion canlynol [Dyfynnir y ddau englyn cyntaf]':
>
> Dyma gôr, pwy ragora – heddyw ar
> Gerddorion hen Walia;
> Doent i'r wyneb, does neb wna
> Ganu twtiach Gantata.
>
> Owain Alaw anwylaidd – yw'r enwog
> Arweinydd poblogaidd;
> Yn fwyn trwy fy enaid traidd
> Ei sain felus nefolaidd.'[23]

O Eisteddfod Llanfachraeth ym Môn i Eisteddfod Pen-y-cae, ger Rhosllannerchrugog; o Eisteddfod y Nadolig y Gordofigion yn Lerpwl i'r fenter o bortreadu'r Bardd Cocos ar lwyfan

Wrth fwrw cipolwg ar farddoniaeth Taliesin o Eifion (yn arbennig ym mhenodau 6 a 7) fe nodwyd eisoes, pan oedd hynny'n bosibl, pa gerddi a fu mewn cystadleuaeth, neu pa gerddi a fu'n fuddugol. Dibynnwyd yn bennaf ar wybodaeth a gafwyd o'r gyfrol *Gweithiau Taliesin o Eifion*. Ambell dro, fodd bynnag, y mae ar gael hefyd adroddiadau yn y wasg sy'n cynnwys gwybodaeth bellach am rai o gerddi arobryn yr awdur ac, ar yr un pryd, yn rhoi disgrifiad gwerthfawr inni o'r eisteddfod ei hun.

Un enghraifft o hynny yw'r eisteddfod lwyddiannus a gynhaliwyd yn Llanfachraeth, Môn, ar y Sulgwyn, 1855. Meddai gohebydd yn *The North Wales Chronicle* (Bangor) o dan y pennawd 'Machraeth Eisteddfod', gan ein hatgoffa unwaith eto o bwysigrwydd y trên wrth ystyried llwyddiannau rhai o eisteddfodau ail hanner y bedwaredd ganrif ar bymtheg:

> 'We are happy to record the successful gathering of the bards and literati of Wales on Whit Sunday last at the above quiet & secluded little village of Llanfachraeth being but two miles distant from the Valley Station on the Chester and Holyhead railway, hundreds of people along the line availed themselves of the opportunity afforded them to be present ...
>
> At about 9 o'clock in the morning, the members of the Committee, Bards, Literati, & other friends of the Eisteddfod, assembled before the Holland Arms Inn, and soon afterwards proceeded in two and two towards Maes Aelhaiarn Hir, where a Bardic Circle was formed on an elevated spot, & the following proclamation was read in Welsh by the Rev. R Parry, Conway (Gwalchmai ap Meilyr), and translated into English by the Rev. Hugh Owen (Meilyr), Llannerch-y-medd: "The Truth Against the World".'[24]

Yn dilyn, ceir disgrifiad manwl o weddill y ddefod agoriadol, gan gynnwys urddo beirdd, a Chlwydfardd yn galw ar feirdd eraill oedd yn bresennol i gyfarch. Wedyn, adroddiad manwl o anerchiad maith yn Saesneg gan 'H Beaver Davies, Holyhead': 'an English oration' ar y testun: 'The Rights and Privileges of the Bards of the Isle of Britain'. Yna rhestr o enillwyr y cystadlaethau barddol, a Gwalchmai yn beirniadu, gan gynnwys y manylion hyn:

> 'A prize of £1 and a Silver Medal was awarded to the one signed "Huw Morris" for the "Hir a Thoddaid i'r Fuwch", who appeared to be Mr Thomas Jones (Taliesin o Eifion), Llangollen, who was represented by Robyn Wyn, and was invested by Miss Williams.'[25]

Hwfa Môn oedd enillydd y gadair am ei awdl 'Y Bardd'.

Cyn diwedd yr adroddiad manwl a gwerthfawr hwn, y mae'r gohebydd hefyd yn cyflwyno cynnwys araith Clwydfardd ar un o'i hoff destunau, bid siŵr, sef gwerth yr eisteddfod fel sefydliad cenedlaethol o'r pwys mwyaf – 'a national institution ... worthy of preservation ...'

> '... calculated to foster and encourage native talent, ond one which had been transmitted to them by their forefathers as a sacred trust.'[26]

O adael un cyfnodolyn Saesneg poblogaidd a throi at gyfnodolyn Cymraeg poblogaidd, afraid dweud bod *Baner ac Amserau Cymru*, megis cyfnodolion Cymraeg eraill, wedi cyflawni cymwynasau dirifedi yn cyhoeddi adroddiadau manwl yn ymwneud â chant a mil o gymdeithasau, sefydliadau a digwyddiadau yn ystod y bedwaredd ganrif ar bymtheg, fel yn yr ugeinfed ganrif. Ymhlith yr erthyglau a'r ysgrifau, y mae, wrth gwrs, gruglwyth o adroddiadau gwerthfawr am eisteddfodau Cymru – mawr a mân. Yn rhifyn wythnos 19 Medi 1866, er enghraifft, ceir adroddiad am Eisteddfod Pen-y-cae, ger Rhosllannerchrugog. Ond y mae'r adroddiad hwn yn cynnwys cyfeiriad byr hefyd at Eisteddfod Genedlaethol Caer, 1866, yn ogystal â'r cyfeiriad at fuddugoliaeth Taliesin yng nghystadleuaeth yr englyn yn Eisteddfod Pen-y-cae:

Wyneb-ddalen 'Awdl y Môr', gan Daliesin o Eifion, yn arddangos ei ddawn fel arlunydd. (Llsg LlGC 9617 C)

> 'Nos Fawrth diweddaf, cynhaliwyd y cyfarfod uchod, ac er fod yr hin yn ystormus, cafwyd Cynulliad rhagorol. Y cadeirydd oedd Mr Evan Jones, Pen-y-cae ... Deallwn mai enillwr y wobr am y ddau englyn goreu i Mr Evan Jones oedd Mr Thomas Jones (Taliesin o Eifion), yr hwn a fu mor agos i ennill y gadair yn Eisteddfod Caer.'[27]

Cofiwn mai ei awdl ar y testun 'Y Môr' oedd hon.

Cyfeiriwyd eisoes (pennod 7) at gerdd rydd, a elwid gan Daliesin yn 'ddyri', ar y testun 'Cynfrig Hir yn Achub Gruffydd ab Cynan o Garchar Caer'. Ceir gair o ganmoliaeth i'r ddyri hon mewn erthygl yn *Y Goleuad*, 18 Ionawr 1873. Yr awdur yw un sy'n ei alw ei hun yn 'Syr Hywel y Fwyall' a thestun ei lith hynod o ddiddorol yw 'Yr Hyn a Welais ac a Glywais yn Lerpwl'. Dyma ddau ddyfyniad yn ymwneud ag eisteddfod arbennig a gynhaliwyd ar ddydd Nadolig:

> 'Cynhauaf toreithiog iawn gafodd y Gordofigion eleni eto. Cynhaliasant eu heisteddfod yn y Concert Hall ar ddydd Nadolig. Yr oedd

> canmoliaeth uchel iawn i rai cynyrchion meddyliol yno, yn enwedig felly i'r awdl fuddugol gan Dafydd Morganwg ar 'Henaint'. Dywedai y beirniaid fod mor rwydd i'r Dafydd hwn farddoni ag ydyw i bysgodyn nofio yn y llyn. Y traethodau ar 'Gydwybod' gan Cranogwen a'r Parch. H. Hughes, Llangefni, hefyd a dderbyniasant gymeradwyaeth uchel iawn, yr un modd y 'Ddyri' gan Taliesin o Eifion.'[28]

Doniol iawn i ni heddiw yw'r cofnod yn yr ail ddyfyniad. Eto y mae'n ymwneud â'r un eisteddfod, ond yn ymwneud hefyd y tro hwn â'r cymeriad difyr hwnnw, John Evans, 'Y Bardd Cocos' (1826-88), o Borthaethwy, Môn. Fe sylwn yn arbennig ar safbwynt Syr Hywel y Fwyall, yr awdur. Y mae'n cynrychioli safbwynt cymaint o Gymry'r bedwaredd ganrif ar bymtheg. Gwrthwynebai weithred y gŵr a fentrodd bortreadu'r Bardd Cocos yn gyhoeddus ar lwyfan, oherwydd i'r gŵr hwnnw anghofio pwysigrwydd un o eiriau canolog Oes Fictoria, sef 'gweddustra'. Yr oedd wedi torri un o reolau aur y cyfnod: 'Chwi Gymry, ymhob dim byddwch weddus, yn enwedig yng ngwydd Saeson.' Yn dilyn, dyma union eiriau'r gohebydd, gan ddefnyddio yn ei frawddeg gyntaf eiriau na chlywn mohonynt ond yn anaml bellach sef 'maes medion daear'.

> 'Nis gwyddom ar faes medion daear pa ddaioni a ddisgwylia y Gordofigion ddeilliaw o'u gwaith yn gadael i'w hesgynlawr gael ei halogi gan y bardd cocos and Co. Yn sicr yr oeddym yn gwrido wrth weled boneddwr a adwaenem yn dda yn myned mor isel a cheisio dynwared y cocosyn druan, buasem yn haner maddeu i'w fawrhydi cocosaidd ei hunan; yr oedd yr iaith a ddefnyddiwyd yn isel a dichwaeth i'r eithaf, a'r wisg yn debycach i fwgan brain na dim a welsom er's misoedd. Gwyddom i bwyllgor Eisteddfod Madog sefyll yn erbyn pob cocosyn a allai ymgynyg am yr anrhydedd o'u hanerch. Pa faint mwy y dylasai pwyllgor Eisteddfod Lerpwl wneyd hyny; Heblaw y disgwylir i Gymry Lerpwl feddu gwell chwaeth a dweyd y lleiaf na phreswylwyr y mynyddoedd, buasem yn tybio y buasai y syniad y byddai ugeiniau o Saeson yn bresenol, pa rai sydd mor hoff o'n gwawdio, yn rhoddi terfyn ar bob ffwlbri felly.'[29]

'Taliesin dan y tlysau': cystadlu ac ennill medalau

Hyd y gwyddom, un gadair yn unig a enillwyd gan Daliesin o Eifion, sef y 'Gadair Ddu', ond fe enillodd amryw byd o dlysau neu fedalau. O'r tlysau hyn, dwy fedal arian (ond nid arian pur) yn unig sydd wedi goroesi, ac y maent yn eiddo i ddisgynnydd i'r bardd ar ochr ei thad.[30] Ni wyddom ym mha gystadlaethau yr enillwyd y medalau.

Tlws a enillwyd gan Daliesin o Eifion yn Eisteddfod Y Fflint, 1865. Drwy garedigrwydd Elizabeth Bowen Roberts, Llangollen. Lluniau gan Nia Eleri Gwyndaf.

Tlws a enillwyd gan Daliesin o Eifion yn Eisteddfod Gadeiriol Eryri, Dyffryn Madog, 1872. Drwy garedigrwydd Elizabeth Bowen Roberts. Lluniau gan Nia Eleri Gwyndaf.

Y mae un o'r medalau yn mesur 57 mm ar draws ac yn cynnwys y geiriau: 'Flint Eisteddfod 1865', ynghyd â choron a thair pluen Tywysog Cymru. Ar ochr arall i'r fedal hon ceir enw Taliesin o Eifion a'r flwyddyn 1865, ynghyd â dail yr uchelwydd.

Y mae'r ail fedal fymryn yn llai, yn mesur 50 mm ar draws, ac yn cynnwys ar un ochr y geiriad: 'Taliesin o Eifion, Eisteddfod Gadeiriol Eryri, Dyffryn Madog, 1872'. Ar ei brig ceir y goron a'r tair pluen ac arwyddlun y genhinen. Yn ochr arall i'r fedal gwelir tarian a thri llew, a bob ochr i'r darian ddail y dderwen a dail yr uchelwydd.

Y mae'n sicr i Daliesin gael boddhad mawr o ennill y medalau hyn, a phetai wedi cael byw byddai ennill cadair yr Eisteddfod Genedlaethol wedi bod iddo yn uchafbwynt ei yrfa gystadleuol. Wedi ennill y tlysau, yr oedd bri ar eu harddangos mewn eisteddfod ac yng nghyfarfodydd yr Orsedd. Yn hyn o beth, dybiwn i, nid oedd Taliesin yn wahanol i eraill o feirdd yr oes honno, fel y nodir gan Geraint a Zonia Bowen. Y mae'r dyfyniad a ganlyn o'u heiddo yn cynnwys hefyd sylw dychanol gan y bardd a'r gof, John Williams, 'Ioan Madog' (1812-78). Er iddo ef gael ei eni yn y Bontnewydd, ger Rhiwabon, a'i fagu yno yn blentyn, dychwelodd wedyn i hen fro y teulu yn Nhremadog.

> 'Er mai blêr oedd yr urddwisgoedd, nid oedd y beirdd yn amharod i'w haddurno eu hunain, os oedd ganddynt dlysau Eisteddfodol teilwng. Gwnaent hynny'n gyson. Gwelwyd beirdd pwysicaf Cymru yn Eisteddfod Pwllheli (1875), ac yn eu plith, Hwfa Môn, Ioan Madog, Tudno a Taliesin o Eifion yn gwneud hynny. Mae Hwfa Môn yn ei atgofion (gw. *Gwaith Ioan Madog* (1881)) yn dweud:
>
> "Yn Eisteddfod Pwllheli yn y flwyddyn 1875 y cyfarfyddais ef (Ioan Madog) ddiweddaf. Pan oedd ef a mineu yn aros i gychwyn i'r orymdaith fore diwrnod y Gadair, - pwy oedd yn sefyll yr ochr arall i'r heol ond 'Taliesin o Eifion', yr hwn oedd yn cario ei holl dlysau ar ei fynwes; ac yn yr olwg arno, dywedodd Ioan yn fy nghlust -
>
> Gwelwch, chwyddfron gawlfron gau
> Taliesin dan y tlysau." '[31]

Cystadlu – a chystadlu mewn cystudd hyd y diwedd

Eisteddfod Genedlaethol Pwllheli, 1875, a Thaliesin yno gyda'i dlysau yng nghwmni'i gyfeillion barddol. Ond os oedd hynny'n rhoi llawer iawn o foddhad iddo, mae'n sicr, nid felly ei iechyd. Erbyn hyn, a dyfynnu eto eiriau ei fab, John Llewelyn, yr oedd yn 'dioddef dirdyniadau y Rheumatic Gout', y droedwst. Pan oedd yn cyfansoddi'r englynion 'Oriau Olaf Iesu Grist' yn 1874, ni allai 'symud bys', a'i 'chwaer a osododd bob llythyren ar bapur drosto'.[32]

Oherwydd ei gystudd, mae'n dra thebyg na allai adael y tŷ a dal ati gyda'i waith o ddydd i ddydd. Ai dyna, tybed, un rheswm paham iddo gyfansoddi cymaint o gerddi, nifer ohonynt yn gerddi hirion, yn ystod y blynyddoedd hyn o afiechyd?

1872 'Brwydr Crogen'. Drama fydryddol fuddugol. Eisteddfod Genedlaethol Porthmadog.[33]

1873 'Cynfrig Hir yn Achub Gruffydd ab Cynan o Garchar Caer'. Dyri. Buddugol yn Eisteddfod y Nadolig y Gordofigion, Lerpwl.[34]

1874 'Oriau Olaf Iesu Grist'. Englynion.[35]

'Jonathan Brown, Diacon yng Nghapel Seion, Cefn-mawr'. Marwnad. Eisteddfod y Nadolig, Cefn-mawr.[36]

'Afon Dyfrdwyf'. Pryddest. Buddugol yn Eisteddfod y Nadolig, Cefn-mawr.[37]

1875 'Stephan ac Alfardd' [Thomas Stephens, 1821-75, a John James Hughes, 1842-75?]. Dau englyn coffa.[38]

'Prydferthwch'. Awdl. 'Bu "Y Prydferth a'r Addurnol" yn destun cadair tua'r flwyddyn 1875. Dechreuodd Taliesin gyfansoddi, ond ni chyflawnodd y gwaith.'[39]

'Yr Efengyl'. Pryddest. Buddugol yn Eisteddfod Treherbert, Nadolig, 1875. Ar derfyn y bryddest ychwanegodd Taliesin y nodyn hwn: 'Yn fwriadol y gadawyd allan y pleser o enweirio yn yr afon, am fod hynny wedi ei gyfyngu i ddwylaw gormesol ceidwadwyr Pysgodfeydd yr Afon Ddyfrdwy.'[40]

1876 'Helen Llwyddawg'. 'Awdl y "Gadair Ddu" yn Eisteddfod Gwrecsam, 1876.'[41]

A ninnau wedi bod yn trafod bardd a dreuliodd gymaint o'i oes yn mynychu eisteddfodau ac yn cystadlu mewn eisteddfodau, addas iawn fydd dod â'r bennod hon i ben drwy ddyfynnu'r pennill cyntaf o'i gerdd, 'Cân yr Eisteddfod'. Pedwar pennill sydd i'r gân hon, i'w canu ar y dôn 'Glan Medd-dod Mwyn', a phob pennill yn ailadrodd y tair llinell olaf:

Hen Gymru, bydd lawen a'r awen a'r hwyl,
Daeth dydd dy eisteddfod yn hynod hoff ŵyl;
I'r Deau a'r Gogledd mor annwyl yw'r gwaith
O goethi a chadw yn fyw yr hen iaith.
Pan fydd Dic Shôn Dafydd yn isel ei wedd,
Y delyn a'r awen hiroesant mewn hedd,
A chanant benillion Cymraeg ar ei fedd.[42]

11

'Ffarwel Tal ...' Awdl Olaf Taliesin a Marwolaeth y Bardd

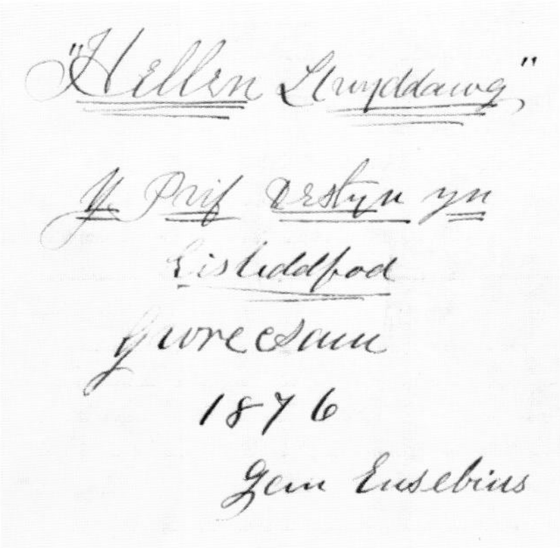
"Hellen Llwyddawg"

Y Prif Destyn yn
Eisteddfod
Gwrecsam
1876
Gan Eusebius

Pennawd awdl fuddugol Taliesin o Eifion yn Eisteddfod Wrecsam, 1876. Sylwer ar y sillafiad 'Hellen…' (Llsg LlGC 9618 D)

Yn 1876 cynhaliwyd yr Eisteddfod Genedlaethol yn Wrecsam (neu Gwrecsam, fel y cyfeirid at y dref yn aml bryd hynny), tref oedd, wrth gwrs, yn agos iawn at Langollen, cartref Taliesin o Eifion. Ac yntau yn ymhoffi gymaint mewn hen hanes, yr oedd testun yr awdl, 'Helen neu Elen Llwyddawg', yng nghystadleuaeth y gadair, yn apelio'n fawr ato, ac aeth yntau ati yn ddiymdroi i gyfansoddi.[1] Cyn rhoi amcan i'r darllenwyr o gefndir yr hanes a chynnwys yr awdl, fodd bynnag, dyma sylw byr am yr ansoddair 'lluyddog', gair nad yw bellach yn cael ei ddefnyddio yn naturiol mewn sgwrs nac, yn sicr, 'llwyddawg', un o eiriau'r bedwaredd ganrif ar bymtheg.

Ystyr lluydd / lluedd yw: llu; tyrfa; byddin. Ystyr llwyddaf / llueddaf / lluyddu / lluydda / lluedda yw: mynd i ryfel; ymfyddino. Ystyr lluyddiaeth: materion rhyfel. Ystyr lluyddwr / lluyddwraig / llueddwr / llueddwraig: milwr; rhyfelwr. Ystyr **lluyddog / llueddog**, felly, yw: lluydd / lluedd + og (ansoddair): un a chanddo / chanddi lu o ymladdwyr; byddinog; wedi ymfyddino; milwriaethus; dewr; gwrol.[2]

Y mae ar gael hefyd blanhigyn o'r enw Ffenigl Elen Luyddog. Benthyciad o'r Lladin diweddar *fenic'lum / feniculum* yw ffenigl (*Foeniculum vulgare*). Y mae Ffenigl Elen Luyddog yn blanhigyn sy'n tyfu ar dir diffaith, ac y mae iddo ddail hirgul a 'chlwstwr o flodau melyn, persawrus'. Tyf hefyd mewn gerddi, a defnyddir ei ddail wedi'u sychu i roi blas ar saws gyda physgod.[3]

Elen Luyddog a Santes Helena

Arwres o'r bedwaredd ganrif oedd Elen Luyddog. Mewn llên Gymraeg cysylltir hi yn bennaf â Breuddwyd Macsen, un o'r ddwy chwedl hanesyddol eu natur sydd yn y Mabinogion. Credir mai'r Ymerawdwr Magnus Maximus oedd Macsen, arweinydd y lluoedd Rhufeinig. Dywed traddodiad fod Elen yn ferch i Eudaf, pennaeth Brythonig o Segontium (Caernarfon) a'i bod wedi priodi Maximus. Gadawodd Maximus Brydain gydag Elen yn 383 er mwyn diogelu ei ymerodraeth. Aeth Cynan Meriadog a Gadeon, dau frawd Elen, gyda hwy, ac yn ôl y chwedl, llwyddo i orchfygu Rhufain. Wedi i Maximus gael ei drechu yn 388, ni wyddom ddim am dynged Elen.

Mewn sawl ardal yng Nghymru ceir ffyrdd cynnar a elwir 'Sarn Helen', neu 'Sarn Elen', ac, yn ôl traddodiad llafar, ceisiwyd cysylltu'r ffyrdd hyn ag Elen, priod Magnus Maximus. Traddodiad onomastig yw hwn, mae'n fwy na thebyg (traddodiad i geisio esbonio enw lle).

Yn ystod y ddeuddegfed a'r drydedd ganrif ar ddeg tyfodd traddodiad fod yr Elen Luyddog oedd yn wreiddiol o Segontium yr un person â Santes Helena, ac yn briod â Constans, sef Constantius,

Santes Helena a chroes Crist. Yn ôl traddodiad, daeth Helena o hyd i wir groes Crist yng Nghaersalem. O ddarlun olew gan Altobello Melone, c. 1520 -24. Roedd y darlun yn wreiddiol yn rhan o'r allor a wnaed ar gyfer eglwys yn Crémona, Yr Eidal. Cyflwynwyd i Amgueddfa Ashmole, Rhydychen, yn 1897, ac y mae i'w weld yn un o'r orielau heddiw (WA 1897.14.1). Cyhoeddir drwy ganiatâd Amgueddfa Ashmole.

cadfridog Rhufeinig a ail-orchfygodd Brydain yn 296, gan drechu Carausius a'i olynydd Allectus. Gwnaed Constantius wedyn yn Ymerawdwr. (Roedd Macsen yn llywodraethu Prydain tua chanrif yn ddiweddarach.) Mab i Elen (Helena) a Chonstantius oedd Constantine (Cystennin), Ymerawdwr Rhufain (bu f. 337), a wnaed hefyd yn Ymerawdwr Prydain yn 306 wedi marw ei dad. Cyfeiriai Sieffre o Fynwy ato fel Cystennin Fendigaid. Ef oedd yr Ymerawdwr Cristnogol cyntaf. Yn ôl traddodiad, dywedid fod y Santes Helena yn ferch i'r Brenin Coel (Goedebog), y credir iddo roi ei enw i Colchester. Dywedid hefyd iddi ddarganfod y Wir Groes neu'r Groes Fendigaid yng Nghaersalem. Bu cymysgu rhwng dau draddodiad yma. Ni fu yr Helen (Santes Helena) hon, yn ôl pob tebyg, erioed ym Mhrydain, a pherthyn i genhedlaeth hŷn na chenhedlaeth Helen Luyddog.[4]

Elen: 'ein pridwen ferch Prydain fad'; Elen ar bererindod yng ngwlad yr Iesu: awdl Taliesin o Eifion

Y mae'n amlwg i Daliesin ymchwilio'n fanwl i ddarganfod hanes Elen Luyddog, er mor gymysglyd oedd yr hanes hwnnw, yn arbennig yn ei gyfnod ef cyn i ysgolheigion o'n hoes ni, megis Rachel Bromwich a P C Bartrum, ein goleuo ymhellach. Ymhlith llawysgrifau Taliesin yn y Llyfrgell Genedlaethol ceir nodiadau manwl gan y Tad R Jones, Wrecsam, yn cyfeirio at 'Elen, verch Goel Godeboc, a honno a gavas y groes vendigaid wedi ei chuddio o'r Iuddewon yn y ddaear.' Y mae'r nodiadau yn cyfeirio yn ogystal at 'Helen, gwraig Macsen Wledig'.[5]

Yn ei awdl y mae Taliesin wedi cyfuno dau brif draddodiad. Yr un person ganddo ef yw Elen Luyddog, merch Coel, sy'n priodi Cystaint (sef Constans / Constantius, cadfridog Rhufeinig), a'r Elen, neu Helen / Helena, sef y Santes Helena, sydd yn mynd ar bererindod i wlad yr Iesu ac yn darganfod y Groes Fendigaid. Fel darn o hanes, felly, nid oes i'r awdl werth parhaol. Fel creadigaeth lenyddol, y mae'r gerdd, ar y cyfan, yn dilyn patrwm awdlau meithion, ymdrechgar y bedwaredd ganrif ar bymtheg, ond teg dweud, gyda rhai llinellau mwy cofiadwy hwnt ac yma. Y mae'r gyfres o englynion 'Oriau Olaf Iesu Grist' a gynhwyswyd yn yr awdl, fodd bynnag, fel y nodwyd eisoes, yn arddangos dawn y bardd ar ei orau. Dyma, yn dilyn, fras gynnwys y gerdd.

Yn yr olygfa gyntaf cawn ddisgrifiad o wledd yn llys Coel, a'r bardd, 'Gwri enwog arianwallt', yn datgan ei foliant i Elen, ferch Coel.

> Elen fydd y lanaf oll,
> Elen deg o lun digoll;
> Elen fydd rinweddolaf,
> Elen wen, ei moli a wnaf ...
> Ein pridwen ferch Prydain fad ...[6]

Yna fe'n cyflwynir i Cystaint, y cadfridog Rhufeinig sy'n 'gwir addoli'r garuaiddd Elen', ac yn cael yr hawl gan ei thad i'w phriodi. Y mae'r ddau yn gadael Prydain am diroedd Gâl i'w hadfer o dan faner Rhufain. Un dydd, a'i 'hannwyl dad, Coel mad ym medd', daw negesydd o Brydain:

> Prydnawn haf wrth lan afon – hi welai
> Rhyw filwr dewr galon ...[7]

A'i neges? Cais i'r Ymerawdwr Cystaint a'r Ymerawdres Elen ddychwelyd i Brydain ar unwaith, oherwydd i 'Alectus fradus' fod yn camreoli. Dyna a wnânt.

Ond wedi dychwelyd, trist yw Elen. Daw i gof y gorffennol, a'i thad, Coel, ac meddai wrth ei phriod hoff (ac esgyll yr englyn yn cynnwys dwy o linellau grymusaf yr awdl):

> O! fy ngŵr. O! fy nghoron; – fy einioes
> A fy enaid ffyddlon,
> Cwerylus angau creulon – bu'th ddwrn trwm
> Yn datod cwlwm, hyd at waed calon.[8]

A dyna pa bryd y penderfyna Elen ei bod am dreulio gweddill ei bywyd ar bererindod. Dyma'i neges i'w chymar:

O'm hannwyl lyw hynod – Prydain,
Priodaf fy ngweddwdod!
O! Dduw, fyth wyf weddw i fod, – af ar hyn
Yn bur er undyn ar bererindod.

Fy einioes hyd derfyniad – heb wrthddadl
Aberthaf i'm Ceidwad;
Archaf long a chyrchaf wlad – Canaan gu,
Hoff fannau Iesu gaiff fy newisiad.[9]

A dyna yw gweddill yr awdl: darlun, a hwnnw'n ddarlun diffuant, a'r awen yn ysbrydoli'r bardd. Cawn yr argraff fod Taliesin yn ei wendid fel pe bai, rywsut rywfodd, yn ei uniaethu ei hun ag aberth Elen. Y mae hi yn cyflwyno'i bywyd 'i'w Cheidwad', yn ymroddi'n llwyr i waredu gwlad Canaan o Baganiaeth a phob eilun addoliad. Wrth weld y man cysegredig ym Methlehem lle ganwyd Iesu, y mae'n ymson fel hyn:

'Yn isel lety'r asyn
Y ganwyd Duw o gnawd dyn.
Y forwyn lân heb dân, heb dŷ,
A llyw'r byd mewn llawr beudy.
Llawn o fri i mi yw'r man
O achos y Mab Bychan.
I'r sêr rhoi lleufer y llu
Bob nos wnai'r baban Iesu.
Ar y fron rhoi'i ddeddf i'r haul
I chwildroi ar ucheldraul.
Ar lin Mair i lanw moroedd,
Rhoi manol [manwl, cywir] reol yr oedd.
Ac yn ei gwsg gweiniai i gant [ymyl]
Têr [llachar] y lloer, fel troell ariant.'[10]

Meddai Elen mewn man arall:

> 'Adeiladaf, codaf i'm Ceidwad
> Luoedd o ddilys leoedd addoliad ...'[11]

Yn union wedi'r hir a thoddaid hwn, cynhwysir gan yr awdur ei gyfres o englynion 'Oriau Olaf Iesu Grist' y cyfeiriwyd atynt eisoes ym mhennod 4. Dyma eto un o'r englynion hynny:

> Ar frys o'r naill lys i'r llall – arweinient
> Yr annwyl Oen diwall;
> Barnu Duw heb yr un deall,
> A'i wawdio'n dost fel dyn dall.[12]

Yna yn yr awdl ceir sylw byr at ddarganfod y Groes Fendigaid:

> Do'i er prawf o hyd i'r Pren
> Lle'r hoeliwyd Llyw yr Heulwen.[13]

Yn yr englyn olaf ond un cawn gyfeiriad at Olwen yn chwedl Culhwch ac Olwen yn y Mabinogion: 'Tyfai pedair meillionen wen o'i hôl lle'r âi, ac oherwydd hynny y gelwid hi Olwen.' Felly, i ba le bynnag yr âi Elen hithau, codai demlau i Dduw 'ym mhob gwlad'.

> Codi wnaent, acw hyd nen – binaglog
> Dai'r Duw dihalog hyd droediad Elen.[14]

Yna y mae'r awdl yn cloi gyda'r llinellau hyn. Wedi'i llafur anrhydeddus, y mae Elen bellach ymhlith yr holl Saint:

> Trwy sêl yn rhestr y Saint – gorffwysodd,
> Yn Iesu hunodd, dan bwysau henaint.[15]

Helen Llwyddawg – Helen Llueddog – Elen Luyddog – Elen Lueddawg

Y pennawd a roes Taliesin i'w awdl yw 'Helen Llwyddawg'. Dyma'r pennawd hefyd yn *Gweithiau Taliesin o Eifion*. (Llithriad, mae'n debyg, yw'r 'Hellen' - gydag ll - a ymddengys ym mhennawd y copi sydd mewn llawysgrifen yn y Llyfrgell Genedlaethol.[16]) Ond er mai 'Helen Llwyddawg' yw'r pennawd, at Elen, nid Helen, y cyfeiria bob tro yn yr awdl ei hun. Roedd saith wedi cystadlu, a Cheiriog yn un ohonynt. 'Helen: neu Elen Llwyddawg' yw'r pennawd ganddo ef, a defnyddia'r naill enw a'r llall yng nghorff y gerdd.[17] Gellir nodi hefyd y gwelir amrywiaeth mawr yn y modd y bu i nifer o wŷr llên y cyfnod, ac wedi hynny, sillafu yr enw 'Helen neu Elen Luyddog', gyda rhai yn treiglo'r 'll' yn yr ail elfen o'r enw, a rhai heb dreiglo. Er enghraifft, 'Helen Llueddawg' yw'r ffurf a ddefnyddir gan Iolo Trefaldwyn yn ei ysgrif goffa yn *Y Darlunydd*, Medi 1877.[18] Yn yr anerchiad a draddodwyd gan R E Roberts, Llangollen, gerbron 'Cymdeithas Llên' y dref ac a gyhoeddwyd yn *Y Traethodydd* yn 1921, cyfeiria ef at: 'Helen Llwyddawg', 'Elen Llyddawg', ac 'Elen Lueddog'.[19] 'Elen Luyddawg' yw'r ffurf a ddefnyddir gan J J Evans mewn llythyr yn *Y Darian* (Chwefror 1923), gan nodi mai dyna oedd testun yr awdl yn Wrecsam. Dyna hefyd yw'r fersiwn a ddefnyddir gan y Parchg B[enjamin] Humphreys, Felin-foel, ger Llanelli, yn ei lythyr maith ef yn *Y Darian* (8 Mawrth 1923), y cawn sôn amdano eto.

'Ydi'r awdl wedi mynd?' Yng nghanol ei gystudd, Taliesin yn derbyn cymorth myfyriwr i ysgrifennu ei gerdd

Cyfeirir mewn mwy nag un ffynhonnell at ymdrech fawr Taliesin i ddod i ben â'i awdl ac yntau yng nghanol ei gystudd. Meddai ei gyfaill, Edward Davies, 'Iolo Trefaldwyn', amdano yn ei ysgrif goffa iddo yn *Y Darlunydd*, Medi 1877:

'Ni wybu ers tuag ugain mlynedd beth oedd blwyddyn gyfan o iechyd, yn enwedig y blynyddau diweddaf o'i oes drafferthus. Bum yn rhyfeddu sut y byddai yn gallu canu mor ragorol o dan y fath boenau arteithiol ag a ddioddefai. Canodd tra y gallodd. Nis gallaf anghofio yr olwg arno ar ei wely angeu, pan oedd ei awdl ar "Helen Llueddawg" bron ar ben, a'i ddwylaw, wedi eu haner parlysu gan genad yr angau, yn methu ysgrifenu gair, ond ei feddwl yn gryf ac yn llawn pryder fel pob bardd arall am gael buddugoliaeth ar ei gydymgeiswyr. Ac ar y dydd olaf o fis Mai, 1876, sef yr adeg i anfon yr awdl i'r gystadleuaeth, gofynodd, "A ydyw yr awdl wedi myn'd?"; ac yr wyf yn meddwl na ddywedodd ond ychydig eiriau nad oedd wedi huno, a hyny cyn i'r awdl grybwylledig gyraedd llaw yr ysgrifenydd yn Ngwrecsam.'[20]

Eisoes (pennod 4) cyfeiriwyd at Benjamin Humphreys a ddaeth yn fyfyriwr i Athrofa'r Bedyddwyr yn Llangollen yn 1874 ac a fu'n cynorthwyo Taliesin i gopïo'i farddoniaeth. Yn Llsg LlGC 9618 D, yn union ar ddiwedd yr awdl, ceir y nodyn hwn yn llaw Benjamin Humphreys:

'Adysgrifenwyd yr Awdl uchod i Eisteddfod Wrexham ac anfonwyd hi i'r gystadleuaeth[21] Mai 31, 1876, ond cyn iddi gyrhaedd i law yr Ysgrifenydd ar foreu y cyntaf o Mehefin yr oedd yr awdwr athrylithiawg wedi huno yn yr angau yn 56 mlwydd oed –

Ein hen gâr yn y ddaear ddu!
Boed heddwch i'w lwch oer lechu.

Mehefin 3, 1876 Benj. Humphreys'

Gwnaeth John Llewelyn Jones a Wil Ifan ddefnydd o'r geiriau hyn yn eu nodyn hwythau ar ddiwedd yr awdl a gyhoeddwyd yn *Gweithiau Taliesin o Eifion*.[22]

Flynyddoedd yn ddiweddarach, a'r Parchg Benjamin Humphreys bellach yn byw yn Felin-foel, ger Llanelli, ysgrifennodd lythyr cynhwysfawr i'r *Darian* sy'n cynnwys gwybodaeth werthfawr am

Dychwelai 'n fywyd ei chalon,
Yn foethus yn ngrhefydd Iôn;
A chodai demlau i'i Cheidwad
O'i lwyr lwydd, yn mhob gwlad.

Os hyd ol troediad Olwen y tyfid
Hafaidd, dair meillionen;
Codi wnaent, acw hyd nen—tiriogaeth
Dai'r Duw dihalog hyd droediad Helen.

Rhodiodd er anrhydedd Iôn
Ei breiniawl lwybrau union
Trwy Sêl yn rhestr y Saint—gorphwysodd
Yn Iesu hunodd dan bwysau henaint.

Taliesin o Eifion—

Adysgrifenwyd yr Awdl uchod i Eisteddfod Wrexham ac anfonwyd hi i'r ~~Ysgrifenydd~~ Mai 31. 1876, ond cyn iddi gyrhaedd i law yr Ysgrifenydd ar forau y cyntaf o ~~Fai~~ Mehefin yr oedd yr awdwr athrylithiawg wedi huno yn yr angau yn 56 mlwydd oed—

Ein llew gâr yn y ddaear ddu!
Boed hedwch i'w lwch oes lechw.

Benj. Humphreys

Mehefin 3. 1876

Nodyn yn llaw Benjamin Humphreys, Llangollen, y myfyriwr a fu'n copïo rhai o gerddi Taliesin o Eifion pan oedd mewn cystudd. Fe'i hychwanegwyd ar derfyn awdl Taliesin, 'Helen Llwyddawg'. (Llsg LlGC 9618 D)

ddyddiau olaf y bardd a pha mor anodd y bu hi iddo lwyddo i orffen cyfansoddi ei awdl mewn pryd. Dyma, felly, ddyfyniad helaeth o'r llythyr hwn.

> 'Cystadleuai lawer yn y cyfnod hwnnw, ac yn nhawelwch ac unigedd dyfnder nos, wedi i bawb fyned i orffwys, y cyfansoddai. Ni byddai Taliesin byth yn anfon darn o farddoniaeth, na bychan na mawr, i Eisteddfod na chyhoeddiad, heb gadw copi o hono; a chan nad oedd yn ysgrifennydd buan na chelfydd, teimlai hynny'n gryn drafferth. Pan oedd yn wael ei iechyd un tro, ceisiodd gennyf adysgrifennu cyfres o englynion; ac wedi dechreu ar y gwaith hwnnw, a'i wneud wrth fodd y bardd, ni chefais lonydd mwyach. Yr wyf yn cofio'n dda i mi flino'n enbyd wrth gopio Pryddest faith ar "Yr Efengyl" i Eisteddfod Treherbert, 1875, o dan feirniadaeth Hwfa Môn. Byddai fy llawysgrif i'n rhagori ar eiddo'r bardd, a'r copi'n lanach a mwy destlus; ond sylwais, mai'r darn yn ei law ei hun a anfonai bob amser i'r beirniad. Ar y cyntaf rhyfeddwn at hynny; yn ddiweddarach, deuthum, mi gredaf, i ddeall y dirgelwch. Pan ddeuai'r wobr i law, fel y deuai'n gyffredin, darperid gwledd ar radd fechan, a gwahoddid fi, ac fel rheol, fy mrawd Machno, i gydlawenhau a'r teulu. Dyna fy nhâl.
>
> Pan gyhoeddwyd testynau Eisteddfod Genedlaethol Gwrecsam, 1876, penderfynodd Taliesin gystadlu am y Gadair, ac aeth ati o ddifrif i gyfansoddi awdl ar "Helen Luyddawg".'

Ymwelai'r myfyriwr o'r Athrofa â Thaliesin yn fynych yr adeg honno a darllenai'r bardd rannau o'r gerdd iddo. Yna, rai wythnosau

> 'cyn yr amser i anfon i mewn y cyfansoddiadau, a'r awdl eto'n mhell o fod wedi'i gorffen, goddiweddwyd y bardd gan afiechyd. Bu hynny iddo'n anfantais ddirfawr. Ymdrechai'i oreu, yn wyneb llesgedd, i gyfansoddi, a bu agos iddo, fwy nag unwaith, grogi ei delyn ar yr helyg. Yr wyf yn ei gofio'n dweud wrthyf ei benderfyniad i roi'r englynion ar "Oriau Olaf Iesu Grist" i mewn yn yr Awdl yn "Ymson" Helen Luyddawg ar ei hymweliad â Gethsemane. Gwaelu wnaeth ei iechyd o ddydd i ddydd, fel na allodd gwblhau'r cyfansoddiad yn ol ei gynllun, na'i gaboli yn ol ei ddymuniad. Yn ei waeledd, rai dyddiau cyn croesi at

y mwyafrif, gofynnodd i mi a wnawn gopio'r awdl, a gofalu ei bod yn cael ei hanfon ymaith. Addewais wneud.

Bum am dri neu bedwar prynhawn yn ysgrifennu wrth fwrdd bychan yn ymyl ei wely. Rhoddai i mi gyfarwyddyd y ddeuddydd cyntaf, ond cyn i mi orffen fy ngwaith, yr oedd wedi troi ei feddwl yn llwyr oddiwrth faterion eisteddfodol. Tasg anodd oedd copio'r awdl, am ei bod wedi'i hysgrifennu ar bob math ar bapurau, a'r rhai hynny'n fynych heb un arwydd olyniaeth. Weithiau byddai rhestr o englynion ar ochr wen papur siwgr, gydâg englyn drachefn yn groes, heb ddim i awgrymu rhwng pa ddau'r oedd i'w osod. A mi yn ieuanc, ac heb fod yn fardd, byddwn yn aml mewn cyfyng-gyngor, heb wybod pa fodd i ymlwybro. Weithiau yn fy mhryder, trown at yr awdwr, a chyda'r papur yn fy llaw, gofynnwn, "Taliesin, rhwng pa ddau y mae'r englyn croes yma i fod?" Agorai ei ddau lygad mawr, mynegiadol, am hanner eiliad, a chauai hwy heb roi i mi un hyfforddiant. Bu raid i mi fyned rhagof oreu y gallwn, a theithio'r anialwch disathr heb arweiniad un golofn.

Ar y dydd olaf o Fai, anfonais yr awdl i'r gystadleuaeth; ond cyn iddi gyrraedd i law ysgrifennydd yr Eisteddfod, yr oedd Taliesin o Eifion wedi rhoi'r llam diadlam o fyd y cystadlu.'[23]

'Poor Taliesin is gone!' Marwolaeth 'pen clo aur ein henglyn'

Pan fu farw Taliesin, cafwyd, fel y gellid disgwyl, adroddiadau manwl yn y wasg leol a'r wasg genedlaethol. Cyflwynwyd eisoes, wrth sôn am gystudd y bardd (pennod 4) ddyfyniad helaeth o'r *Llangollen Advertiser*. Dyma yn awr frawddegau olaf yr adroddiad hwnnw. Wedi cyfeirio at ei ddawn arbennig fel arlunydd i baratoi arwyddion a baneri, dywed y gohebydd mai ei ddawn bennaf oll oedd ei ddawn fel bardd:

> 'Amongst Welsh bards he stood in the foremost rank, and during the last few years the numerous and handsome prizes awarded him at our principal eisteddfodau have brought him into great prominence. Previous to his last illness, he had for some months devoted considerable time to the composition of a piece of poetry on one of the principal subjects for competition at the forthcoming Wrexham Eisteddfod, and when able to write no longer, it is said that the latter portion of a most masterly

production was dictated to an amanuensis, and forwarded by post a few hours previous to the death of its author. His death took place early on Thursday morning, and although we are, as yet, unable to give our readers the arrangements which are being made for his funeral, we have no doubt but that it will be largely attended.'[24]

Dyma hefyd ail ran yr adroddiad 'Marwolaeth Taliesin o Eifion' a gyhoeddwyd yn *Baner ac Amserau Cymru*, a sylwn fod rhai brawddegau yn cyfateb i'r adroddiad yn *The Llangollen Advertiser* wythnos cyn hynny:

'Yn Eifionydd enwog, fel y gellid casglu oddi wrth ei ffugenw, y gwelodd ddydd gyntaf; a pha le gwell nag Eifion, bid siwr, i fagu a meithrin bardd? Cartref Dafydd Nanmor, a Rhys Goch yn yr hen amser gynt; Dewi Wynn, Robert ap Gwilym Ddu, Sion Thomas, Eben, Nicander, Ellis Owain, Cefnymeusydd, ac yn olaf, ond nid y lleiaf, Emrys, mewn amseroedd diweddarach. Mewn anerchiad a wnaeth ac a adroddodd i Arglwydd Mostyn ar un o ddyddiau Eisteddfod Pwllheli y llynedd, dywedai Tal mai ar 'Stad Mostyn yn Eifionydd y cawsai ei eni; ond yn mha blwyf, nac ardal nid ydys yn gwybod. Wrth ei alwedigaeth, paentiwr ydoedd; ac yr oedd yn gymmaint meistr ar ei gelfyddyd, fel mai yn anfynych y cyfarfyddid a'i gystadl, yn enwedig am baentio arwyddfwrdd, neu faner. Yr oedd ei glod trwy yr amgylchoedd, yn mhell ac agos fel y cyfryw, ond yn y cymmeriad o fardd, yr oedd ei enw yn hysbys i Gymro; ac yn mysg ein beirdd, cydnabyddir ei fod yn sefyll yn rhywle yn y rhestr flaenaf. Os oes eisieu prawf o hyn, ni raid i ni ond cyfeirio at y lliaws gwobrwyon uchel a ennillodd yn ein prif Eisteddfodau o fewn yr ugain mlynedd diweddaf. Yr oedd er's misoedd cyn ei afiechyd diweddaf, yr ydym yn deall, yn brysur gyfansoddi ar un o'r prif destynau barddol yn Eisteddfod Gwrecsam, yr haf nesaf; a phan yn rhy egwan a gwael i ysgrifenu ei hun, dywedir ei fod wedi cael gan gyfaill ysgrifenu y gyfran olaf o'r cyfansoddiad, am yr hwn y dywedir ei fod yn orchestwaith; ac anfon ef ymaith i law ysgrifenydd yr Eisteddfod ychydig oriau cyn marwolaeth yr awdwr; yr hyn a gymmerodd le yn gynnar ddydd Iau diweddaf, Mehefin 1af.

Ddydd Llun y Sulgwyn daeth tyrfa liosog ynghyd i dalu y deyrnged olaf o barch i'r bardd anwyl, pryd y gweinyddwyd yn ei angladd gan

Ieuan o Leyn, a'r Parch J. Morris, Llangollen. Gadawodd deulu lluosog ar ei ol i dywallt dagrau; Duw'r nef fyddo yn dŵr i'w briod anwyl a'i phlant, collasant briod a thad oedd yn feddiannol ar y teimladau tyneraf a feddiannwyd gan undyn erioed.

Heddwch i'w lwch i orphwys yn mynwent y Ddol; a sicr gennym y daw Cymru yn ei gwisgoedd galar i dywallt deigryn hiraethlawn ar lwch ei fedd.'[25]

I gloi'r adroddiad hwn cyhoeddir dau englyn o eiddo David Roberts, 'Dewi Havhesp'. Dyma baladr yr ail englyn:

Drwy'i farw ef, collwyd ar fryn – binacl oes
Ben clo aur ein henglyn ...

Cyfansoddwyd englynion eraill i goffáu Taliesin, er nad oes yr un ohonynt, ysywaeth, yn deilwng o'i awen ef ar ei gorau, ond dyma englyn John Edwards, 'Meiriadog':

Ffarwel Tal a pherl teilwng, – adwyol
Adawyd ni'n gythlwng;
Ar feirdd ei oes bu loes blwng
I ddistaw fedd ei ostwng.[26]

Dyfynnwyd eisoes yn y bennod hon ac ym mhennod 4 frawddegau o'r *Llangollen Advertiser* sy'n cyfeirio at gystudd olaf y bardd. Dyma yn awr ddyfyniad pellach o'r un newyddiadur flynyddoedd yn ddiweddarach (26 Ionawr 1912) sy'n cynnwys cyfeiriad gwerthfawr hefyd at ble yr oedd Taliesin yn gweithio ar y pryd pan gyfansoddai ei awdl.

'Writing from Rhos to a contemporary "Eilir Aled" says the author of the ode or *awdl* on "Helen Llwyddawg" was a painter by trade, and did a great deal of work at Rhosllanerchrugog at the time when he composed the *awdl*, and the greatest part of it was composed in the clubroom of the "Talbot". He had permission from the landlord, Thomas Owens, to isolate himself from the annoyance of his numerous friends for that

> purpose. Afterwards he went home to Llangollen, and was taken ill, but he finished his ode in time for the competition, and one of the students of the Llangollen Baptist Chapel wrote and posted it for him just before his death.'

Fel y dywedir yn yr adroddiad yn *Y Faner*, claddwyd Taliesin ym Mynwent Y Ddôl, Llangollen. Mynwent Eglwys Sant Ioan oedd hon. Ar ei fedd y mae carreg farmor obelisgol hardd, gyda'r geiriau hyn wedi'u cerfio arni:

BEDD
TALIESIN – O – EIFION
1820–1876
EI WRAIG
1827–1878
EU MERCH
1857–1885

Cyfeiriad sydd yma at ferch Elizabeth Jane a Thomas Jones, Taliesin o Eifion, sef Caroline Matilda. Ar ochr arall i'r garreg, gyferbyn â'r uchod, cerfiwyd y geiriau hyn:

Also the wife of
JOSEPH MORGAN
(Caerphilly)
MAIR TALIESIN
Daughter
Taliesin – o – Eifion
Died May 11th 1942
Aged 76 years
"REST IN PEACE"

Ar eu pennau eu hunain ar ochr arall i'r garreg ceir y geiriau: GWYN EU BYD

Bedd Thomas Jones, Taliesin o Eifion, a'i briod, Elizabeth Jane, ym Mynwent y Ddôl, Eglwys Sant Ioan, Llangollen. Hefyd bedd eu merch, Caroline Matilda. Llun gan Peter Jones, Llangollen.

Y geiriau ar garreg fedd Mary Gwenddydd, Mair Taliesin, yr un garreg ag ar fedd ei rhieni ym Mynwent y Ddôl, Llangollen. Llun gan Peter Jones.

12

Eisteddfod Genedlaethol Wrecsam, 1876

PWRPAS Y BENNOD hon yw rhoi rhagflas i'r darllenydd o natur Eisteddfod Genedlaethol Wrecsam, 1876, pan enillodd Taliesin o Eifion y Gadair. Gwneir hynny drwy gyfeirio'n benodol at yr adroddiad manwl o'r eisteddfod arbennig hon yn *Baner ac Amserau Cymru*, rhifyn Mercher, 30 Awst 1876. Yr oedd yn nodweddiadol o eisteddfodau cenedlaethol Cymru yn y cyfnod hwn, ond sylwer ei bod yn cael ei chynnal hefyd o dan nawdd Cadair Powys. 'Eisteddfod Genedlaethol Wrecsam a Chadair Powys' yw'r pennawd yn *Y Faner*.

Megis eisteddfodau cenedlaethol eraill ail hanner y bedwaredd ganrif ar bymtheg, roedd yr 'eisteddfod fawreddog' hon yn rhoi lle amlwg i'r iaith Saesneg ac i anrhydeddu boneddigion di-Gymraeg, fel llywyddion. Dyma frawddegau agoriadol y gohebydd dienw yn *Y Faner*, gyda sylw personol, bachog, fel ychwanegiad ganddo i gloi'r paragraff:

> 'Cynnaliwyd yr Eisteddfod Gadeiriol neu Genedlaethol, hir ddisgwyliedig gan lenorion Gogledd a Deheudir Cymru, gystal âg amryw ranau o Loegr, yn Ngwrecsam, yn Nyffryn Maelor, ar ddyddiau Mawrth, Mercher, Iau, a Gwener, Awst 22ain, 23ain, 24ain, a'r 25ain. Gellir dyweyd yn hyf fod yr Eisteddfod hon o dan nawdd prif foneddigion, nid yn unig Gogledd Cymru, ond Deheudir Cymru hefyd, a lliaws mawr o brif foneddigion gwlad y Saeson, &c. Etto ni welais rhyw alw mawr arnom ni i ganmawl llawer ar y Saeson yn eu cysylltiad â ni, cenedl y Cymry.'[1]

Yr un modd, sicrhawyd 'gwasanaeth prif gantorion a chantoresau Cymru a Lloegr ... gan y pwyllgor anturiaethus'. Yn eu plith yr oedd: 'Madame Edith Wynne' ('Eos Cymru'); 'Madame Patey'; Miss Mary Davies, R.A.M; Eos Morlais (Robert Rees); a Llew Llwyfo (Lewis William Lewis). Ymhlith y beirniaid yr oedd: Llawdden; Iolo Trefaldwyn; Ceiriog; Hwfa Môn; Gwalchmai; Tudno; Mynyddog; Ioan Arfon; Glanmor; Brinley Richards; Idris Fychan; Syr Julius Benedict; Ieuan Gwyllt; John Rhŷs; D R Thomas, Llanelwy; T Charles Edwards, Prifathro Coleg Aberystwyth.

Y tri arweinydd oedd Yr Estyn (Parchg Thomas Richard Lloyd); yr 'anghymmharol Mynyddog' (Richard Davies); a'r 'talentog Llew Llwyfo'. Cyfarchwyd y tri arweinydd â dau englyn, ond ni ddywedir pwy yw'r awdur. Dyma'r englyn cyntaf:

> I Mynyddog mae'n haeddol – yn wastad,
> Ac i Estyn ddoniol;
> A'r Llew a'i allu mor hollol – i'n llywio,
> A'r tri yn taro mor dra naturiol.[2]

Fel yr oedd hi'n arfer yn ystod ail hanner y bedwaredd ganrif ar bymtheg ac wedi hynny, cynhelid yr eisteddfod a'r cyngherddau hwyrol mewn 'pabell' eang. Fel hyn y mae'r gohebydd yn disgrifio pabell Eisteddfod Wrecsam:

> '... gallwn ddyweyd mai anfynych y gwelsom babell wedi ei gwneyd yn fwy destlus a phrydferth, a dywedir ei bod yn ddigon i gynnwys saith mil i eistedd yn gysurus. Gorwedda ar faes ychydig yn llechweddog, fel yr oedd pawb – y pellaf yn y babell yn gallu gweled yr esgynlawr yn eithaf rhwydd.
>
> Yr oedd y trefniadau ereill hefyd, megys y cerfluniau, yr addurniadau, a'r arwyddeiriau, &c., yn dangos medr a chwaeth neillduol, ac nis gallwn lai na llongyfarch yr adeiladydd a'r pwyllgor am y llwyddiant a ddaeth i ran eu cynllunio anghymmharol ...
>
> Hefyd, canfyddem enwau yr hen wroniaid, yr hen feirdd a llenorion enwog Cymreig canlynol wedi eu hargraphu a'u paentio yn ddestlus ym

mhob cwr o'r babell, megys Goronwy Owain, Nicander, Eben Fardd, Sion Dafydd Rhys, Hwfa Môn, Caledfryn, Hiraethog, Syr W. Williams, Islwyn, Cynddelw, I. D. Ffraid, &c.

Hefyd, canfyddem "Goat of Arms" lliaws mawr o foneddigion urddasol ein gwlad, pa rai oedd wedi eu gwneyd yn nodedig o brydferth, ac wedi eu gosod ar bob colofn oedd yn y babell.'[3]

'Gwaedd uwch adwaedd'; 'Llafar bid lafar ...': Yr Orsedd yn cyfarfod ar ddiwrnod cyntaf yr Eisteddfod

Afraid dweud, bu gan Orsedd Beirdd Ynys Prydain ran allweddol yn llwyddiant Eisteddfod Genedlaethol Wrecsam. Cynhelid hi bob bore am naw o'r gloch. Rhoes y gohebydd ddisgrifiad arbennig o fanwl a gwerthfawr o'r cyfarfod agoriadol y bore dydd Mawrth cyntaf, disgrifiad sy'n werth ei ddyfynnu yn lled gyflawn.

'Am naw o'r gloch y dydd hwn, fel y tri diwrnod canlynol, cynnaliwyd Gorsedd y Beirdd, yn unol â'r Vord Gron, yn Grosvenor Road, Gwrecsam, pryd yr agorwyd yr Orsedd gyda hymn briodol, yna offrymwyd gweddi yr Orsedd gan Yr Estyn, yr hon oedd fel y canlyn:

Dyro Dduw dy nawdd,
Ag yn nawdd, nerth,
Ag yn nerth, ddeall,
Ag yn neall, gwybod,
Ag yn ngwybod, gwybod y cyfiawn,
Ag yn ngwybod y cyfiawn, ei garu,
Ag o garu, caru pob hanfod,
Ag yn mhob hanfod, caru Duw,
    Duw a phob daioni.

Canmolwn y pwyllgor am ddethol gŵr o gymmeriad Yr Estyn i arwain yn yr Orsedd, ac i weinyddu fel prif feistr y seremoniau cenedlaethol.

Yna, mewn llais clir a soniarus, cyhoeddodd Yr Estyn broclamasiwn Gorsedd Powys, yr hon oedd fel y canlyn:-

"Y gwir yn erbyn y byd,"
"Llafar bid lafar,"
"O! Iesu! na'd gamwaith."

Bydded Hysbys – "Gwaedd uwch adwaedd", "Llafar bid lafar" pan yw oed Crist yn 1876, yn mis Awst, yr 22ain dydd o'r mis, yn nghyfnod Gorsedd Beirdd Ynys Prydain, yn ngŵyl a gwledd yr Alban Elfed. Cyfnod cyhydedd haul y mesurydd – gwedi gwŷs a gwahawdd dyladwy i Gymru benbaladr gan gorn gwlad o'r amlwg, yn ngolwg, yn nghlyw gwlad a theyrnedd, a gosteg o un dydd a blwyddyn, cynnelir yr Orsedd hon, ynghyd â'r Vord Gron, yn Ngwrecsam, yn Nhalaeth Powys, lle y mae hawl, braint, a chyfallwy i drwyddedogi y neb a farnwyd, neu a fernir yn deilwng o urdd a nawdd, wrth gerdd dafod, a barddoni, ac wrth gerdd arwest a chelfyddyd, ac yr ydys yn gwahawdd y cyfryw i gylch cyfrin yr Orsedd ar awr cyssefin anterth, lle nad oes noeth arf i'w herbyn, ac yma yn arwynebol dri chyntefigion Beirdd Ynys Prydein, nid amgen:

Plenydd, Alawn, a Gwron, a chyda hwy Gwilym Hiraethog, Ellis Owen, Ellis Wynn o Wyrfai, Gwalchmai, Ap Vychan, Dewi Wynn o Essyllt, Islwyn, Tudno Jones, Daniel Silvan Evans, Gweirydd ap Rhys, Ioan Arfon, Gurnos, Clwydfardd, Ceiriog, Llew Llwyfo, Mynyddog, Estyn, Tan-y-marian, Iolo Trefaldwyn, Andreas o Fôn, Pedr Mostyn, Y Thesbiad, Meudwy Môn, Llawdden, Hwfa Môn, Llallawg, Cadwaladr, Robyn Wyn, Morgrugyn Machno, Garmonydd, Gaerwenydd, Ogwenydd, Owain Alaw, Thalamus, Ceulanydd, Pencerdd Gwalia, Isalaw, Brinley Richards, Pencerdd America [Joseph Parry], Eos Bradwen, Eos Llechid, Gwilym Cowlyd, Trebor Mai, Morwyllt, Tegerin, Tudur, Meilir Môn, Eidiol Môn, Twrch, Ioan Machno, R. O. Machno, Glanalaw, Fferyllfardd, Dewi Havhesp, Gwyneddon, Gethin Jones, Gwilym Canoldref, Gutyn Ebrill, Alafon, Ap Herbert, Eos Morlais, Madame Edith Wynne, Marian Williams, Mary Davies, Eos Gwynedd, Maggie Jones Williams, Madame Kate Wynne Matheson – a hwynt oll yn feirdd, ofyddion, cerddorion trwyddedig wrth fraint a defawd Beirdd Ynys Prydain, ac yma y cyhoeddir barn a rhaith Gorsedd, ar gerdd a barddoniaeth, ac ar bawb parth awen a buchedd a gwybod, a'r gânt nawdd, urddas, a thrwyddedogaeth yn nawdd Cadair Powys, yn ol Braint a Defawd Beirdd Ynys Prydain, yn ngwyneb haul, llygad goleuni.

"Y gwir yn erbyn y byd,"
"Llafar bid lafar,"
"O! Iesu! na'd gamwaith."

Yna cafwyd anerchiadau barddonol gan y beirdd i gyfarch yr Orsedd ...'[4]

Wedi enwi'r personau a draddododd yr anerchiadau barddol, a chyn cloi ei ddisgrifiad manwl o gyfarfod cyntaf yr Orsedd, y mae'r gohebydd yn mentro ychwanegu un sylw personol, dychanol ac, yn wir, diddorol dros ben, yn enwedig o gofio iddo fynd i'r drafferth fawr ychydig cyn hynny i enwi yr holl orseddogion. Y mae cyfeirio atynt fel 'pethau' yn awgrymog iawn!

'Ar ol cau yr Orsedd yn rheolaidd gan Yr Estyn, ymffurfiwyd yn orymdaith drefnus, yn cynnwys ugeiniau a channoedd o wahanol rywogaethau o'r pethau a elwir llenorion (Duw a ŵyr beth ydynt) yn cael eu blaenori gan seindorf brês Milisia swydd Ddinbych.

Yn y drefn hon yr aethpwyd i gyfarfod y llywyddion am y dydd, ac yna aethpwyd yn mlaen i'r babell brydferth, yr hon oedd wedi ei hadeiladu gan Mr. Owen Owens, Borthaethwy (*contractor*).'[5]

Yr 'het Gymreig oreu a phrydferthaf i foneddiges', a gwneud telyn Gymreig: cystadlaethau dydd Mawrth cyntaf yr Eisteddfod

Yn ystod y dydd Mawrth cyntaf bu Côr yr Eisteddfod yn canu 'Glan Medd-dod Mwyn'; Eos Morlais: 'Y Gadlys'; a Mary Davies: 'From Mighty Kings'.

Y brif gystadleuaeth gerddorol y diwrnod hwn oedd y 'gystadleuaeth gorawl am 100p. (yn agored i'r holl fyd): "Ye nations offer to the Lord" (Mendelssohn's *Hymn of Praise*) ac "Achieved is the Glorious Work", ail gydgan *Haydn's Creation*'. Pedwar côr oedd yn cystadlu, a Chôr Birkenhead yn fuddugol. Yn ogystal â chystadleuaeth 'chwareu ar y Delyn Gymreig' a chystadleuaeth 'canu pennillion', ceid hefyd gystadleuaeth gwneud 'Telyn Gymreig'. Un oedd yn cystadlu, sef

Thomas Vaughan, Llanelwy, a 'barnwyd hi yn wir werth y wobr' ('10p. 10s.'). R S Hughes, Aberystwyth, a enillodd y gystadleuaeth: 'y cyfansoddiad goreu o Bedwarawd i offerynau llinynol'.

O blith y cystadlaethau llenyddol cynigid '15p a bathodyn aur am yr Arwrgerdd oreu ar Cadfan Frenin, heb fod dros 1000 o linellau'. Y beirniaid oedd 'Quellyn a Hwfa Môn', ond nid oedd yr un o'r ddau gystadleuydd yn deilwng o'r wobr. Yn y gystadleuaeth i baratoi Traethawd ar 'Enwogion sir Ddinbych', a John Williams, 'Glanmor', yn beirniadu, yr enillydd oedd G Jones, 'Glan Menai', Bangor.

Un gystadleuaeth ddiddorol oedd yr un 'am yr het Gymreig oreu a phrydferthaf i foneddiges'. 'Miss Hywie', Wrecsam, a enillodd y wobr o dair punt. Cystadleuaeth ddiddorol iawn arall oedd paratoi traethawd ar: 'Pa un ai y Geninen ai yr Uchelwydd yw arwyddlun priodol Cymru?' Roedd saith yn cystadlu, a'r buddugol ydoedd Mr James Jones, Llundain.

Rowland Williams, 'Hwfa Môn' (1823-1905). Un o feirniaid llên Eisteddfod Wrecsam, 1876. Llun o'r llyfryn *Cof a Chadw am Wyl Fawr 1858*, Gwasg y Brython, 1908.

[Y mae] 'cloddiau etto yn ein hysgaru ni, y Cymry, oddi wrth y genedl fawr Saesnig, – cloddiau a ddylent gael eu tynu i lawr yn hollol ...'; 'Y gwir yw fod cryn nifer i'w cael yn Nghymru sydd fel wedi hanner feddwi ar Saisaddoliaeth ...': anerchiadau dydd Mawrth yr Eisteddfod

Llywydd dydd Mawrth oedd yr Arglwydd Esgob Hughes, Llanelwy. Cyflwynwyd yr anerchiad ar ei ran gan Faer Wrecsam. Pwysleisiodd bwysigrwydd 'i beidio tori y cyssylltiad rhwng y gorphenol a'r presennol ... Credai efe fod barddas, fel rhan o'r Eisteddfod, yn bod er's dros saith gant a hanner o flynyddoedd cyn y cyfnod Cristionogol.' 'Ond', meddai

> 'er fod yr eisteddfod yn sefydliad daionus a gwerthfawr, y mae llawer o bethau etto heb eu gwneyd ... Yr oedd cloddiau etto yn ein hysgaru ni, y Cymry, oddi wrth y genedl fawr Saesnig – cloddiau a ddylent gael eu tynu i lawr yn hollol (uchel gymmeradwyaeth). Cyfeiriai yma at sefyllfa y Dywysogaeth mewn manteision addysgol o'i chymmharu â Lloegr ... Yr oedd eu manteision hwy yn ganwaith mwy na'r eiddom ni. Gwir ein bod yn cael ein cau i mewn gan ein hiaith; ond ni ddylai ein hiaith fod yn un gronyn ar ein ffordd ... Rhaid i ni gael cyfryngau i gyfranu addysg uwch fel y gallo Cymry gael yr un cyfleusdra addysgol a'n brodyr yn Lloegr, Ysgotland, a'r Iwerddon (uchel gymmeradwyaeth)... Gobeithiai ef, gan hyny, y bydd i ni fel cenedl roddi o'r neilldu ein mân wahaniaethau ... a hyderai, drwy hyn, y byddai i ni fyned yn mlaen mewn gwybodaeth a rhinwedd, ac yn yr oll yr ymgeisir ato, na byddo i ni anghofio yr arwydd-air hwnw – "Gair Duw yn uchaf" (uchel gymmeradwyaeth).'[6]

Ail anerchiad y dydd oedd eiddo'r Parchg Ganon, John Griffiths, Castell-nedd, ond testun trist iawn oedd ganddo ef, sef teyrnged i'r diweddar 'Mr Johnes, Dolaucothi' a lofruddiwyd:

> 'teyrnged o barch i un o feibion goreu Cymru – (uchel gymmeradwyaeth) – yr hwn a deimlai yn ddwfn dros les ei wlad, un a

> ymdrechodd yn ddewr dros yr eisteddfodau mewn dyddiau a aethant heibio (cymmeradwyaeth). Y mae y dyn da hwn, oedd wedi myned yn hen mewn dyddiau, yn cael ei anrhydeddu gan bawb, a'i garu gan ei gydwladwyr, o'r diwedd wedi cwympo drwy ddwylaw llofrudd ... A gaf i erfyn am i'r cyfarfod, mewn perffaith ddistawrwydd, gyfodi am ychydig eiliadau, i ddadgan ein cydymdeimlad â'r teulu galarus sydd ... heddyw wedi eu taflu i'r gofid dyfnaf.'[7]

Y Parchg David Howell, 'Llawdden' (1831-1903) a draddododd y trydydd anerchiad, a'r olaf, ar ddiwrnod cyntaf Eisteddfod Wrecsam. Brodor o Dre-os, plwyf Llan-gan, ym Mro Morgannwg, oedd ef. Rhwng 1875 ac 1891 bu'n ficer yn Wrecsam, ac yn 1897 fe'i penodwyd yn Ddeon Tyddewi. Yr oedd yn adnabyddus 'fel areithiwr huawdl ar lwyfan yr eisteddfod genedlaethol.'[8] Yr oedd hefyd, fel y dengys ei araith yn Wrecsam, ac yn wahanol i ambell un o'i gyd-glerigwyr, yn credu'n gryf yng ngwerth y Gymraeg a'i diwylliant. Dyma gnewyllyn ei araith Gymraeg yng Ngwrecsam, yn dilyn ei araith Saesneg:

> 'Gymry a Chymryesau ... Y mae yn hysbys i'r byd mai nodweddion hynotaf ein hen genedl ni, y Cymry, yn mhob oes, yw ein gwladgarwch, ein cenedlgarwch, a'n crefydd. Wrth weled y cannoedd a'r miloedd sydd yn dylifo o bob parth o'r wlad – o eithafoedd Môn ac eithafoedd Gwent, Morganwg a Dyfed – i gadw gŵyl Eisteddfod Gwrecsam, ni a allwn haeru yn ngwyneb byd na fu cariad y Cymry at eu gwlad, eu hiaith, a'u defodau, erioed yn wresocach, os mor wresog, ag yn ein hoes a'n hamser ni. Anaml y gwelir cenedl y Cymry i fwy mantais nag ar amser Eisteddfod fel y presennol. Yn mha fan arall o'n byd y ceir miloedd ar filoedd o'n dosbarth gweithiol – crefftwyr, mwnwyr, llafurwyr, a bwthynwyr tref a gwlad – yn aberthu eu cyflogau, ac yn teithio ugeiniau o filldiroedd i fwynhau peroriaeth, cerddoriaeth, a llenyddiaeth, fel y gwelir yr wythnos hon yn Ngwrecsam? Ym mha fan arall o'n byd, ond yn hen wlad anwyl y mynyddau, y delyn, a'r beirdd, y ceir 2,270 o gystadleuwyr ar byngciau llenyddol, cerddorol, a chelfyddydol, mwyafrif ohonynt o blith gwerin ein gwlad? ...
>
> Ac etto, fe geir yn Nghymru, ïe, fe geir rhai Cymry, nad oes ganddynt braidd un amser air da i'r Eisteddfod, am ei bod, fel y tybiant,

yn wrthwynebol i'r iaith Saesnig. Fe geir rhai yn Nghymru a fynant gyssylltu pob rhinwedd a phob rhagoriaeth yn y nefoedd ac ar y ddaear â dysgu yr iaith Saesneg. Ond ai gwir yw fod y rhanau Saesnig o Gymru yn fwy moesol a rhinweddol na'r rhanau Cymreig o honi? Ai gwir yw fod sir Faesyfed, a'r parthau Saesnig o sir Fynwy a sir Benfro, yn fwy enwog o ran addysg, masnach, a chrefydd, na'r siroedd gwir Gymreig, megys Meirionydd, Caernarfon, a Môn? Y gwir yw fod cryn nifer i'w cael yn Nghymru sydd fel wedi hanner feddwi ar Saisaddoliaeth. Y mae genyf barch calon i bob Sais rhinweddol, ac i bob peth teilwng a berthyn i'r genedl Saesnig, ac nid oes neb o fewn cylch y deyrnas yn fwy awyddus na mi am i'r Cymry o Fôn i Fynwy i ddysgu Saesneg. Ac wrth ddysgu Saesneg, a oes angenrheidrwydd i'r Cymro i wadu ac anghofio ei hen Gymraeg? Y mae hen ddywediad yn sir Forganwg i'r perwyl hwn – "Gwell dau nag un i bob peth, ond i fwyta bara pan y mae yn brin." ...

Cofiwn, gyfeillion, mai nid peth dibwys yw difodi iaith sydd yn un o ieithoedd hynaf y byd – iaith sydd wedi bod, ac yn para i fod, yn iaith yr un genedl am fwy na dwy fil o flynyddoedd – iaith sydd wedi bod yn gyfrwng addoliad a mawl i filiynau sydd uchaf heddyw yn y drydedd nef – iaith a fu am ganrifoedd yn iaith yr orsedd ac iaith y bwthyn, iaith y brenin, ac iaith y cardotyn – yr iaith drwy yr hon y gwefreiddiwyd Cymry âg ysbryd yr efengyl – iaith pregethau Llangeitho, ac iaith hymnau Pant-y-celyn – na, na, ond o waelod calon dywedwn, "Tra môr, tra Brython," "Oes y byd i'r iaith Gymraeg" (uchel gymmeradwyaeth)."[9]

Dyna ragflas o gystadlaethau diwrnod cyntaf yr eisteddfod yn Wrecsam ac o'r anerchiadau a draddodwyd. Cyn cyfeirio at lwyddiant digamsyniol cyngerdd yr hwyr, fel hyn y mae'r gohebydd yn cloi ei adroddiad:

'Terfynwyd y gweithrediadau trwy ganu yr Anthem Genedlaethol am bedwar o'r gloch. Yr oedd y cynnulliad mwyaf, yn ddiau, a welwyd erioed ar foreu dydd cyntaf yr Eisteddfod yn un man. Bernir fod tua chwe mil o bobl yn wyddfodol. Da genym allu dyweyd hefyd i'r *Art Exhibition* gael cefnogaeth ragorol yn ystod y dydd.'[10]

'Y casgliad goreu o ddail, blodeu, a phlanhigion sychion, cynhenid i Ogledd Cymru': cystadlaethau dydd Mercher, ail ddiwrnod yr Eistedfod

Yn ogystal â nifer o gystadlaethau cerddorol, dyma dair o'r cystadlaethau llenyddol y cafwyd beirniadaeth arnynt ar ail ddiwrnod yr eisteddfod: englyn unodl union: 'Beddargraff Glan Alun', beirniaid Hwfa Môn a Thudno, 41 yn cystadlu, a 'Dafydd' yn fuddugol; marwnad i Ab Ithel, 'heb fod dros 300 o linellau', beirniaid: Andreas o Fôn a Cheiriog, buddugol: 'Elis Wyn o Wyrfai'; a 'Chlochdy Wrecsam', ugain llinell ar gynghanedd 'Tawddgyrch Gadwynog, gorchan y gyhydedd hir, yn ol dull Dafydd ap Edmwnd', beirniad: Iolo Trefaldwyn, buddugol: John Lloyd Williams. Yn ychwanegol at y cystadlaethau Cymraeg hyn, cynigid gwobr o £5 a bathodyn arian am y 'Bryddest Saesneg oreu ar Gyflafan Mynachod Brythonaidd Bangor-is-coed'.

Dyma'r diwrnod hefyd y caed beirniadaeth ar y cystadlaethau diddorol a ganlyn: 'Gwobr o saith bunt a bathodyn arian am y casgliad goreu o ddail, blodeu, a phlanhigion sychion, cynhenid i Ogledd Cymru, wedi eu rhwymo ynghyd', buddugol: Miss Jones, Llansilin Rectory; 'Linsey Cymreig' [llinwlanen], buddugol: J Roberts, Caernarfon; 'Gwobr o 25p a bathodyn aur am y darlun gwreiddiol goreu wedi ei baentio mewn olew, yn egluro unrhyw fater mewn hanesyddiaeth Gymreig, wedi ei baentio cyn y flwyddyn 1874', buddugol: 'Mrs R Williams, Gwrecsam'.[11]

'Os yw yr iaith Gymraeg mewn gwirionedd y peth marw y disgrifir hi weithiau, yna ... y mae yn afresymol o hir yn marw!' 'Credai efe fod yr Eisteddfod y ffurf oreu a mwyaf dyrchafedig o ddifyrwch i'r bobl a ddyfeisiwyd er amser yr hen Roegiaid'; 'God Bless the Prince of Wales' a 'God Save the Queen': eisteddfod a chyngerdd dydd Mercher, yr ail ddiwrnod

Llywydd dydd Mercher oedd 'Major Cornwallis West, Arglwydd Raglaw sir Ddinbych'. Cyflwynwyd ei anerchiad gan J Jones, Ysgrifennydd Mygedol yr Eisteddfod. Cyfeiriodd at ei falchder personol o fod yn perthyn i deulu Cymreig hynafol, ond ychwanegodd na ddylem fyth anghofio:

> 'fod rhywbeth heblaw hen achyddiaeth, cyfoeth a sefyllfa, yn angenrheidiol yn y dyddiau hyn i sicrhau llwyddiant mewn bywyd (cymmeradwyaeth). Y mae llawer o Gymry – ac nid wyf yn ammheu nad oes llawer yma yn bresennol – a wyddant nas gellir sicrhau gyrfa lwyddiannus ond drwy ddiwydrwydd a dyfalbarhad, ac ymdrech i ddiwyllio ein talentau (clywch, clywch) ...
>
> Y prif bethau yr ymdrinir â hwy yn yr Eisteddfod, fel y gwyddoch, ydyw, cerddoriaeth, llenyddiaeth, a'r celfyddydau cain. Mewn perthynas i'r blaenaf, nid oes dadl am lwyddiant y sefydliad hwn. Yr ydym oll yn dystion o hono yma; a chredwn hefyd fod llawer o les wedi ei wneuthur i gerddoriaeth drwy hyn. Mewn perthynas i ymdrechion llenyddol, gobeithiaf y bydd i'r cyfansoddiadau buddugol gael eu cyhoeddi, nid yn unig yn y Gymraeg, ond hefyd yn yr iaith Saesneg (cymmeradwyaeth). Mewn perthynas i'r trydydd peth, dymunwn ddyweyd cymmaint a hyn, fy mod y[n] gobeithio ac yn hyderu, heb roddi tramgwydd i neb, y bydd safon rhagoriaeth yn y dosbarth hwn yn cael ei ddyrchafu (cymmeradwyaeth). Y mae un gair y dymunwn ei ddyweyd o barthed i'r arddangosfa ryfeddol ... Credu yr wyf y deillia llawer o les i bob dyn a allo ei gwneuthur yn gyfleus i dalu ymweliad â hi, i weled cynnyrchion meddwl, llaw, a diwydrwydd. Wrth derfynu, mi a ddywedaf fy mod yn credu fod yr Eisteddfod yn sefydliad y dylem oll ei phleidio, o herwydd ei fod yn tueddu i gefnogi hunan-ddiwylliant, yr hyn sydd mor bwysig i fuddiannau a llwyddiant personau a gwledydd (uchel gymmeradwyaeth).'[12]

Wedi'r araith hon, canodd Côr yr Eisteddfod 'God Bless the Prince of Wales'. Yna, yn dilyn rhai beirniadaethau, yn ôl disgrifiad y gohebydd, cafwyd 'araeth ardderchog gan Mr Osborne Morgan AS'. Dyma fras gynnwys yr araith hon:

> 'Yr oedd yn dda ganddo ef weled cymmaint o'i gyfeillion Saesnig yn bresennol, o herwydd gallent ddysgu rhywbeth, a dad-ddysgu rhai pethau hefyd. Dywedai dad-ddysgu, am fod y syniad yn ffynu yn mysg y Saeson fod yr Eisteddfod yn cael ei chadw i gynnal bywyd yn yr iaith Gymraeg, ac attal cynnydd yr iaith Saesneg. Dywedodd un ysgrifenydd yn un o newyddiaduron Llundain, wrth gyfeirio at yr eisteddfodau, eu bod yn cael eu defnyddio i geisio cadw bywyd mewn iaith farw, ac i attal cynnydd un fyw ... ond os ydyw yr iaith Gymraeg mewn gwirionedd y peth marw y disgrifir hi weithiau, yna, fel y dywedodd Charles II am dano ei hun, "y mae yn afresymol o hir yn marw!" Yr oedd efe yn cofio Cymru er's deugain mlynedd, ac yn ystod yr amser hwnw yr oedd yr iaith Saesneg yn cael ei dysgu yn ofalus a ffyddlawn yn yr ysgolion yn mhob plwyf. Yr oedd cyfalaf y Saeson wedi ei dywallt fel dwfr i galon y Dywysogaeth; yr oedd trefedigaethau Saesnig wedi codi yn agos i orsafoedd ein ffyrdd haiarn a glannau ein moroedd, ac etto gellir yn hyderus ddyweyd nad yw rhifedi y rhai a siaradant Gymraeg wedi lleihau (cymmeradwyaeth).
>
> Tybiai llawer mai eithaf peth a fyddai dwyn yr Eisteddfod i wlad y Sais, a'i gwisgo mewn gwisgoedd Saesnig; ond ffolineb oedd hyn. Yr amaethwr goreu oedd y dyn oedd yn deall pa beth a gynnyrchai ei dir oreu; os na chynnyrcha ddim ond y geninen, o ganlyniad, yr oedd raid gwneyd y goreu o'r geninen (uchel gymmeradwyaeth) ... Credai efe fod yr Eisteddfod y ffurf oreu a mwyaf dyrchafedig o ddifyrwch i'r bobl a ddyfeisiwyd er amser yr hen Roegiaid (cym.). Gwyddai fod iddo ei hochor wan, am ben yr hon yr oedd i'n cyfeillion y Saeson groesaw i chwerthin, os ewyllysient ...'

Aeth Osborne Morgan rhagddo wedyn i gyfeirio'n arbennig at ymdrech fawr y werin bobl yng Nghymru i hyrwyddo addysg, ac meddai:

> 'Noder unrhyw ran o diriogaethau ei Mawrhydi lle mae y gweithwyr fel chwarelwyr Ffestiniog yn ymuno ynghyd i sefydlu ysgoloriaethau i fechgyn galluog (cym.). Yr oedd ganddo ef yn ei law adroddiad Prifysgol Aberystwyth am y flwyddyn ddiweddaf (cym.). Mynegir yn yr adroddiad am y drysorfa gynnaliaethol amserol, a gasglwyd yn benaf, ond nid yn gwbl, yn nghapelau Ymneillduol Cymru, yn mis Hydref, y flwyddyn

> ddiweddaf, y swm o 3,138*p.* 17*s.* 6*c.* Ond nid dyma y cwbl. Yr oedd cryn lawer mwy na hanner hwn wedi eu casglu yn symiau o dan hanner coron, gan yn agos i gan' mil o bersonau (cym.).
>
> Wel, meddir, beth sydd a wnelo hyn â'r Eisteddfod? Tybiai efe fod a fyno gryn lawer, o blegid fod yr Eisteddfod wedi diwyllio yn nghalonau y Cymry y syniad o hunan-ddiwylliant sydd yn peri iddynt werthfawrogi addysg, a bod yn foddlawn i wneuthur aberthau er ei fwyn. Dywedodd un athronydd Ffrengig fod yn well ganddo ef farnu cymmeriad naturiol cenedl oddi wrth ei difyrwch nag oddi wrth ei chyfreithiau, o blegid fod eu cyfreithiau yn cael eu gwneyd gan ereill, ond eu difyrwch yn cael eu dyfeisio ganddynt hwy eu hunain. Buasai yn dda ganddo pe buasai yn bosibl i Montaigne ddyfod i'r babell hono, ac wedi hyny gerdded drwy heolydd tref Saesnig ar ddiwrnod ffair. Gofidiai nad oedd yn bossibl traws-blanu yr Eisteddfod i diriogaeth y Saeson (uchel gymmeradwyaeth).'[13]

Cafwyd un araith arall yn ystod dydd Mercher yr Eisteddfod, ond fel hyn y disgrifiwyd hi gan y gohebydd, heb roi amcan o gwbl i'r darllenydd o'i chynnwys: 'Araeth danllyd fel arfer ar yr Eisteddfod a'i hamcan gan Hwfa Môn.'[14]

Yn y cyngerdd nos Fercher, yr oedd 'tua saith mil' yn bresennol, a Llew Llwyfo yn arwain. Rhoes y llywydd, Eyton Jones, Ysw., maer Wrecsam, ganmoliaeth fawr i'r 'Brif Athrofa' newydd yn Aberystwyth. Yna cyflwynwyd bron i ddeugain o ganeuon – a'r cyfan, ie, yn Saesneg. Ond cafwyd hefyd, yn ychwanegol, dair cân Gymraeg. Tair yn unig. Un ohonynt oedd cân 'Teulu Dic Sion Dafydd', gan Mynyddog: 'Cafodd encôr byddarol, ond nacaodd ail-ganu, er gwaeddi am amser maith.' I gloi'r cyngerdd, canodd Côr yr Eisteddfod 'God Save the Queen'.[15]

'Cadw, ti a gei' (cadw-mi-gei); 'Cymru, Gwlad y Gân'; 'Of all the chiefs of Cambria ...' (cân i gyfarch Syr Watkin Williams Wynn): cystadlaethau a chyflwyniadau cerddorol dydd Iau yr Eisteddfod

Yng nghyfarfod yr Orsedd bore Iau, eto o dan arweiniad Yr Estyn, cyhoeddwyd y byddai Eisteddfod 1877 yn cael ei chynnal yng Nghaernarfon, a bod 'hanner yr elw ... yn myned at Brif Athrofa Aberystwyth'.

Yn ogystal â chystadlaethau cerddorol i unawdwyr ac i gyfeilyddion ar y piano a'r delyn, cystadleuaeth olaf dydd Iau oedd yr un i gorau rhwng 40 a 60 o leisiau, ac yn gyfyngedig i siroedd Dinbych a Fflint. Y darn i'w ganu ydoedd 'Halleluia to the Father', Beethoven, a'r beirniaid oedd Syr Julius Benedict, Owain Alaw, ac Ieuan Gwyllt. Dau gôr oedd yn cystadlu, a Chôr Rhosllannerchrugog a enilloddd.

Dyma'r cystadlaethau llên yn nhrefn eu beirniadu: 'Cân Seisnig briodol i'w chanu ar agoriad Eisteddfod'; 'cyfieithiad goreu o "As you like it", allan o *Shakespeare's Play*'; 'y farddoniaeth oreu ar Farwolaeth Saul, yn Gymraeg neu Saesneg'; 'traethawd bywgraphyddol a beirniadol ar y diweddar Cynddelw'; 'hir a thoddaid i'r Peiriant Dyrnu'; '*report* o araeth Gymraeg Gwalchmai yn yr Orsedd'; 'traethawd Cymraeg ar gymmeriad Hamlet, Tywysog Denmarc'.

Dwy gystadleuaeth ddiddorol arall oedd 'Casgliad o enwau lleoedd, meusydd, afonydd, etc. yn y ddwy Faelor', a'r un ar lunio 'Cadw ti a gei (*Money box*)'.

Dydd Iau hefyd oedd diwrnod cadeirio'r bardd buddugol, a chawn sôn am hynny yn y bennod nesaf. Cawn yn ogystal (pennod 14) roi'r sylw dyladwy i enillydd y gystadleuaeth i lunio 'Cadair Dderw Farddol' (John Morris Roberts, Llangollen). Gwobr: 10 punt a thlws aur.[16]

Yn ystod gweithgareddau'r diwrnod hwn canodd Côr yr Eisteddfod 'March of the Men of Harlech'; canodd J Sauvage 'Cymru, Gwlad y Gân'; a chanodd 'Madame Edith Wynne' 'gân gyfansoddedig' i Syr Watkin Williams Wynn, Llywydd dydd Iau, ar dôn 'God bless the Prince of Wales, yn ddoniol a hwyliog dros ben'. Dyma'r ddau bennill:

Of all the Chiefs of Cambria
Sy'n byw y dyddiau hyn,
There's none who love the Cymry
Like Watkin Williams Wynn.
The Princes of old Cambria,
Immortalised in song,
Were noble, brave and gen'rous,
And loved their native tongue.
Chorus – Of all the Chiefs, &c.

Defenders of their people
The bulwark of their race,
And patrons of the "*Awen*;"
Oh! who will fill their place;
And have they all departed,
Gofyna Cymry'n syn;
There's one, the bards re echo,
Sir Watkin Williams Wynn.
Chorus. Of all the Chiefs, &c.[17]

'Ymddyger tuag at y Gymraeg, os ydyw i farw, fel yr ymddygid tuag at hen ŵr wedi byw bywyd anrhydeddus ... Os ydys am ei lladd o gwbl, dylid ei lladd mewn caredigrwydd ...' (geiriau Deon Bangor); 'Y mae y sefydliad yn agor ei ddrws i Eglwyswyr, Ymneillduwyr, a Phabyddion yr un modd, ac i Fahometaniaid ... Y mae yn agored i bawb' (Morgan Lloyd, AS, am Goleg y Brifysgol, Aberystwyth): anerchiadau ar ddydd Iau yr Eisteddfod

O'r tri anerchiad a gafwyd yn ystod dydd Iau, araith y Llywydd, Syr Watkin Williams Wynn, Wynnstay, oedd y gyntaf. Cyfeiriodd at y 'manteision deilliedig o'r eisteddfod a chadwraeth y Gymraeg', gan ychwanegu: 'Mi a wn fod yna lawer nad ydynt wedi cael manteision boreu oes, ond sydd wedi dyrchafu eu hunain yn eu galwedigaeth neu eu celfyddyd'. Soniodd yn benodol am rai o'r cantorion yn Eisteddfod Wrecsam: Mary Davies, Eos Morlais, ac Edith Wynne. Ac meddai am Mynyddog:

> 'Chwi a fwynhasoch bresennoldeb mab i un o'm tenantiaid, Mynyddog (cymmeradwyaeth), yr hwn yr wyf yn credu, y gallaf ddyweyd, sydd wedi gadael heibio y faingc saer er dyfod yn un o ddynion yr eisteddfodau (chwerthin ac uchel gymmeradwyaeth)'[18]

Wedi mynegi ei siom na fu modd i'w 'Uchelder Brenhinol', Tywysog Cymru, allu mynychu'r Eisteddfod, mynegodd ei farn parthed yr iaith Gymraeg. Yr oedd yntau yn dymuno 'iddi gael ei chadw', ond ychwanegodd y sylw hwn: 'etto, dymunwn eich adgofio o'r ffaith mai cospedigaeth a roddwyd ar y byd ar ol y dilyw ydyw lliosogiad ieithoedd (chwerthin)'. Cyn diwedd ei araith, aeth rhagddo i gymharu tyrfaoedd o Gymry a thyrfaoedd o Saeson, ac meddai:

> 'Pa bryd bynag y cyferfydd y Saeson yn dyrfaoedd mawrion, digwydda pethau a barant ofid; ond nid felly y mae pan ymgyferfydd y Cymry, fel y maent wedi gwneyd yn ystod yr wythnos hon yn y dref hon (cymmeradwyaeth).'[19]

Deon Bangor oedd yr ail ŵr i annerch y dorf fawr ar ddydd Iau yr Eisteddfod yn Wrecsam, ac agwedd negyddol iawn, trist o negyddol, oedd ganddo ef tuag at y Gymraeg, er iddo dderbyn cymeradwyaeth gan gyfran, o leiaf, o'r gynulleidfa. Dyma rai o'i ddatganiadau:

> 'Yr wyf yn hyderu y bydd i'r Cymry fod yn wastad yn hynod am eu tuedd grefyddol; ac y bydd iddynt hefyd trwy gyfwng yr eisteddfod ddadgan eu hoffder at gerddoriaeth, barddoniaeth, a llenyddiaeth. Nid ydym yma i ddybenion culion; nid ydym yma, fel y dywedodd Mr. Osborne Morgan yn ei araeth hyawdl y dydd o'r blaen, i ddefnyddio unrhyw foddion celfyddydol i gadw yn fyw yr iaith sydd wedi ei thynghedu i farw. Nid af i mewn i'r cwestiwn pa un a ydyw yr iaith Gymraeg i fyw neu ynte i farw; ond yr wyf yn dadleu dros iddynt gael

ymddwyn tuag ati gyda pharch ac anrhydedd (cymmeradwyaeth).
Y mae pob iaith yn rhodd fawr o eiddo Duw i ddyn, ac yr oedd yr iaith Gymraeg yn rhodd fawr. Os ydyw i farw, dylai gael ei hanrhydeddu yn ei hen ddyddiau, ac y mae yr ymdrechion a wnaethpwyd mewn amser a aeth heibio i ladd yr iaith Gymraeg wedi gwneyd llawer o niwed. Nid ydynt wedi ei lladd, ond y maent wedi planu yn Nghymru wreiddyn o chwerwedd a drwg. Ymddyger tuag at y Gymraeg, os ydyw i farw, fel yr ymddygid tuag at hen ŵr wedi byw bywyd anrhydeddus (cymmeradwyaeth). Ni ddylid lladd hen ŵr; ni ddylid ymresymu a dyweyd, pe bae efe allan o'r ffordd byddai yn fantais fawr ... ac y mae yr un modd gyda hen iaith. Nis gellir defnyddio moddion annheg i'w dyfetha heb ddwyn yn mlaen liaws o ddrygau mewn canlyniad. Yn awr, os ydys am ei lladd o gwbl, dylid ei lladd mewn caredigrwydd; ac y mae hyn yn cael ei wneyd i ryw raddau gan yr eisteddfod hon.'[20]

'Mr Morgan Lloyd, AS' oedd y trydydd siaradwr ar ddydd Iau yr Eisteddfod. Dau bwnc arbennig oedd ganddo ef. Yn gyntaf, ei ymateb i sylwadau cynharach Deon Bangor ynglŷn â'r Gymraeg.

'Wedi crybwyll enw fy nghyfaill, y Deon, rhaid i mi ddywedyd fy mod mewn llawer o bethau yn gwahaniaethu oddi wrtho; ac yn mhlith pethau ereill yn mherthynas i'r iaith Gymraeg, yr wyf yn credu y bydd fyw yn hwy nag un dyn sydd yn awr yn fyw (cymmeradwyaeth). Credaf fod yr iaith Gymraeg, yn hytrach na cholli tir, yn ennill tir (cymmeradwyaeth), ac nid wyf yn un o'r rhai sydd yn gofyn am diriondeb tuag at iaith druan, dlawd, megys i hen ŵr adfeiliedig sydd yn barod i farw. Nid yw yr iaith yn myned i farw (cymmeradwyaeth). Y mae wedi bod am amser maith yn ymddangos fel pe buasai yn diflanu ymaith; ond er's peth amser y mae y Cymry yn ennill tir, ac y mae yr iaith Gymraeg yn ennill tir hefyd. Rhyw hanner can mlynedd yn ol, pa faint oedd yn Liverpool yn siarad Cymraeg? Ychydig iawn yn wir. Ond pa faint sydd yno yn awr? Ynghylch deg a'r hugain neu ddeugain o filoedd. Edrychwch i'r America. Pa faint o ugeiniau o filoedd sydd yn ei siarad yno? Nid wyf yn meddwl ei bod yn myned i farw. Gwnaf fi fel un yr oll sydd yn fy ngallu i helaethu gwybodaeth o'r Saesneg yn mysg y Cymry. Byddai yn dda genyf weled pob mab a merch yng Nghymru yn medru siarad

> Saesneg gystal â Chymraeg. Credaf mai dyna fydd canlyniad y sefydliadau addysgol a osodir i lawr.'

Ail bwnc araith Morgan Lloyd oedd y coleg newydd yn Aberyswyth:

> 'Y mae yn ddrwg genyf ddarllen fod fy nghyfaill, Deon Bangor, yn anghyttuno â ni ynghylch y symmudiad hwn. Gobeithiaf y daw yn fuan i weled fod y symmudiad yn un iawn (cymmeradwyaeth). Cyfarfu y symmudiad â gwrthwynebiad cryf; ar y cyntaf nid oedd ond ychydig, ac ychydig iawn, o'r clerigwyr yn dyweyd gair yn ei ffafr; ond yr wyf yn gweled un hen gyfaill i mi yn y babell – un o glerigwyr ffyddlonaf Eglwys Loegr – yr hwn sydd wedi bod yn gyfaill i'r Brifysgol o'r dechreuad; cyfeirio wyf at y Parch. R. Jones, Rotherhithe (uchel gymmeradwyaeth). Yr oedd ef yn gyfaill mewn gwirionedd i'r sefydliad oddi ar ei gychwyniad, pan oedd y byd yn troi ei wyneb yn erbyn y symmudiad; ond yn awr, yr ydym yn canfod fod genym esgobion yn ein cefnogi, a bydd genym yn fuan ddeoniaid hefyd (chwerthin a chymmeradwyaeth), ac yr wyf yn gobeithio yn fuan y gwna ein teilwng gadeirydd, Syr Watkin, hefyd hyny. Credwn ei fod yn ei galon eisoes yn gefnogol iddo. Y mae y sefydliad yn agor ei ddrws i Eglwyswyr, Ymneillduwyr, a Phabyddion yr un modd, ac i Fahometaniaid, os ewyllysiant ddyfod yno. Y mae yn agored i bawb.
>
> Yr wyf yn gobeithio, syr, nad wyf yn troseddu ar un reol o eiddo yr eisteddfod hon wrth ddyweyd fy mod yn hyderu y bydd i bob aelod seneddol Cymreig ymuno i ofyn i'r llywodraeth, beth bynag fydd y llywodraeth, am rodd at y coleg (cymmeradwyaeth). Yr wyf yn teimlo yn sicr o hyn, os bydd i'r aelodau Cymreig oll gyduno i arwyddo y dymuniad am hyny, nas gall un llywodraeth, pa un fyddo un Doryaidd neu Ryddfrydol, wrthod yn hir (cymmeradwyaeth). A byddai yn dda genym pe byddai i chwi yn y cynnulliad mawr hwn amlygu dymuniad unfrydol ar fod i'r fath gais gael ei wneuthur at y llywodraeth, a'i wneyd yn enw y genedl Gymreig (cymmeradwyaeth). Nis gallaf wneyd yn well na deisyf ar fod Mynyddog yn gofyn i chwi am arwyddo hyny, yr hyn y gwna eich teilwng lywydd, yr wyf yn dra sicr, ei osod o flaen y Prif Weinidog (uchel gymmeradwyaeth).'[21]

Yn union ar derfyn yr anerchiad cofiadwy hwn, ychwanegodd Deon Bangor y sylw a ganlyn: 'Ni chadwaf amser y cyfarfod ond am un foment. Nid oes arnaf eisieu dyweyd ond yn unig nad wyf fi yn wrthwynebwr i Brifysgol Aberystwyth.'[22]

'*Caro mio ben*', '*The Minstrel Boy*' a 'Perthynasau y Wraig'; 'Madame Edith Wynne', 'Madame [Adelina] Patey', a Mynyddog: cyngerdd nos Iau yr Eisteddfod

Yn y cyngerdd hwyrol roedd Côr yr Eisteddfod, o dan arweiniad Richard Mills, unwaith eto yn canu. Hefyd ymhlith y cantoresau yr oedd 'Madam Patey' a 'Madam Edith Wynne'. Y mae'n amlwg i ohebydd *Y Faner*, fel i'r gynulleidfa, gael eu llwyr gyfareddu gan ganu'r soprano fyd-enwog, Adelina Patey (Patti) (1842-94). Canodd i ddechrau yr 'Arietta, "Caro mio ben" ', a disgrifiwyd yr unawdydd gan y gohebydd fel 'un o'r cantoresau goreu yn y Deyrnas Gyfunol. Aeth drwy ei chân gyntaf hyd nes dotio pawb. Nacaodd ddyfod yn mlaen i ail ganu.' Tua chanol y cyngerdd, canodd ddeuawd 'yn ardderchog' gydag Edith Wynne: 'As it fell upon a day'. I gloi ei chyfraniad hi, canodd ' "The minstrel boy" yn ogoneddus. Bu gorfod iddi ail ganu, a chanodd "Meeting of the waters" yn ardderchog.' Yna ychwanegodd y gohebydd y sylw canmoliaethus hwn: 'Rhaid i ni ddyweyd ei bod yn un o'r rhai goreu a glywsom erioed ar esgynlawr eisteddfod.'

Yn ogystal ag arwain y cyngerdd, canodd Mynyddog y gân 'Perthynasau y Wraig', a chafodd 'encôr'. Fel hyn y mae gohebydd *Y Faner* yn cloi ei adroddiad am gyngerdd hwyrol nos Iau, Eisteddfod Wrecsam, 1876:

> 'Wedi cael "God Save the Queen" gan y côr, terfynwyd un o'r cyngherddau goreu a mwyaf lliosog a welsom erioed. Bernir fod yn y babell o wyth i naw mil o drigolion.'[23]

Unawd, côr a chyfeiliant telyn; pryddest, 'duchangerdd', a thraethawd; englyn Saesneg, 'Hetiau Merched Cymru', a 'Gwlanen Gymreig': cystadlaethau dydd Gwener, diwrnod olaf yr Eisteddfod

Diwrnod llawn arall o gystadlu, beirniadu ac annerch. Yn ystod hyn oll, canodd Côr yr Eisteddfod yn y bore y gân 'Rising of the lark' ac, i gloi gweithgareddau'r dydd, unwaith eto, 'God bless the Prince of Wales'. Cafwyd cân hefyd gan 'Madame Patey', 'The Storm'. Meddai gohebydd *Y Faner*: 'ac yn wir canodd yn ardderchog, a chymmerodd y gynulleidfa *by storm* mewn gwirionedd'.

Fel yn y dyddiau blaenorol, cafwyd amrywiaeth o gystadlaethau cerddorol, gan gynnwys cyfeilio ar y delyn a 'chystadleuaeth gôrawl gan feibion yn unig', 30-50 mewn nifer. Dyma'r diwrnod hefyd y cynhaliwyd y gystadleuaeth i gôr, gwobr £50, yn canu 'The Lord be a Lamb', gan Syr Julius Benedict, o'i oratorio, 'St Pedr'. Syr Julius, Pencerdd Gwalia ac Ieuan Gwyllt oedd yn beirniadu, a Chôr Rhosllannerchrugog oedd yn fuddugol.

Bu raid atal y wobr yng nghystadleuaeth y bryddest ar 'Unrhyw destyn Cymreig a ddewisai'r awdwr'. Ond dyma gystadlaethau yn yr adran farddoniaeth ble cafwyd gwobrwyo: englyn: 'Y Wenol' (85 o englynion); englynion i 'Major Cornwallis West'; englynion i 'Syr Watkin W Wyn'; a 'duchangerdd, Y Clorianau Anghywir' (Ceiriog yn beirniadu).

Mewn tair o'r cystadlaethau llên gofynnid i'r cystadleuwyr baratoi traethodau. Dyma destunau dau ohonynt: 'Y Fantais a fyddai i Loegr gael trafnidiaeth â Ffraingc', a thraethawd 'ymarferol' ar 'ddeddfau iechyd, mewn cyssylltiad â threfniad anneddau, ymgeledd corphorol, ac arferion cyffredin y dosbarth gweithiol'. 'John Rhys, Ysw, MA, a'r Parch Thomas Rowlands' oedd beirniaid y traethawd ar 'Darddiad a chynnydd yr Iaith Gymraeg, o'r cyfnod boreuol i'r amser presennol'. Gwobr: '25p a thlws aur'. Dyma sylw pellach gan y gohebydd ar y gystadleuaeth arbennig hon:

> 'Rhoddodd Mr. Rhys feirniadaeth ofnadwy o danllyd, a chyn myned o'r esgynlawr collfarnodd y *nonsense* ffol fydd yn myned yn mlaen yn ngorseddau yr Eisteddfodau, a heriodd yr un eisteddfodwr i brofi fod y *nonsense* fydd yn cael ei gario yn mlaen yn yr Orsedd yn *sownd*, ac awdurdod iddynt. Wedi condemnio yr holl draethodau a ddaeth i law, dywedodd nad oedd yr un o honynt yn agos i fod yn deilwng o'r wobr.'[25]

Gosodwyd dwy gystadleuaeth cyfansoddi barddoniaeth yn Saesneg. Pryddest 'ar destyn hollol Gymreig heb fod yn uwch na 200 o linellau' oedd un ohonynt. Y llall ydoedd: 'englyn Saesneg (*English epigram*)' ar y testun 'Hetiau Merched Cymru'. Dyma'r 'englyn' buddugol o eiddo 'Mrs J R Hughes, Grove Place, Dinbych':

> Let other maids their hands unfold,
> In dresses dark or coils of gold;
> Cambrian maids, believe me, that
> Your crowning beauty is your *hat*.[26]

Pedair cystadleuaeth ddiddorol arall y buwyd yn eu beirniadu y dydd Gwener hwn oedd y rhai a ganlyn: 'darlun mewn *chalk* goreu o unrhyw olygfa yn Ngwrecsam neu'r plwyf'; '*baluster* o goed wedi ei dyrnio oreu'; 'y casgliad goreu o Fwnau Gogledd Cymru'; a 'Gwlanen Gymreig'.[27]

'... gwyliau y campau Olympaidd yn y dyddiau pan oedd gwlad Groeg yn ei blodeu. Nis gall dim ond hyn ddal canwyll i'r eisteddfodau yn Nghymru'; 'y mae [Cymru] yn awr y lle mwyaf tawel a theyrngarol o dan goron ei Mawrhydi': anerchiadau dydd Gwener olaf yr Eisteddfod

Llywydd dydd Gwener oedd yr Anrhydeddus George T Kenyon, a gwnaeth sylwadau tra chanmoliaethus am yr eisteddfod a'i dylanwad pellgyrhaeddol:

'Yr oll a ddywedaf ydyw nad wyf yn rhoddi i fyny i un o'm rhagflaenoriaid yn fy nghariad at fy ngwlad enedigol a'i sefydliadau (cym). A phwy sydd wedi ei eni yn Nghymru deg a all beidio teimlo y dyddordeb dyfnaf yn llwyddiant ei sefydliadau (clywch, clywch). Yr wyf fi yn un o'r rhai sydd yn tybied fod a fyno nodwedd anianyddol gwlad lawer â ffurfio cymmeriad moesol ei phreswylwyr ... Ac onid fel hyn y mae yn arbenig gyda Chymry? (cym). O'i ddyddiau boreuaf y mae y Cymro yn arfer gweled yr hyn sydd brydferth ac addurnol mewn natur, a byddai yn syndod os nad effeithiai hyny ar ei gymmeriad moesol i'w wneyd yn burach, yn sancteiddiach, ac yn fwy anrhydeddus (cym).

Y mae y newyddiaduron Saesnig wedi arfer goganu yr eisteddfodau, ac yr wyf fi yn tybied fod hyny yn cael ei wneyd mewn anwybodaeth o'r hyn y mae yr eisteddfodau mewn gwirionedd wedi eu hamcanu i'w ddwyn oddi amgylch (clywch, clywch). Gall y neb a fyno astudio hanes yr eisteddfodau weled mai yr un ydyw â hanes cynnydd gwybodaeth a chelfyddyd yn Nghymru. Os rhaid i ni eu cymmharu â sefydliadau cyffelyb, hen a diweddar, yr wyf yn credu nad oes ond un sydd yn dyfod yn agos at eisteddfod y dyddiau hyn, sef gwyliau y campau Olympaidd yn y dyddiau pan oedd gwlad Groeg yn ei blodeu. Nis gall dim ond hyn ddal canwyll i'r eisteddfodau yn Nghymru ...

Y peth cryfaf i gymmeradwyo yr eisteddfodau hyn ydyw eu dylanwad pureiddiol a choethedig arnom, y maent yn peri i ni anghofio ynddynt ein hanhawsderau a'n gwahaniaethau bychain. Yr ydym yn canfod opiniynau personol wedi eu suddo, a gwahaniaethau crefyddol wedi eu hanghofio, ac y mae yr eisteddfodau hyn yn meddu lle uchel yn mysg gwyliau Ewrop (clywch, clywch). Mewn gwlad lle y mae ymdrechfeydd heddychol wedi cymmeryd gafael mor ddwfn yn nheimladau y bobl, byddai creulonderau o'r fath ag yr ydym wedi bod yn darllen am danynt yn ystod yr haf hwn yn ammhossibl – creulonderau sydd yn gwneyd i'r gwaed i redeg yn oer yn ngwythïenau pob un ag y mae ganddo galon i deimlo – cyfeirio yr wyf at y rhyfel rhwng y Tyrciaid a'r Serviaid – dywedaf etto ei fod yn ammhossibl i'r fath beth gymmeryd lle yn ein gwlad heddychol ni (uchel gym.).

Y mae y cwestiwn wedi ei ofyn yn aml yr wythnos hon, "Pa ham y mae yr eisteddfodau mor boblogaidd?" Y mae yr attebiad i hyn wedi ei roddi o'r blaen, ac yr wyf yn credu mai dyna yr un iawn, sef, am eu bod yn "sefydliadau cenhedlaethol" (clywch, clywch). Y mae gan Gymru hefyd hanes cyffrous, llawn o ddyddordeb (clywch, clywch). Gwn fod y bennod hono yn ei hanes wedi ei chau i fyny, a bod Cymru yn gorphwys mewn diogelwch yn nghysgod ei hen enw; y mae yn awr y lle mwyaf tawel a theyrngarol o dan goron ei Mawrhydi (cym). Gall etto, modd bynag, ymffrostio yn ei hen feirdd, ac adgofio ei hen fuddugoliaethau, ei deddfwneuthurwyr, ei haneswyr, a'r meibion glewion a fu mewn llawer ffordd yn ei gwasanaethu (clywch, clywch). Ac nas gall lai nag effeithio yn dda ar bobl yr oes hon.'[28]

Y trydydd gŵr i annerch ar ddydd Gwener yr Eisteddfod oedd 'Mr Whalley, AS', ond ni cheir nodyn am ei anerchiad ef. Dyma, fodd bynnag, gnewyllyn araith Gymraeg yr ail siaradwr, sef y Parchg David Roberts, 'Dewi Ogwen', Wrecsam. Y mae'n ymateb yn gryf a rhesymegol i sylwadau Deon Bangor am y Gymraeg:

'... Cyfeiriai Deon Bangor yn dra doniol, yn ol ei arfer, y dydd o'r blaen, at yr hen iaith Gymraeg, fel yn dyhoeni a gwywo. Cymmharai y Deon hi i hen ŵr anrhydeddus ar drengu; ac appeliai am iddi gael pob help i farw yn esmwyth a thawel. Ond yr oedd efe y tro hwn yn gwahaniaethu oddi wrth y Deon, nid am henaint yr iaith; ond aeth ei hen gymmydog un ffordd i chwilio am hen ŵr i'w gosod allan, tra yr elai yntau i gyfeiriad arall. Nid oedd efe yn gweled fod yr iaith Gymraeg yn cael ei gosod allan mor ffodus yn hanes yr hen ŵr o Mahanaim, Barzilai y Gileadiad, yr hwn a fynai hebrwng y Brenin Dafydd dros yr Iorddonen, ac yna myned adref i *farw*, ac i'w gladdu yn meddrod ei dad a'i fam (cymmeradwyaeth). Cyfeirid ei feddwl ef at hen ŵr arall, yr hwn a grybwyllir yn yr "Hen Lyfr". Darllenwn am un Caleb yn ei anerchiad i Joshua, yn arfer geiriau tebyg i hyn: "Wele fi heddyw yn fab pum' mlwydd a phedwar ugain – yr ydwyf mor gryf heddyw a'r dydd yr anfonodd Moses fi; fel yr oedd fy nerth i y pryd hwnw, felly y mae fy nerth i yn awr i ryfela, ac i fyned allan, ac i ddyfod i mewn" (uchel gym.). Nid oedd efe yn gweled dim yn arddangos gwendid yr hen ŵr o Mahanaim yn yr Eisteddfod, ond yn hytrach gwelai ef *pluck* yr hen wron Caleb (clywch, clywch). Nid appelio y mae yr iaith Gymraeg at drugaredd a thosturi i gael tawelwch i farw yn esmwyth, ond saif allan fel Caleb am waith yn y dyfodol.

Nid yw yr iaith Gymraeg, er ei bod yn hen, yn nychu, a gwelwi, a gwanhau. Yr ydym yn cynnal Eisteddfod heddyw o'r ochr arall i derfynau Clawdd Offa. Os gorchfygwyd ein gwlad gan genedl arall, ac os daethant atom â chleddyf, ac â gwaewffon, ac â tharian, yr ydym ni yn dyfod atynt hwy â chareg – nid careg yn lle bara – yn mlaen y mae yr Eisteddfod yn myned (cym.). Y mae yma gais am ei chael i Lundain – purion, ni a awn yno; ac os na ddaeth y *Prince of Wales* atom ni yma, nyni a awn â'r *Prince in Wales* gyda ni yno – y barwnig anrhydeddus a lywyddai ein cyfarfod ddoe [Syr Watkin Williams Wynn]. Nid oes arno ef gywilydd o honom ni, ac ni bydd arnom ninnau gywilydd o hono yntau (uchel gymmeradwyaeth).'[29]

Cyflwynodd Dewi Ogwen ei anerchiad yn Gymraeg. Eithriad oedd hynny, wrth gwrs, yn hanes Eisteddfod Genedlaethol Wrecsam, fel yn eisteddfodau eraill y cyfnod hwn. Y mae gennym ni heddiw, felly, faich o ddyled i gyfnodolion megis *Baner ac Amserau Cymru*, ac i ohebwyr a roes inni adroddiadau mor fanwl a bywiog o weithgarwch eisteddfodau ail hanner y bedwaredd ganrif ar bymtheg, gan gynnwys yr anerchiadau niferus. Diolchwn yn benodol yn y gyfrol hon i ohebydd dienw Eisteddfod Wrecsam, 1876.

Ar derfyn ei adroddiad ar ddiwrnod olaf yr Eisteddfod, cynhwysodd y gohebydd y nodyn a ganlyn (wedi'i gyfieithu ganddo) a gyhoeddwyd yn y *Liverpool Mercury*:

'Ymddangosodd y nodiad canlynol am yr Eisteddfod yn y *Liverpool Mercury* ddydd Llun:

"Credir y bydd cryn swm o arian yn weddill yn nwylaw y pwyllgor i'w gyflwyno i Brifysgol Cymru. Addefir ar bob llaw, hyd yn oed gan y rhai hynaf sydd wedi arfer mynychu yr eisteddfodau, mai yr eisteddfod hon oedd y fwyaf llwyddiannus a disglaer a gynnaliwyd erioed, nid yn unig mor bell ag y mae a fyno lliosogrwydd a dyddordeb â'r cwestiwn, ond hefyd ar yr argraph a wna ar y Dywysogaeth. Y mae Syr Julius Benedict yn dadgan ei fod wedi mwynhau ei hun yn rhagorol yn ei ymweliad cyntaf â'r Eisteddfod, a bod rhagoriaeth y canu corawl wedi ei synu yn ddirfawr. Cyfrifir fod dros bum mil ar hugain o bobl wedi ymweld â Gwrecsam yn ystod yr wythnos, a gellir sylwi hefyd nad oedd rhifedi y rhai a ymwelsant â'r Arddangosfa Gelfyddydol yn nemawr llai nag ugain mil." '[30]

13

Cadeirio Bardd y Gadair Ddu Gyntaf

WEDI INNI GAEL brasddarlun o Eisteddfod Genedlaethol Wrecsam, 1876, yn y bennod ddiwethaf, dyma neilltuo'r bennod bresennol yn gyfan gwbl i adrodd hanes defod drist y cadeirio, brynhawn Iau, 24 Awst. Gwneir hynny drwy ddibynnu gymaint ag oedd yn bosibl ar dystiolaeth llygad y ffynnon; dyfynnu union eiriau personau a oedd yn bresennol yn y digwyddiad hanesyddol hwnnw, a'r geiriau hynny yn fynegiant o'u teimladau. Dewiswyd y ffynonellau canlynol: disgrifiad cryno y gohebydd dienw a gyhoeddodd yr adroddiadau manwl dyddiol o'r Eisteddfod yn *Y Faner*, 30 Awst 1876; llythyr cofiadwy John Griffith, 'Y Gohebydd', eto yn yr un rhifyn o'r *Faner*; adroddiad Saesneg yn y papur lleol: *The Llangollen Advertiser*, 1 Medi 1876; paragraff byr gan Iolo Trefaldwyn, yn *Y Darlunydd*, Medi 1877; a rhan o lythyr cynhwysfawr y Parchg Benjamin Humphreys yn *Y Darian*, 8 Mawrth 1923.[1]

Ffugenw Taliesin: 'Eusebius', Esgob Cesarea, a hanesydd Rhufeinig a Christnogol

Cyn dechrau adrodd yr hanes fel y'i cofnodwyd yn y ffynonellau hyn, fodd bynnag, gair am y ffugenw a ddewisodd Taliesin o Eifion wrth anfon ei awdl, Helen Llwyddawg, i'r gystadleuaeth. Soniwyd eisoes (pennod 7) am ei ddiddordeb byw mewn hen hanes. Gwelwyd hefyd (pennod 11) fod cefndir Rhufeinig i'w awdl. O gofio hyn, ac

Y Gadair Ddu gyntaf. Enillwyd gan Thomas Jones, Taliesin o Eifion, yn Eisteddfod Wrecsam, 1876. O lun gan John Thomas, yng nghasgliad Llyfrgell Genedlaethol Cymru.

yn arbennig i Helen, yn ôl y portread ohoni gan y bardd, er iddi briodi Rhufeiniwr, aberthu rhan olaf ei hoes i weithio dros Grist, y mae dewis Taliesin o'r enw 'Eusebius' yn neilltuol o addas. Yr un modd, y mae'n brawf pellach, pe bai angen hynny, mor ddysgedig ac eang ei ddiddordeb mewn hanes oedd y paentiwr ac addurnwr o Langollen.

Hanesydd Rhufeinig, esboniwr a pholemegydd Cristnogol oedd Eusebius (*c.* 263-339) a ddaeth yn Esgob Cesarea. Fe'i gelwir yn aml yn 'Dad Hanes yr Eglwys'. Yr oedd yn ddisgybl i Pamphilius (*c.* 240-309), ysgolhaig Cristnogol yn yr eglwys yng Nghesarea.[2]

'Galwodd Mynyddog ar tuag ugain o feirdd yn mlaen i'r esgynlawr i gymmeryd rhan yn y seremoni o gadeirio y bardd ...': adroddiad gohebydd *Y Faner*

Adroddiad byr, uniongyrchol a gwrthrychol iawn a roes gohebydd *Y Faner*. Fe allai'n rhwydd fod wedi mynegi'i deimladau, ond ni wnaeth.

> 'Galwodd Mynyddog ar tuag ugain o feirdd yn mlaen i'r esgynlawr i gymmeryd rhan yn y seremoni o gadeirio y bardd. Y ddau fardd a gymmerodd fwyaf o ran yn y seremoni o gadeirio oeddynt Gwalchmai a Hwfa Môn. Darllenodd Gwalchmai ei feirniadaeth ef a'i gydfeirniaid, sef Tudno a Llawdden, Gwrecsam, ar yr Awdlau. Daeth saith o gyfansoddiadau i law, ond nid oedd yr un o honynt o deilyngdod uchel. Gwobr, 20p. a Chadair Dderw hardd, a thlws aur. Testyn y Gadair oedd "Helen Llwyddawg".
>
> Y goreu ar y testyn oedd y diweddar Mr. T. Jones (*Taliesin o Eifion*), Llangollen. Fe aeth tua 30 o feirdd i lawr i'r *room* i wisgo eu hunain, a daethant i fyny gydag *uniform* priodol i'r amgylchiad. Gwisgwyd y gadair brydferth â gorchudd drosti, a chanodd Madame Edith Wynne, Dafydd y Gareg Wen, yn cael ei dilyn ar y delyn gan Pencerdd Gwalia. Aeth trwyddi yn effeithiol iawn, fel yr oedd lliaws yn y babell yn wylo yn hidl. Aeth Madame Edith Wynne i eistedd i'w chadair yn wir ddrylliog ei theimladau. Wedi i Gwalchmai adrodd tri englyn oedd wedi ei wneyd i'r

amgylchiad, cawsom y "Dead March in Saul", gan y seindorf bres. Yna adroddodd Gwalchmai yr englynion canlynol o'i gyfansoddiad ei hun:

Deuai ymgais diamgen – Eusebius,
Hybarch ar awdl llen [llen = Elen];
A da'n [= dawn] bardd i'w godi'n ben,
I drwyadl gadair Awen.

Adwaedd iaith bedyddio yw – rhoi mawredd,
Ar y meirwon heddyw;
Swydd odiaeth Gorsedd ydyw
Graddio'r bedd âg urddau'r byw.

Taliesyn o fin ei fedd – ragorodd
Ar gewri'r gynghanedd;
A chael drwy gynnrychioledd,
Barchus [=Barhaus] hawl i wobr ei sedd.'[3]

Brodor o Ben-y-bont ar Ogwr oedd John Thomas, 'Pencerdd Gwalia' (1826-1913), ac, fel y gwyddom, roedd yn un o delynorion enwocaf Cymru. Ymdaith angladdol o'r oratorio 'Saul', gan Handel, a chwaraewyd gan y seindorf bres. Oratorio mewn tair act yw hon a gyfansoddwyd yn 1738. Mae'r geiriau yn seiliedig ar y berthynas rhwng Dafydd a Saul (gweler Llyfr cyntaf Samuel).

'[Roedd] nifer y teithwyr [ar y trên] i orsaf Gwrecsam ddydd Iau rhwng deunaw ac ugain mil'; '... y beirdd yn rhes o bobtu i'r gadair, yn fudion, a'r dagrau yn *burstio* allan yn ddistaw, ac yn rhedeg yn afonydd ar hyd eu gruddiau; dagrau y Barwnig o Wynnstay ... yn syrthio fel pys o'i lygaid, nes yr oedd llawes côd Hwfa Môn ... yn wlyb trwyddynt': llythyr John Griffith, 'Y Gohebydd'

Yr oedd darllenwyr *Y Faner* yn hen gyfarwydd â llythyrau bywiog, poblogaidd, a llawn gwybodaeth John Griffith, 'Y Gohebydd'.

'Gohebydd Llundain' oedd ef, fel y gwyddom, ond o Langollen, 'dydd Llun, Awst 28ain, 1876', yr anfonodd ei lythyr cynhwysfawr, gyda'r pennawd 'Cadair Ddu, 1876'. Dyma'r eitem gyntaf sy'n llenwi bron i ddwy golofn ar dudalen flaen rhifyn dydd Mercher, 30 Awst 1876, o'r *Faner.* Yn hanner cyntaf y llythyr, y mae'n cynnig dadansoddiad gwerthfawr pam, yn ei farn ef, y bu'r Eisteddfod hon yn Wrecsam yn gymaint llwyddiant:

> 'Yr oedd disgwyliad cyffredinol am eisteddfod boblogaidd yn Ngwrecsam. Yr oedd pob argoelion y ceid eisteddfod, pa beth bynag arall a ellid ei ddyweyd am dani, a fuasai yn boblogaidd. Yr oedd amryw seiliau dros ddisgwyl iddi fod felly. Yn y lle cyntaf, nid oedd eisteddfod, a ystyrir yn "genhedlaethol", wedi cael ei chynnal yr ochr hyn i'r wlad er eisteddfod fawr fythgofiadwy Llangollen yn 1858. Y mae hen dref Gwrecsam ei hunan yn cynnwys cryn nifer o drigolion; a saif o fewn ychydig filldiroedd i gymmydogaethau mwnawl poblog Rhosllanerchrugog, a Rhos-y-medre, y Cefnmawr, y Mwnglawdd, Brymbo, ac yn y blaen.
>
> A mwy na'r cyfan, saif y dref ar un o brif-ffyrdd y *Great Western Railway*; ac i chwanegu at hyny, digwyddai fod un o gyfarwyddwyr mwyaf dylanwadol llinell y *Great Western* – sef, Syr WATKIN – yn gadeirydd ar un o ddyddiau yr eisteddfod; ac heb law hyny, yn un o'r rhai a deimlai yr *interest* mwyaf yn llwyddiant yr Eisteddfod drwyddi draw. Bu hyny, mae yn ddiammheu, o gryn lawer o help i gael cyfleusderau teithio rhagorol i ac o Wrecsam, a hyny ar y telerau mwyaf rhagorol – cyfleusderau a thelerau gwell nag a gafwyd, os nad wyf yn camgymmeryd, i un Eisteddfod a gynnaliwyd hyd yma yn Nghymru.
>
> Er enghraifft, rhedid "Eisteddfod *Train*" bob boreu o Ddolgellau, a chymmerai ar ei ffordd drigolion y Brithdir a Rhyd-y-main, Llanuwchllyn, y Bala, Llandderfel a Llandrillo, Corwen a Llangollen, a chyrhaeddai orsaf Gwrecsam bob boreu erbyn naw bron i'r funyd. Cychwynai yn ol drachefn bob nos ychydig funydau cyn naw, a chyrhaeddai yr orsaf bellaf o'r daith mewn amser cymmedrol o'r nos. Fel hyn, dygid yr Eisteddfod am ychydig iawn o sylltau o fewn cyrhaedd preswylyddion Dyffrynoedd Llangollen ac Edeyrnion, a glanau Llyn Tegid ac yn mlaen oddi yno hyd at droed Cadair Idris ar afon Mawddach

> – mor agos fel y galluogid hwy i gyrhaedd yno yn brydlawn yn y boreu; i aros yno hyd derfyn y cyngherddau, a dychwelyd adref drachefn mewn amser rhesymol yr un noson. Ac nid ydyw hyn ond enghraifft o'r cyfleusderau a geid ar hyd yr wythnos i deithio i ac o Wrecsam o bob cyfeiriad. Hysbyswyd fi gan ryw un, ond nid wyf yn cofio y foment hon gan bwy, fod nifer y teithwyr i orsaf Gwrecsam ddydd Iau rhwng deunaw ac ugain mil.
>
> Ac yn chwanegol at yr hyn a enwyd - na bu Eisteddfod Genedlaethol o'r blaen yn yr ochr hyn o'r wlad er's deunaw mlynedd, a bod Gwrecsam yn sefyll yn nghanol ardal boblogaidd, a'r cyfleusderau o'r fath oreu, ac ar y telerau mwyaf rhesymol - yn ychwanegol at hyny, cafwyd yr hîn mwyaf dymunol y gallesid ei ddymuno ar hyd yr Eisteddfod. Ac fel hyn, rhwng pobpeth, trodd Eisteddfod Genedlaethol 1876 allan yr Eisteddfod fwyaf poblog a gynnaliwyd erioed yn Ngwynedd, a'r fwyaf poblog, y mae yn debyg, a gynnaliwyd erioed yn Nghymru, heb eithrio hyd yn oed Eisteddfod Abertawe ddeuddeg neu dair blynedd ar ddeg yn ol.'

Y mae John Griffith yn neilltuo ail ran ei lythyr yn gyfan gwbl i roi i'r darllenwyr ddarlun byw, afiaethus, o ddefod y cadeirio, gan un a oedd yn llygad-dyst o'r cyfan a ddigwyddodd. Hyd heddiw bu i sawl newyddiadurwr, awdur a darlithydd ddyfynnu'n helaeth o'i ddisgrifiad byw ef. Dyma ail ran y llythyr yn ei grynswth:

> 'Yr hyn a rydd arbenigrwydd ar Eisteddfod Gwrecsam ragor un Eisteddfod a gynnaliwyd erioed hyd yma oedd **ei chadair ddu**! Nid peth anghyffredin ydyw cadair wâg, cadair wâg a gafwyd yn Aberystwyth. Ond dyma y tro cyntaf y mae genym hanes am **gadair ddu**! Pan y cwrdda rhai o'r bobl ieuaingc ag oeddynt yn Ngwrecsam yr wythnos ddiweddaf mewn Eisteddfod yn rhywle hanner can mlynedd i eleni, ac y dechreuant adrodd y naill i'r llall eu hadgofion o'r gwahanol eisteddfodau y buasent ynddynt yn eu hoes, dyna ddaw yn mhlith y pethau cyntaf i'w côf – Wyt ti yn cofio cadair ddu Gwrecsam yn 1876! Wyt ti yn cofio yr olygfa hono yn y babell pan gyhoeddwyd enw y bardd buddugol! pan y safai y beirdd yn rhes ar yr esgynlawr, a'r ysnoden ddu ar fraich pob un, a phan y gorchuddiwyd cadair y bardd cadeiriol â'r elor-wisg o *velvet* du, ac y gosodwyd tlws aur ac ysnoden lâs y bardd

cadeiriol ar y *velvet* du ar y gadair! a phan alwyd ein Pencerddes Edith Wynne i geisio canu "Dafydd y Gareg Wen" yn marw! Ac yn enwedig yr olygfa pan y ciliodd ein Pencerddes i'r tu ol i'r gadair, wedi "tori i lawr", a'i llwyr orchfygu gan ei theimlad, nes methu myned dim yn mhellach! pan y safai y beirdd yn rhes o bobtu i'r gadair, yn fudion, a'r dagrau yn *burstio* allan yn ddistaw, ac yn rhedeg yn afonydd ar hyd eu gruddiau; dagrau y Barwnig o Wynnstay [Syr Watkin Williams Wynn], yr hwn a adwaenai y bardd cadeiriol yn dda, yn syrthio fel pys o'i lygaid, nes yr oedd llawes côd Hwfa Môn, yr hwn a ddigwyddai fod ar y pryd yn sefyll yn agosaf ato ar un llaw, yn wlyb trwyddynt! A'r olygfa wedi hyny drwy yr holl le pan chwareuai y seindorf brês y *Dead March* o "Saul".

Nid â yr olygfa yn y babell adeg seremoni y cadeirio yn Ngwrecsam oddi ar gôf y rhai oeddynt yn bresennol tra byddant byw. Yr oedd ar y pryd, y mae yn debyg, o saith i wyth mil o bobl. Yn eu mysg yr oedd naw neu ddeg o aelodau Seneddol - fwy nag yr ydym yn gallu cofio weled erioed o'r blaen gyda'u gilydd. Yr oedd y Barwnig o Wynnstay yn y gadair; a cher llaw iddo, Mr. Osborne Morgan, Mr. Henry Richard, Mr. Samuel Holland, a Mr. Morgan Lloyd, ac yn mhlith y dorf yr oedd Mr. Watkin Williams, Mr. Richard Davies, Mr. Ellis Eaton, a Mr. Whalley. Ychydig i'r dde o'r fan lle y digwyddem fod yn eistedd, gwelem Syr Charles Reed, cadeirydd Bwrdd Ysgol Llundain, a diweddar A. S. dros Hackney, a'i briod; ac heb fod yn mhell o'r un gymmydogaeth, eisteddai Dr. Morley Punshon, y gweinidog Wesleyaidd.

Edrychai Syr Charles a'r Doctor yn nodedig o ddifrifol tra y buwyd yn myned drwy y seremoni cyssylltiedig â'r cadeirio; ond teimlwn y buasai yn dda genyf gael gwybod yn gyfrinachol beth allai fod gwir syniad y ddau ŵr hyn, a degau ereill heb law hwy, nad oeddynt wedi bod erioed o'r blaen mewn Eisteddfod, nag yn deall ond y nesaf peth i ddim am ei natur – beth tybed allai fod eu syniad o'r *performance*. Ond pa beth bynag allai fod syniadau edrychwyr o'r fath a enwyd, ac ereill, ynghylch y seremoni, yr ydym yn rhwym o gydnabod cymmaint a hyn; i'r seremoni gael ei chario allan gyda'r sobrwydd a'r gweddeidd-dra ag oedd yn gweddu i'r fath achlysur – achlysur nad oes, fel yr awgrymwyd eisoes, hanes am ei fath wedi digwydd erioed o'r blaen: ac y mae yn dda genym hefyd allu chwanegu ddarfod i'r dorf fawr ag oedd yn y babell yn llygad-dystion o'r seremoni ymddwyn o'r dechreu i'r diwedd gyda'r gweddusdra a'r sobrwydd ag oedd yn weddus ar y fath amgylchiad.'[4]

'Madame Edith Wynne ... much affected ... sang in broken voice ... the old doleful melody known as "Dafydd y Gareg Wen" ("The dying bard") ... Also the eisteddfod band which had come to the platform to play "See the conquering hero comes", now with muffled drums, rendered the "Dead March in Saul": adroddiad o'r *Llangollen Advertiser*

Fel un enghraifft o hanes seremoni'r cadeirio mewn papur lleol, ac yn Saesneg, dewisais yr adroddiad cynhwysfawr a ganlyn o'r *Llangollen Advertiser.* Y mae'r adroddiad hwn yn cynnwys rhai mân ffeithiau nas cynhwysir yn y papurau Cymraeg, megis nodi nad oedd yr awdl i fod

Sarah Edith Wynne, 'Eos Cymru' (1842-97). Llun o gasgliad Llyfrgell Genedlaethol Cymru.

yn hwy na 600 llinell; nodi ble yn y babell yr oedd cynrychiolydd Taliesin (Benjamin Humphreys) yn eistedd adeg seremoni'r cadeirio; y rhan a chwaraeodd Y Thesbiad (John Roose Elias, 1819-81) yn ystod y ddefod; a pha ddarn o gerddoriaeth y bwriadai'r seindorf ei gyflwyno pe bai defod y cadeirio wedi bod yn un arferol. Argraffwyd tri englyn Gwalchmai hefyd yn eu ffurf gywir, heb y gwallau a welir yn y fersiwn a gyhoeddwyd yn *Y Faner.*[5]

> 'Our report of Thursday's proceedings [*The Llangollen Advertiser*, 25 Awst 1876] was necessarily brief; we, therefore, add the following particulars in connection with our old friend, Taliesin o Eifion, which no doubt will be interesting to our local readers. Not long before the conclusion of the eisteddfod proper on Thursday, the conductor (Mynyddog) announced the chair prize, which was on the programme as follows: "*Awdl y Gadair*" – Awarding the prize of £20, the bardic chair, and a golden medal, for the best Welsh ode, 'Helen Llwyddawg' (not to exceed 600 lines). Adjudicators, the vicar of Wrexham [David Howell, 'Llawdden'], Gwalchmai, and Tudno. The successful competitor will be installed according to the "ancient rites of the bards of the Isle of Britain, and declared the chair bard of 1876 by sound of trumpet". After the bards had taken their places around the bardic chair on the platform, and the Gorsedd trumpeter had sounded three blasts, Gwalchmai stepped forward and read the adjudications. He said that seven compositions had been sent in, three of which were nearly equal in merit. But neither was without its faults. There were some failings in each and neither has any soarings to the sublime to counterbalance those failings, but there was sufficient merit in one of the compositions to justify them in saying the chair should not be a vacant one. The best was that signed "Eusebius".
>
> The thousands that crowded the pavilion stood now nearly breathless, and Mynyddog rose up and asked, "Is 'Eusebius' present?" but received no answer. The question was repeated, but without avail. He next asked if his representative was present, after which a movement was observed on the right hand side of the platform, and a faltering voice ejaculated that he was. The conductor proceeded in that direction, and having ascertained from the young man who

'Eusebius' was re-ascended the platform alone, and after the excitement had subsided, said that the successful competitor was the late Mr. Thomas Jones, of Llangollen, better known to Wales and the Welsh by his *nom de plume*, "Taliesin o Eifion", who died some months ago. A thrill passed over the audience, and the Welsh could no longer retain their feelings, and so gave vent to a wild cheer in honour of the much respected and talented, but departed, bard, which was silenced to thrust the vast audience to a yet more awful stillness, when the conductor added that the poem was forwarded to Wrexham on the very day that he died, and that after he had received an affirmative answer to the question "A ydyw yr awdl wedi ei danfon yn saff?" ("Is the poem safely sent?"), he quietly succumbed to death.

The bards then retired to one of the waiting rooms, and in a few minutes returned, bearing black crape armlets, headed by Hwfa Môn and Gwalchmai, who led Mr. J. R. Elias – Y Thesbiad – who carried the prize awarded to the victor on a small black cushion. The procession walked slowly to the front of the chair, and Y Thesbiad deposited the cushion upon the vacant chair, which, during their absence had been covered with a pall. Having done that all re-assumed their positions around the chair, and Gwalchmai came to the front saying he had been requested to recite the following englynion which he had composed ...

In response to the conductor's call, the Pencerddes – Madame Edith Wynne – made her appearance on the platform, seemingly much affected, and instead of singing a lively piece – a welcome to the chair bard of the year – sang in broken voice, accompanied on the harp by Pencerdd Gwalia, amid profound silence, three verses of the old doleful melody known as "Dafydd y Gareg Wen" ("The dying bard"), when she broke down overcome by feeling and had to retire abruptly. The audience were also much and visibly affected, and tears rolled down the cheeks of the President and the bards around the black and empty chair. Also, the eisteddfod band which had come to the platform to play "See the conquering hero comes", now, with muffled drums, rendered the "Dead March in Saul". And so ended the most solemn eisteddfod chairing perhaps ever witnessed.'[6]

CYHOEDDIAD MISOL Y BOBL.

RHIF IX. CYFROL II. MEDI, 1877. PRIS CEINIOG.

TALIESIN O EIFION.

EL ENW BARDD, mae yr uchod yn adnabyddus trwy holl Gymru. Ganwyd Taliesin o Eifion ar y 13eg o fis Medi, 1820, yn y lle a elwir Ty'n y gors, Llanystumdwy, Eifionydd. Enwau ei rieni oedd John ac Elizabeth Jones. Symudodd y teulu i Langollen pan oedd Thomas Jones, sef gwrthddrych ein cofiant, yn chwe mlwydd oed, ac yn ebrwydd rhoddwyd ef yn yr ysgol ddyddiol, gydag un o'r enw Mr. Jones, clochydd Llangollen, ac ymhen tua chwe mlynedd wed'yn, anfonwyd ef i'r Grove School, Gwrecsam, a bu yno am ddwy flynedd. Yr oedd yn hynod gyflym gyda'i wersi ac yn cymeryd ei ddysg yn rhydd ac effeithiol. Yr oedd ynddo duedd at ddysgu y gelfyddyd o baentio, a thrwy fod ei dad yn grefftwr da lyn y gelfyddyd hono, cafodd bob mantais i'w dysgu. Yn y flwyddyn 1848 priododd; ond nid wyf yn gwybod merch i bwy ydoedd hi, ond bu farw ei wraig cyn pen llawer o flynyddoedd, ac ar ol ysbaid gweddus o amser, priododd drachefn tua'r flwyddyn 1855, â Miss Kelly, merch Samuel Kelly, Yswain, goruchwyliwr gwaith haiarn Panteg yn Sir Fynwy.

Dyna yn fyr grynhoad o'r hyn ellais eu casglu o hanes boreu ei oes. Mae iddo yn awr bump o blant yn fyw sef, un mab a phedair merch. Yn awr, prysuraf at yr adeg y daethum i gydnabyddiaeth âg ef, a cheisiaf bortreadu yr oll o'r DYN gellir barnu wrth y darlun hwn ei fod yn ddyn hardd, ac felly yr oedd—yn un cyflawn o gorph; lluniaidd oosodiad; gwyneb cyflawn a hardd; l'ygaid llymion ond siriol; talcen uchel, cyflawn; gwallt du, modrwyog. Yr oedd iddo wefusau cymhedrol; a gofalai na ddeuai dim o'r cyfeiriad hwnw i fradychu na niweidio neb; nac iaith anfoesol i lygru cymdeithas; ond byddent yn wastad fel rhyw beiriant yn gweithio wrth wres ei feddwl bywiog a barddonol. Byddai bron bob amser y cyfarfyddid âg ef yn adrodd rhyw linell bert a newydd fyddai ar y pryd yn cael ei nyddu ganddo.

Fel BARDD, ni raid petruso ei restru gyda goreuon yr oes—teilwng o ffynnonell y beirdd, sef Eifionydd. Ni fagodd hyd yn nod y wlad fras hono well bardd na choethach llenor na'r enwog Taliesin o Eifion. Dechreuodd astudio deddfau, a holl deithi barddoniaeth pan yn bur ieuanc, ac ebrwydd iawn y daeth i'r golwg yn gawr yr Eisteddfodau Gallwn ddifynu lluaws o englynion pert a melus yn yr ysgrifhon, ond ni chaniata gofod; ac, hefyd, yr wyf yn disgwyl yr ymddengys ei holl weithiau yn fuan, ac y ceir y pryd hwnw weled ei brif orchestion. Yr oedd hefyd wedi cyrhaedd gradd helaeth o wybodaeth gyffredinol, fel Hanesydd a Duwinydd.

Ni wybu ers tuag ugain mlynedd beth oedd blwyddyn gyfan o iechyd, yn enwedig y blynyddau diweddaf o'i oes drafferthus. Bum yn rhyfeddu sut y byddai yn gallu canu mor ragorol o dan y fath boenau arteithiol ag a ddioddefai. Canodd tra y gallodd. Nis gallaf anghofio yr olwg arno ar ei wely angeu, pan oedd ei awdl ar "Helen Lueddawg" bron ar ben, a'i ddwylaw, wedi eu haner parlysu gan genad yr angau, yn methu ysgrifenu gair, ond ei feddwl yn gryf ac yn llawn pryder fel pob bardd arall am gael buddugoliaeth ar ei gydymgeiswyr. Ac ar y dydd olaf o fis Mai, 1876, sef yr adeg i anfon yr awdl i'r gystadleuaeth, gofynodd, "A ydyw yr awdl wedi myn'd?"; ac yr wyf yn meddwl na ddywedodd ond ychydig eiriau nad oedd wedi huno, a hyny cyn i'r awdl grybwylledig gyraedd llaw yr ysgrifenydd yn Ngwrecsam.

Y DIWEDDAR MR. THOMAS JONES (Taliesin o Eifion).

Ond nis anghofir y dydd rhyfedd hwnw yn Nghwrecsam gan y miloedd oedd yno yn galw am "Eusibius," sef y ffug enw oedd wrth yr awdl a fernid yn oreu. Galw, a galw, yr oeddis, er fod amheuaeth ymhlith rhai nad atebid. Beth wyddom ni nad oedd ysbryd yr "Eusibius" hwn yn gwrando ac yn deall pob symudiad? Yr oedd rhywbeth ysbrydol wedi meddiannu pob teimlad dynol yn y lle wrth weled y gadair yn wâg, ar hilyn du yn ei gorchuddio, ac enaid mawr yr enillydd wedi myned i fyd yr ysbrydoedd. Ni wnaeth un bardd erioed y fath sôn am dano ei hun, ac efe ar y pryd yn ei fedd! Aeth ei enw yn gyhoeddus i bob man trwy y deyrnas, a'r hanes yn cael ei ddadgan gan deimladau drylliedig a phruddglwyfus.

Yr oedd ynddo lawer o bethau dymunol fel cyfaill, a meddai lawer iawn o elfenau gwr boneddig; ac yr oedd ynddo ddigon o dân i gadw pob gau-feddyliwr, a phob hunan-feddyliwr draw, ond rhoddai bob cefnogaeth ac addysg i'r gostyngedig, a'r addawol. Wel "heddwch i'w lwch!"

IOLO TREFALDWYN.

CADAIR DDU GWRECSAM.

ADGOF.

Yn Eisteddfod Llangollen, 1858, oherwydd anwybodaeth arweddwyr yr Orsedd o athrylith Taliesin o Eifion, gwrthodwyd iddo urdd Bardd "yn ol braint a defawd." Yntau a wnaeth englyn duchan, yr hwn a ddiwedda gyda'r llinell—

"Taliesin y teulu isel."

Wrth edrych ar ei ddarlun uchod, a'r "gadair ddu" a roddwyd i'w goffadwriaeth wedi iddo ef fyned fry i'w gadair anllygredig, daeth y llinellau hyn i fy meddwl:

"Taliesin y teulu isel"—dywedodd
E' wedi 'r diarddel
Mewn sen, yn Llangollen—Ond gwel!—
Gwedi'r ing ca'dd Gadair Angel.

CYFAILL.

Blaenddalen *Y Darlunydd*, Medi 1877, yn cynnwys ysgrif goffa am Daliesin o Eifion, gan Edward Davies, 'Iolo Trefaldwyn'.

'… y gadair yn wâg, a'r hilyn du yn ei gorchuddio, ac enaid mawr yr enillydd wedi myned i fyd yr ysbrydoedd': geiriau Iolo Trefaldwyn, o'i ysgrif-bortread yn *Y Darlunydd*

Dyfynnwyd eisoes (penodau 4 ac 11) o ysgrif un o gyfeillion Taliesin, sef Edward Davies, 'Iolo Trefaldwyn', yng 'Nghyhoeddiad Misol y Bobl', *Y Darlunydd*. Dyma'r paragraff a ysgrifennodd yn yr ysgrif honno am ddefod y cadeirio:

> 'Ond nis anghofir y dydd rhyfedd hwnw yn Nghwrecsam gan y miloedd oedd yno yn galw am "Eusibius", sef y ffug enw oedd wrth yr awdl a fernid yn oreu. Galw, a galw, yr oeddis, er fod amheuaeth ymhlith rhai nad atebid. Beth wyddom ni nad oedd ysbryd yr "Eusibius" hwn yn

Rhan o Almanac 1878, i goffáu Eisteddfod y Gadair Ddu, Wrecsam, 1876.

gwrando ac yn deall pob symudiad? Yr oedd rhywbeth ysbrydol wedi meddiannu pob teimlad dynol yn y lle wrth weled y gadair yn wâg, a'r hilyn du yn ei gorchuddio, ac enaid mawr yr enillydd wedi myned i fyd yr ysbrydoedd. Ni wnaeth un bardd erioed y fath sôn am dano ei hun, ac efe ar y pryd yn ei fedd! Aeth ei enw yn gyhoeddus i bob man trwy y deyrnas, a'r hanes yn cael ei ddadgan gan deimladau drylliedig a phruddglwyfus.'[7]

'... ond yr oeddwn i ar y pryd, ac yr wyf eto, yn cwbl gredu mai arwynebol hollol oedd galar y beirdd, ac nad oedd "torri i lawr" Edith Wyn yn ddim ond enghraifft fedrus o ffugio er mwyn effaith': tystiolaeth y Parchg Benjamin Humphreys o'r *Darian*

Mae tystiolaeth un llygad-dyst arall o ddefod y cadeirio y dydd Iau hwnnw yn Wrecsam y dylid rhoi sylw iddi, a honno'n dystiolaeth werthfawr gan un sy'n amau pa mor ddiffuant oedd galar rhai o'r personau a oedd ar y llwyfan ar achlysur trist cadeirio 'Bardd y Gadair Ddu'. Y Parchg Benjamin Humphreys oedd y llygad-dyst hwnnw. Ef, fel y soniwyd eisoes (gw., e.e., pennod 4), oedd y myfyriwr a ddaeth i Athrofa'r Bedyddwyr yn Llangollen yn 1874 ac a fu'n cynorthwyo Taliesin i ysgrifennu fersiwn derfynol ei awdl 'Helen Llwyddawg'. Dyfynnwyd hefyd (penodau 4 ac 11) rannau o'r llythyr a anfonodd i'w gyhoeddi yn *Y Darian*, 8 Mawrth 1923, ac yntau erbyn hynny yn byw yn Felin-foel, ger Llanelli. Dyma yn awr ran arall o'r llythyr dadlennol hwnnw:

'Yr oeddwn yng Ngwrecsam ddiwrnod y "Gadair Ddu", ac yn dyst o'r holl seremoni. Clywais y feirniadaeth yn cael ei darllen, ac "Eusebius" yn cael ei gyhoeddi'n fuddugwr. Gofynnwyd o'r llwyfan am i "Eusebius" godi ar ei draed. Fel cynrychiolydd awdurdodedig y bardd marw, codais ynghanol y dorf, ac wedi iddynt gael gwybod yr hyn a wyddent cyn hynny, mai Taliesin o Eifion oedd Eusebius, ymneillduodd y beirdd. Ymhen ennyd, daethant i'r llwyfan drachefn, gydag arwyddion galar yn y ffurf o ruban du am eu breichiau. Taflwyd hugan du dros y Gadair wâg;

daeth Madam Edith Wyn ymlaen i ganu "Dafydd y Garreg Wen", eithr torrodd i lawr ar y canol, wedi'i llwyr orchfygu gan ei theimladau.

Gwnaeth y rhwysg a'r rhodres argraff ddwys ar lawer; ond yr oeddwn i ar y pryd, ac yr wyf eto, yn cwbl gredu mai arwynebol hollol oedd galar y beirdd, ac nad oedd "torri i lawr" Edith Wyn yn ddim ond enghraifft fedrus o ffugio er mwyn effaith. Galwyd arnaf i'r llwyfan i dderbyn yr ugain punt gwobr. Yr oedd y si ar led, fore'r Eisteddfod, mai awdl Taliesin oedd yn fuddugol, ac felly 'roedd y rhuban du a'r hugan du wrth law'n barod. Mynegwyd i mi, yn gynnar yn y dydd, nad oedd cadeirio i fod, a symudodd hynny faich llethol oddiar fy ysbryd.

Dywedodd un o'r prif feirdd wrthyf, iddynt gael cryn drafferth yn y bore gyda Iolo Trefaldwyn: awyddai'r gwr hwnnw'n fawr, a dadleuai'n dyn, am gael ei gadeirio, ar y tir iddo gynorthwyo'r bardd buddugol gyda'r awdl. Y gwir yw, ni chafodd Taliesin un mesur o help gan Iolo Trefaldwyn, a phe bae cadeirio i fod, nid oedd ganddo'r hawl leiaf i'r anrhydedd.'[8]

'Yr oeddwn yno': tystiolaeth Owen Evans, Dinbych

Yn y bennod hon rhoddwyd sylw arbennig i dystiolaeth pum person a roes ddarlun byw inni o ddefod cadeirio bardd y Gadair Ddu gyntaf – tystiolaeth o lygad y ffynnon gan rai a oedd yn bresennol. Gŵr arall a fu'n dyst i'r seremoni oedd Owen Evans, Dinbych. Disgrifiodd ei argraffiadau mewn cyfraniad byr, cryno, yn *Cymru* (1901).[9] Fel hyn y mae'n agor ei ysgrif, 'Awdl y Gadair Ddu', gan gyfeirio at Lywydd y dydd a'r ddau arweinydd:

'Dyma ryw adgof am y diwrnod hwnnw, sef dydd y Cadeirio. Yr oeddwn yno.

Syr Watkin Williams Wynn oedd yn y gadair lywyddol. Am ran o'r diwrnod y Parch T R Lloyd (Yr Estyn), rheithor Llanfynydd, oedd yr arweinydd. Dyn byr, pryd du, oedd a llais a gyrhaeddai ben draw y babell, siaradwr rhwydd a phert, heb wên ar ei wyneb, ond yn gallu creu gwên ar wynebau y miloedd oedd yn bresennol; a'i ddywediadau yn ennyn brwdfrydedd. Dyna y fath ddyn oedd Yr Estyn. Am y rhan arall o'r diwrnod yr oedd tywysog yr arweinyddion ar y maes, sef Mynyddog.'[10]

Dyma sylw'r awdur wrth gyfeirio at Edith Wynne yn cyflwyno'r gân: 'Dafydd y Garreg Wen':

> 'Pan yn canu yr ail neu y trydydd pennill torrodd y gantores i lawr gan wylo fel plentyn, a dwys oedd yr effaith ar y miloedd oedd yn bresennol. A dywedai rhai yn fy ymyl "fod hi a Taliesin yn dipin o ffryndia." '

Ar derfyn ei ysgrif ychwanega Owen Evans nodyn i ddweud i awdl fuddugol Taliesin gael ei chyhoeddi yn *Y Geninen*, Mawrth 1898, a noda hefyd mai rhif y llinellau yw 582.[11]

Llun y gorseddogion

Bydd y darllenwyr yn gyfarwydd eisoes â'r llun ar glawr y gyfrol hon ac yn y bennod bresennol o'r gorseddogion a phersonau eraill a oedd ar y llwyfan yn ystod defod drist y cadeirio yn Eisteddfod Wrecsam, 1876. Llun a ddefnyddiwyd yn Almanac 1878 i goffáu Taliesin o Eifion yw hwn, wrth gwrs, ac fe gyhoeddir atgynhyrchiad o'r Almanac cyfan ym mhennod olaf y gyfrol (pennod 16), ynghyd ag enwau'r gorseddogion (30, er bod 32 person yn y llun).

Diddorol fydd cymharu'r llun a ddefnyddiwyd ar gyfer yr almanac â'r llun a gyhoeddwyd, er enghraifft, yng nghylchgrawn O M Edwards, *Wales* (rhif 1, 1894), gydag erthygl fer, 'The Chair in Mourning', gan y llenor, John William Jones, 'Andronicus' (1842-95).[12] Yn ffodus iawn, paratowyd hefyd ddarlun, neu fynegai, gan 'R Roberts, J. P.', yn cynnwys rhestr lawn o enwau'r gorseddogion sydd yn y llun hwn, gyda rhif (1-31) i bob un, gan hwyluso'n fawr y gorchwyl o'u hadnabod. Ymddengys mai'r un yw'r llun yn *Wales*, yn ei hanfod, â'r llun a gyhoeddwyd ar ffurf cerdyn post gan 'Stanley Hurst, Photographer, 3 High Street, Wrexham', gyda'r pennawd: 'The Eisteddfod of the Vacant Chair. National Eisteddfod of Wales, held in Wrexham, 1876.' Atgynhyrchir llun Stanley Hurst yn y bennod bresennol. Sylwer, fodd bynnag, fod ynddo un person ychwanegol ar y chwith yn y rhes flaen, un person ychwanegol ar y dde yn y rhes ôl,

Y gorseddogion yn nefod 'cadeirio' bardd y Gadair Ddu yn Eisteddfod Wrecsam, 1876, o lun gan Stanley Hurst yng nghasgliad Llyfrgell Genedlaethol Cymru. Cymharer y gorseddogion sydd yn y llun hwn â'r gorseddogion sydd yn y llun a ddefnyddiwyd ar gyfer Almanac coffa 1878.

Mynegai gan 'R Roberts, J P' a gyhoeddwyd yn *Wales*, rhif 1, 1894, i lun o'r gorseddogion yn nefod y cadeirio yn Eisteddfod Wrecsam, 1876. Y mae'r llun uchod gan S Hurst a gyhoeddir yn y gyfrol bresennol yn union yr un fath â'r llun yn *Wales,* ond bod ynddo dri pherson yn ychwanegol: un ar y chwith eithaf yn y rhes flaen; un ar y dde eithaf yn y rhes ôl; ac un ar y dde eithaf yn y rhes flaen, sef y Parchg T R Lloyd, 'Yr Estyn', cyd-arweinydd gyda Mynyddog.

ac un person ychwanegol (y Parchg T R Lloyd, Yr Estyn, arweinydd) ar y dde yn y rhes flaen, nad ydynt yn y llun a gyhoeddwyd yn *Wales* (1894), nac yn y mynegai gan R Roberts. Y mae'n werth nodi hefyd nad yw Richard Davies, 'Mynyddog' (cyd-arweinydd) yn llun Richard Hurst, ond fe'i cynhwysir yn y llun sydd yn Almanac coffa 1878 (yr ail o'r dde, yn sefyll ysgwydd wrth ysgwydd yn ochr Yr Estyn, yr olaf ar y dde yn y rhes flaen).

14

Cadeiriau Barddol Wrecsam (1876), Lerpwl (1884), Llundain (1887), a Theulu Nodedig o Seiri Coed o Langollen

YN YSTOD SAITHDEGAU ac wythdegau y bedwaredd ganrif ar bymtheg daeth yn arferiad gosod cystadleuaeth yn Adran Celf a Chrefft yr Eisteddfod Genedlaethol i lunio cadair farddol. Cafwyd cystadleuaeth o'r fath yn Eisteddfod Wrecsam, 1876. Y wobr am lunio'r 'gadair dderw farddol orau' yn yr eisteddfod honno oedd £10 a 'thlws aur'. Traddodwyd y feirniadaeth ar fore Iau, 24 Awst. Y beirniaid oedd 'Dr Williams, Gwrecsam, a Mr A Wilson Edwards, Gwrecsam'. Anfonwyd tair cadair i'r gystadleuaeth a'r enillydd oedd John Roberts, Llangollen. Dyna'r ffeithiau moel yn ôl yr adroddiad yn *Y Faner.*[1]

Droeon cyfeirir at John Roberts yn y wasg – y wasg leol yn arbennig – fel John **Morris** Roberts. Dylid nodi, fodd bynnag, mai ychwanegiad yw'r enw 'Morris' (gan drigolion Llangollen, yn bennaf, mae'n dra thebyg) er mwyn gwahaniaethu rhyngddo ef a mwy nag un John Roberts arall o blith ei hynafiaid. Yn y gyfrol hon, er mwyn cysondeb, defnyddir y ffurf 'John Roberts' bob amser ac eithrio pan ychwanegir yr enw 'Morris' mewn dyfyniadau o'r wasg.

John Roberts (1834-86): gwneuthurwr y Gadair Ddu, 1876

Yn ôl yr adroddiad yn *The Llangollen Advertiser*, ffugenw gwneuthurwr y Gadair Ddu oedd 'Tudur Hen', ac fe'i disgrifiwyd fel 'cabinet maker'.[2] Ganed John Roberts, 21 Awst 1834, yn Llangollen. Priododd, Rhagfyr 1884, yn Islington, ag Elizabeth Myfanwy Fechan.[3] Yng Nghyfrifiad 1871 fe'i disgrifir fel saer celfi neu saer dodrefn, yn Saesneg: 'cabinet maker', ac yn byw yn Market Place, Llangollen. Yn 1881 fe'i disgrifir eto fel 'cabinet maker', ac yn byw yn 'Osbourne House', West Street, Llangollen. Yn 1886, y flwyddyn y bu farw o'r diciâu, wedi dioddef afiechyd am flynyddoedd, cyfeirir ato fel 'joiner'.

Carreg fedd John Roberts (1834-86), gwneuthurwr y Gadair Ddu gyntaf, ym Mynwent y Ddôl, Llangollen. Llun gan Peter Jones.

Claddwyd John Roberts ym Mynwent y Ddôl, Eglwys Sant Ioan, Llangollen. Yno hefyd y claddwyd ei briod, Elizabeth Myfanwy, flynyddoedd yn ddiweddarach. Yr oedd hi yn byw bryd hynny yn 89 Ashbridge Street, Lerpwl. Ar y garreg fedd ceir y geiriad a ganlyn (gyda chofnod hefyd am eu dwy ferch: Jane Ellen Roberts a Martha Roberts):

> In Memory of **John Roberts**, cabinet maker, Osborne House, Llangollen, who died, July 17th 1886. Aged 52 years.
>
> Also **Elizabeth Roberts**, wife of the above, who died October 30th 1920. Aged 85 years.
>
> 'Thy will be done'

Yn y *Llangollen Chronicle and North Wales Journal*, 23 Awst 1940, ceir y nodyn hwn:

> '... the 'Black Chair' – a magnificent piece of workmanship – was made by a Llangollen cabinet maker, the late John Roberts, Osborne House, who at the time had his workshop in East Street, now occupied by Mr Oswald Richards, Cycle and Radio Depôt. The eldest son of the late Mr Morris Roberts, builder, Llangollen, Mr John Roberts was an excellent craftsman, as his work in the making and carving of the "Black Chair" indicates.'

Yn yr un papur, 4 Mehefin 1943, wrth gofnodi marwolaeth Miss Martha Roberts, Llys Tegla, Princess Street, Llangollen, merch John Roberts, gwnaed y sylw a ganlyn:

> 'Her father was a joiner and cabinet maker by trade, and was widely known as an able craftsman. He designed and made the Wrexham National Eisteddfod black chair (1876), which is one of the best carved chairs ever sent to a National Eisteddfod competition.'

Y mae ar gael lun ffotograff du a gwyn wedi'i liwio o John Roberts, ac rwy'n falch o allu'i gyhoeddi yn y gyfrol hon. Fe'i tynnwyd gan H Burrows, 'Artist and Photographer, 21 & 40 Islington', Llundain. Roedd gan H Burrows stiwdio hefyd yn Lerpwl. Yn y llun fe welir fod John Roberts yn gwisgo'r fedal aur a enillodd yn Eisteddfod Wrecsam, ac y mae'n eithaf posibl iddo gael tynnu'r llun bryd hynny neu yn lled fuan wedyn. Diogelwyd y llun gan Richard Julian Roberts (1930-2010), Dirprwy Lyfrgellydd Llyfrgell Bodley, Rhydychen, ŵyr i John Roberts, ac fe'i copïwyd ar gyfer y gyfrol gan Amgueddfa Cymru, drwy gydweithrediad caredig Hilary Rhiannon Roberts, Caerdydd, merch R Julian Roberts.[4]

John Roberts (1834-86), Llangollen, yn gwisgo'r fedal a enillodd am wneud y gadair ar gyfer Eisteddfod Wrecsam, 1876. O lun ffotograff du a gwyn, wedi'i liwio, gan H Burrows, Lerpwl a Llundain. Copïwyd gan Amgueddfa Cymru, drwy gydweithrediad caredig Hilary Rhiannon Roberts, gor-orwyres i John Roberts.

Cadair fawreddog Llywydd Cymdeithas Gyfeillgar Lafar, Llansanffraid Glynceiriog; cwpwrdd derw mawr hardd a wnaed ar gyfer S O Black, Llangollen: gwaith John Roberts, y saer coed; a'r gist bren: *I 1676 M*

Cyn manylu ar y gadair farddol a wnaed gan John Roberts ar gyfer Eisteddfod Wrecsam, 1876, buddiol fydd bwrw trem ar rai o'r gwrthrychau eraill o waith y crefftwr dawnus hwn o Langollen. Nodwyd eisoes (pennod 1) i Daliesin o Eifion lunio baner hardd ar gyfer Cymdeithas Gyfeillgar Lafar, Llansanffraid Glynceiriog. Cyd-ddigwyddiad diddorol yw i John Roberts, Llangollen, yntau lunio cadair arbennig ar gyfer Llywydd yr un gymdeithas gyfeillgar. Y mae i'w gweld heddiw yn Neuadd Goffa Ceiriog, Llansanffraid, Glynceiriog. Dyma ddisgrifiad o'r gadair nodedig honno, disgrifiad a gyhoeddwyd yn *The Llangollen Advertiser*, 22 Hydref 1871:

> 'A GRAND CHAIR – Our fellow-townsman, Mr. John Roberts, cabinet maker, Market-place, has made a superb large carved oak chair on a stand with beautiful spring cushions underneath the back. It is intended for the president of the Lavar Union Friendly Society, which meets at the New Inn, Glynceiriog. It is a great credit to the maker, and looks more like an imperial throne than a chair; and we should fancy that the above society must be in a very flourishing condition, and the president thereof a most notable personage, when a chair of such grandeur and magnificence was ordered. On looking minutely at the elaborate carvings with which it is embellished, and every item in the workmanship, we guessed the price to be from £10 to £12, but Mr. Roberts has been able to do it considerably under the lower of the above figures. Unless the Glynites have taken the chair to its destination, we would advise all admirers of fine art to go and see it.'

Cwpwrdd derw mawr a hardd iawn yw'r ail wrthrych y gwyddom i sicrwydd mai John Roberts a'i lluniodd. Unwaith eto, yr ydym yn ffodus fod gennym ddisgrifiad manwl ohono. Dyma'r sylwadau gan ohebydd dienw yn *The Llangollen Advertiser*, 4 Chwefror 1881.

> 'A RARE PIECE OF WORKMANSHIP. – Mr. John Roberts, cabinet maker, Osborne House, whose name has become familiarly known far and near in connection with the manufacture of Eisteddfod Bardic Chairs and other rare articles of workmanship, has just completed a large and most massive oak cabinet, which for design, dimensions and the extraordinary labours bestowed upon it, is probably one of the most remarkable specimens of a skilled industry which ever emanated from any workshop in the town. The cabinet, which measures 7ft.6in. in width, and 8ft.9in. in height, is composed for the most part of old carved oak, some portions bearing the date 1671, which have been collected at great cost and trouble from various sources. The way in which so many separate and apparently incongruous pieces have been matched together so as to form one harmonious whole is greatly to be admired, while the portions which are composed of the new material have been so welded into the others that it is impossible to detect the more modern character of the piece. We understand that Mr. Roberts has executed the work for Mr. S.O. Black, Dee Mount, from designs prepared by Mr. Richardson. The crest and monogram of the owner have been tastefully carved in the centre pieces, while the locks and other appliances are of the rarest and best possible description. The maker, who, unfortunately, does not possess a shop in a commanding position in the town, where such things can be exhibited, will nevertheless, be happy to allow an inspection of the cabinet to anyone who may feel disposed to call during the few days it will yet remain in his showroom.'

Yn yr adroddiad uchod cyfeirir at arfer gwneuthurwyr dodrefn o ddefnyddio hen goed a'u hasio'n gelfydd wrth goed newydd. Gwnaed hynny hefyd yn achos cist neu goffr bren gain sydd bellach ym meddiant y Dr David ac Enid Roberts, Bangor. Yng ngwneuthuriad y gist hon, fel y gwelir o'r llun ohoni, defnyddiwyd coedyn ag arno'r dyddiad a'r llythrennau *I 1676 M*, ond perthyn y gist ei hun i gyfnod diweddarach. Fe'i gwnaed gan un o seiri coed y teulu o Langollen, ond ni wyddom yn union gan bwy. Ai gan John Roberts (1834-86), y soniwyd amdano uchod? Ai gan un o'i feibion, Austin Roberts (1863-1902), neu Morris Henry Roberts (1865-1927), gwneuthurwr

Cist, neu goffr bren, a wnaed gan un o seiri coed teulu'r Robertsiaid, Llangollen. Sylwer ar y dyddiad cynnar, er bod y dodrefnyn ei hun yn perthyn i gyfnod diweddarach. Llun drwy garedigrwydd Dr David ac Enid Roberts, Bangor, perchnogion presennol y gist.

cadeiriau Eisteddfod Lerpwl (1884) a Llundain (1887)? Ai gan Morris Henry Roberts (1853-1941), brawd iau John Roberts, a thaid Dr David Roberts, Bangor, perchennog y gist?

Traddodiad cyfoethog y gadair farddol yng Nghymru

Meddai Richard Bebb a'r Dr Sioned Williams yn *Y Gadair Farddol*: 'Drwy'r byd bu'r gadair yn ddodrefnyn o statws ag iddo arwyddocâd symbolaidd erioed.'[5] O gyfnod cynnar iawn, gwyddom i'r gadair gael ei chysylltu'n arbennig yng Nghymru â barddoniaeth, beirdd, ac eisteddfodau. O'r cyfnod yn y ddeuddegfed ganrif, pan sonnir yn *Brut y Tywysogion* am gynnig cadeiriau yn wobrau i feirdd a cherddorion mewn eisteddfod yng Nghastell Aberteifi yn 1176, hyd heddiw lluniwyd rhai cannoedd, onid miloedd, o gadeiriau eisteddfodol, a'r cadeiriau hynny yn adlewyrchu amrywiaeth mawr o batrymau a thraddodiad cyfoethog y saer coed a'r cerfiwr coed.

O'r dechrau, ac yn arbennig o'r bedwaredd ganrif ar bymtheg ymlaen, daeth y gadair farddol yng Nghymru i olygu mwy na bod yn wobr haeddiannol i anrhydeddu'r bardd buddugol mewn eisteddfod. Yr oedd hefyd yn fynegiant o wladgarwch a chariad at iaith ac yn fodd i hyrwyddo'r ymdeimlad o hunaniaeth Gymreig. Dyna arwyddocâd yr arwyddluniau, y symbolau cenedlaethol a'r ymadroddion gwladgarol a gerfid gyda mawr ofal ar y cadeiriau.

Yn arbennig o adeg sefydlu'r Eisteddfod Genedlaethol yn chwedegau'r bedwaredd ganrif ar bymtheg rhoddwyd bri mawr ar y delweddau cenedlaethol hyn, megis: pedwar llew y tywysogion canoloesol Cymreig; plu Tywysog Cymru; draig - yn arbennig y Ddraig Goch; pen draig ar flaenau'r ddwy fraich; gafr; telyn; y genhinen; cenhinen Bedr; ac amrywiaeth o batrymau Celtaidd. Gwnaed defnydd helaeth, wrth gwrs, o arwyddluniau ac ymadroddion yn gysylltiedig â Gorsedd y Beirdd. Yr amlycaf o'r arwyddluniau a'r ymadroddion hyn oedd y Nod Cyfrin, neu'r 'Pelydr Goleuni' (y tri llafn o oleuni), a'r arwyddeiriau: 'Y gwir yn erbyn y byd' ac 'O, Iesu, na'd gamwaith'. Yng nghyfarfod agoriadol yr Orsedd yn Eisteddfod Wrecsam (gw. pennod 12) cofiwn i'r Estyn gyhoeddi 'proclamasiwn Gorsedd Powys', sef

> 'Y gwir yn erbyn y byd';
> 'Llafar bid lafar';
> 'O, Iesu, na'd gamwaith'.

O blith y coed a'r planhigion a gâi eu cynrychioli ar y cadeiriau – coed a phlanhigion oedd yn gysegredig gan y derwyddon a'r beirdd cynnar – y rhai amlycaf oedd dail y dderwen a'r uchelwydd. Prin fod angen ychwanegu, gwnaed defnydd helaeth hefyd o Goelbren neu Wyddor y Beirdd.

Y Gadair Ddu, Eisteddfod Wrecsam, 1876

Y mae'r gadair hardd a wnaed gan John Roberts (1834-86) ar gyfer Eisteddfod Wrecsam, 1876, a'r ddwy gadair a wnaed gan ei fab, Morris Henry Roberts (1865-1927): cadair Lerpwl (1884) a chadair Llundain (1887), yn adlewyrchu'n amlwg iawn y pwyslais hwn ar gerfio delweddau ac ymadroddion cenedlaethol. Y maent hefyd yn gadeiriau derw trymion, sgwâr, ac arloesol, yn cynrychioli ffasiwn a ddaeth yn boblogaidd iawn wedi hynny yn yr Eisteddfod Genedlaethol ac eisteddfodau lleol.[6]

Ar grib cadair Wrecsam cerfiwyd tarian a choron ar ei phen. Ar y darian cerfiwyd pedwar llew, sef arfbais y tywysogion canoloesol Cymreig. Bob ochr i'r darian a'r goron gwelir draig ar y chwith a llew ar y dde, y ddau anifail yn cynrychioli'r cynheiliaid Tuduraidd. Ar gefn y gadair cerfiwyd llew o faintioli mawr, yn ddelwedd o gryfder, awdurdod a dewrder. Y mae'r cyfan o'r llythrennau a welir wedi'u cerfio'n gelfydd yng ngwyddor y beirdd. Ar grib y gadair, yr ochr isaf i'r darian, y ddraig a'r llew, ceir y geiriau: 'Tywysogaeth Cymru'. Ar gefn y gadair, uwchben y llew: 'A laddo, a leddir'. Yna, o dan y llew, gwelir y geiriau: 'Cadair Powys'.

Bob ochr i gefn y gadair, cerfiwyd dail y dderwen a mes. Ond, fel yr eglurodd y naturiaethwr, Duncan Brown, nid y dderwen sy'n gyfarwydd i ni yn y gorllewin, sef y dderwen ddigoes, *Quercus petraea*, yw hon, ond, yn hytrach, y dderwen mes coesynnog, neu goesog, *Quercus robur*. Dail y dderwen a mes a welir hefyd ar ochrau a blaen y gadair. Y mae'r cerfiad ar goesau'r gadair yn ymdebygu i rosyn (?). (Ai Rhosyn Lloegr?) Methais â gweld unrhyw gerfiad ar y gadair hon sy'n ymdebygu i uchelwydd, un o blanhigion cysegredig y derwyddon a'r beirdd cynnar.

A beth am y gwaith coed cain ar waelod cefn y gadair? Dyma eto enghraifft o gerfio sy'n arddangos dawn John Roberts fel saer coed ar ei gorau. Ar y dechrau un, tybiwn efallai mai cerfiad sydd yma o eiddew neu iorwg. Gwyddom fod i eiddew mewn rhai

Y Gadair Ddu, cadair Taliesin o Eifion, pan oedd yn cael ei harddangos yn Llyfrgell Wrecsam, Haf 2011. Llun gan Hedd ap Emlyn.

Rhan uchaf cefn y Gadair Ddu. Y mae'r pedwar llew ar y darian yn cynrychioli arfbais y tywysogion canoloesol Cymreig. Bob ochr i'r darian a'r goron y mae'r ddraig a'r llew sy'n cynrychioli'r cynheiliaid Tuduraidd. Y geiriau a gerfiwyd o dan y darian, y ddraig a'r llew, yng ngwyddor y beirdd, yw: 'Tywysogaeth Cymru'. Llun gan Hedd ap Emlyn.

Cefn y Gadair Ddu, gyda'r cerfiad o lew mawr, cryf, yn ddelwedd o gadernid. Ar ochrau'r cefn cerfiwyd dail y dderwen a mes (y dderwen goesynnog, *Quercus robur*). Y geiriau ar y gadair yng ngwyddor y beirdd yw: 'A laddo, a leddir', a 'Cadair Powys'. Llun gan Hedd ap Emlyn.

Y cerfiad cain ar waelod cefn y Gadair Ddu. Ai eiddew? Ai gwinwydd? Ynteu? Llun gan Eleri Gwyndaf.

gwledydd gysylltiadau diddorol â'r bardd, yn arbennig felly *Hedera helix f. poetarum* a elwir hefyd ar adegau yn *Poetica Arborea*: Eiddew Eidalaidd a adnabyddir yn gyffredin fel 'Eiddew'r Bardd'. Yn yr Eidal, er enghraifft, defnyddid eiddew i wneud blodeudorchau i'r beirdd. Yr oedd hi'n arfer hefyd mewn rhai gwledydd i gerfio patrwm dail yr eiddew ar gerrig beddau. Posibilrwydd arall yw mai cynrychioli dail y winwydden a grawnwin y mae'r cerfiad ar gadair John Roberts, er y disgwylid gweld clystyrau o rawnwin a'r rheini yn fwy eu maint.[7]

John Hughes a William Jones, 'Bleddyn': dau hynafiaethydd yn cynorthwyo saer coed y Gadair Ddu

Yn cydoesi â saer y Gadair Ddu, ac yn byw yn Llangollen, yr oedd dau ŵr eithriadol o ddiwylliedig. Soniwyd eisoes am un ohonynt (pennod 9), sef John Hughes (g. 1802), Glan-y-wern, Dol-y-wern, Dyffryn Ceiriog, hynafiaethydd nodedig a melinydd, a symudodd i fyw i Langollen a pharhau â'i grefft fel melinydd. Yr ail ŵr oedd William Jones (1829?-1903), 'Bleddyn'. Er iddo dreulio rhan dda o'i oes yn Llangollen, brodor o Feddgelert oedd ef. Casglodd doreth o ddeunyddiau am lên a llafar bro ei febyd, a dyma sail cyfrol werthfawr D E Jenkins, *Bedd Gelert. Its Facts, Fairies and Folk-lore*, 1899. Yr oedd 'Bleddyn' hefyd yn awdur y gyfrol, *Llawlyfr ar Ddaiareg Sir Gaernarfon*, 1863.

Ym mis Ionawr 1912, ymhen blynyddoedd wedi i John Roberts ennill y gystadleuaeth am lunio cadair Eisteddfod Wrecsam, 1876, cafwyd tystiolaeth werthfawr i'r ddau hynafiaethydd gwybodus hyn, John Hughes a 'Bleddyn', ymddiddori'n fawr yng ngwneuthuriad a phatrwm y gadair ac, o bosibl, gynnig cyfarwyddyd. Cyhoeddwyd y dystiolaeth ym mhapur lleol Llangollen a elwid bryd hynny: *The Llangollen Advertiser and North Wales Journal.*

Yn rhifyn 26 Ionawr 1912 o'r papur hwn cyhoeddwyd atgofion 'M H Roberts', sef Morris Henry Roberts (1853-1941), brawd ieuengaf

Cadair Eisteddfod Genedlaethol Lerpwl, 1884. Enillwyd gan Dyfed. Gwnaed gan Morris Henry Roberts (1865-1927), Llangollen, mab John Roberts, gwneuthurwr Cadair Wrecsam. Ar frig y gadair ceir cerfiad o 'Aderyn Lerpwl', sef y *cormorant* (mulfran, morfran, bilidowcar, Llanc Llandudno, Wil yr Aber…). O dan y cerfiad o'r aderyn, gwelir yr arwyddair Lladin (geiriau Fyrsil): *'Deus nobis haec otia fecit'* ['Duw roddodd inni'r tangnefedd hwn']. Y geiriau eraill a gerfiwyd ar y gadair yw: *Ich Dien*, 'Iesu na'd gamwaith', a 'Tywysogaeth Cymru'. Llun o gasgliad Amgueddfa Werin Cymru, lle y cedwir y gadair.

nid pysgodyn. Ai delwedd sydd yma o wyrddni, o wanwyn a gobaith, fel y mae'r golomen yn yr Hen Destament yn dychwelyd at Noa wedi'r dilyw gyda deilen yn ei phig? Y *cormorant* yw Aderyn Lerpwl, aderyn glan-môr, hirgoes, a hir ei big a'i wddw. Perthyn i deulu'r *Phalacrocoracidae*, teulu ag iddo oddeutu deugain o rywogaethau. Y mae hynny, o bosibl, yn egluro pam y mae gan yr aderyn hwn gyfoeth o enwau Cymraeg: mulfran, morfran, bilidowcar, colier, Wil-wal-weliog, Llanc Llandudno, gloddestwr bilidowcan (Caernarfon), Wil yr Aber (sir Gaerfyrddin), y wilibolfran (Llandudoch).[11]

Bob ochr i Aderyn Lerpwl ar y gadair ceir cerfiad o Blu Tywysog Cymru, gyda'r geiriau *Ich Dien* o danynt. Ar gefn y gadair, ar darian, cynhwyswyd pedwar llew y tywysogion canoloesol Cymreig, ac arwydd y Nod Cyfrin, y tri phelydryn goleuni, uwchben y darian. Bob ochr i'r cefn, cerfiwyd y genhinen, a phen draig ar flaenau'r ddwy fraich. Ar ran uchaf y ddwy goes flaen y mae rhosyn (?). O dan sedd y gadair, ar y blaen a'r ochrau, ceir cerfiad o winwydd a grawnwin (?), neu eiddew? Ar grib y gadair, o dan Aderyn Lerpwl, cerfiwyd yr arwyddair hwn mewn Lladin, geiriau Fyrsil (*Eclogue*, 1.6): *'Deus nobis haec otia fecit'* ['Duw a roddodd inni'r tangnefedd hwn']. Ar gefn y gadair, uwchben y darian, ceir y geiriau: 'Iesu, na'd gamwaith', ac o dan y darian: 'Tywysogaeth Cymru'.

Testun y gadair yn Eisteddfod Lerpwl oedd 'Gwilym Hiraethog': 'awdl heb fod dros 800 llinell'. Y wobr oedd '£30 (gan Gymdeithas yr Eisteddfod Genedlaethol); a Chadair Dderw hardd, gwerth £15 (gan Gymdeithas Anrhydeddus y Cymmrodorion)'. Yr enillydd oedd y Parchg Evan Rees, 'Dyfed', Caerdydd.[12] Yn 1923 cyflwynwyd y gadair yn rhodd i'r Amgueddfa Genedlaethol, ac y mae bellach ar gadw yn Amgueddfa Werin Cymru.[13] Dyma ddisgrifiad o ran gyntaf seremoni cadeirio'r bardd, fel y cyhoeddwyd ef yn Saesneg yn Nhrafodion Eisteddfod Lerpwl:

> 'The Archdruid, Clwydfardd, accompanied by the adjudicators, Gwalchmai, Tafolog, and Isaled; the Poet, Hwfa Môn; the Sword

> Bearer, Ceiriog; the Knight Master of the Ceremonies, Gwilym Alltwen; and a trumpeter, appeared on the platform, wearing sashes and aprons with mystic insignia. To the Archdruid and his train succeeded a body of bards and literati walking in double file, some wearing green and others blue robes. Among them were Dewi Wyn o Essyllt, Tudur, Llew Llwyfo, Cynfaen, Tecwyn, Dafydd Morganwg, Cadvan, Glwysfryn, Rhuddfryn, Taliesin Hiraethog, Gwilym Eryri, Idris Vychan, Alltud Eifion, Nathan Dyfed, Andreas o Vôn, Anarawd, Graienyn, Ieuan Ionawr, Iolo Trefaldwyn, and Dewi Glan Dulas. The Bardic Chair, a fine specimen of oak carving, stood in the centre of the platform, and as the bards and literati gathered around it a blast from the trumpet claimed the silence of the people. Gwalchmai, as chief adjudicator, then delivered the unanimous adjudication: the winner Dyfed was, amid the loudest cheers, escorted from among the audience to the platform by Gwalchmai and Hwfa Môn, and was received with sound of trumpet...'[14]

Dwy gadair dderw hardd yn Neuadd y Ddinas, Lerpwl: copi o gadair Morris Henry Roberts, 1884, a chadair a enillwyd gan Pedrog yn Eisteddfod Lerpwl, 1900

Fel arwydd o'u gwerthfawrogiad am y gefnogaeth hael a dderbyniwyd, trefnodd swyddogion Eisteddfod Lerpwl i gyflwyno cadair dderw yn rhodd i Ddinas Lerpwl, sef atgynhyrchiad o'r gadair a wnaed gan Morris Henry Roberts. A dyna ddigwyddodd. Lluniwyd cadair hardd arall gan y llanc ifanc o Langollen sy'n cyfateb i'r un a wnaed ganddo ar gyfer Eisteddfod 1884. Dyma nodyn a gyhoeddwyd yn Nhrafodion Eisteddfod Lerpwl, 1884:

> 'It will be interesting to record that, being anxious to show their appreciation of the valuable assistance received from the Mayor and Municipal Authorities of Liverpool, the Eisteddfod Committee presented the Corporation with a facsimile of the CARVED OAK BARDIC CHAIR. This is now used as the Mayor's Presiding Chair in the Council Chamber of the Town Hall.'[15]

Dyma hefyd ddyfyniad pellach o'r *Liverpool Mercury*, 13 Medi 1900:

> 'Soon after the termination of the National Eisteddfod of Wales in 1884, which was held in Liverpool, a gift was made to the city of a replica of the Bardic Chair of the Great Festival of that year. During a long period, dating from the occupancy of the office of Chief Magistrate by the Late Mr Thomas Holder, it stood on the exalted dais in the old Council Chamber. When the new Council Chamber was opened, the chair was displaced by another; but it has been saved the fate of the lumber room, for it now has a prominent position in the vestibule of the Town Hall.'[16]

A dyna lle y mae'r gadair heddiw, yng nghyntedd eang Neuadd y Ddinas, Lerpwl (neu Neuadd y Dref, fel y'i gelwid bryd hynny), ar y dde i'r lle tân hardd, yn destun edmygedd a diddordeb mawr y nifer helaeth sy'n ymweld â'r Neuadd.

Ar ochr chwith y lle tân gwelir cadair dderw hardd arall, cadair Eisteddfod Lerpwl, 1900. Dyluniwyd hi gan y gŵr dawnus o Gaernarfon, T Griffith Thomas, a oedd yn gyfrifol hefyd am glawr nodedig rhestr testunau'r Eisteddfod honno. Gwnaed y gadair hon gan y cwmni byd-enwog Waring & Gillow, 42 Bold Street, Lerpwl, oedd â chanolfannau yn Llundain a Chaerhirfryn, a siopau hefyd ym Manceinion a Pharis.[17] Disgrifiwyd y gadair yn y *Liverpool Mercury* fel hyn:

> The chair itself is a remarkable product. From the designs of Mr T Griffith Thomas of Caernarvon, it has been executed with singular skill by Waring & Gillow, Limited, of Bold Street in this city. There is a vividly sketched depiction of a Druidical scene on the principal panel, above which are the crest of Liverpool and the Prince of Wales' feathers, supported by eagles. Oak leaves and leeks are also in the composition, and another panel carries the Hirlas horn and a goat. The balance of the design is admirable, and its author has cordial congratulations upon his artistic work.'[18]

Cadair Eisteddfod Lerpwl, 1900, a enillwyd gan John Owen Williams, 'Pedrog'. Gwnaed o gynllun arloesol T Griffith Thomas, Caernarfon, sy'n arddangos 'derwydd mewn gwisg laes, gyda chromlech yn y cefndir a'r tri phelydryn goleuni yn tywynnu o'r awyr.' Cedwir y gadair yn Neuadd y Ddinas, Lerpwl, ochr yn ochr â chadair Morris Henry Roberts, Llangollen, 1884. Llun drwy garedigrwydd Neuadd y Ddinas, Lerpwl.

Atgynhyrchiad gan Morris Henry Roberts o Gadair Eisteddfod Lerpwl, 1884, a gyflwynwyd yn rhodd gan yr Eisteddfod i Ddinas Lerpwl. Cedwir hi hyd heddiw yn Neuadd y Ddinas (Neuadd y Dref, gynt), Lerpwl. Llun drwy garedigrwydd Neuadd y Ddinas, Lerpwl.

Ar grib y gadair cerfiwyd Aderyn Lerpwl, y 'Liver Bird', o dan y Tair Pluen, ond, fel y dywedodd Richard Bebb a'r Dr Sioned Williams, roedd cefn y gadair gywrain hon yn 'newid cyfeiriad llwyr' yn hanes cadeiriau barddol Cymru. 'Arni roedd derwydd mewn gwisg laes o dan dderwen, gyda chromlech yn y cefndir a'r tri phelydryn goleuni yn tywynnu o'r awyr.'[19]

Enillydd cadair Eisteddfod Lerpwl, 1900, oedd John Owen Williams, 'Pedrog' (1853-1932), gŵr o Lanbedrog, sir Gaernarfon. Bardd aml ei gadeiriau a fu'n weinidog gyda'r Annibynwyr yn Lerpwl, 1884-1930. Testun ei awdl fuddugol oedd 'Y Bugail'.

Morris Henry Roberts a chadair Eisteddfod Llundain, 1887

Yn 1887 cynhaliwyd yr Eisteddfod Genedlaethol yn Llundain. Dyma flwyddyn Jiwbilî Aur y Frenhines Fictoria. A dyna oedd testun yr awdl: y Frenhines Fictoria. Yr enillydd oedd y Parchg Robert Arthur Williams, 'Berw' (1854-1926), brodor o Gaernarfon, a beirniad cyson yn yr Eisteddfod Genedlaethol.

Y buddugol ar wneud y gadair dderw orau unwaith yn rhagor oedd Morris Henry Roberts. Ar grib y gadair, bob ochr, yr oedd unwaith dair pluen Tywysog Cymru, ond y mae rhain bellach wedi'u colli. Ar ganol brig y gadair ceir yr arfbais frenhinol, ac ar y cefn gwelir tarian a phedwar llew y tywysogion canoloesol Cymreig. Uwchben y darian, cerfiwyd y Nod Cyfrin, y tri phelydryn goleuni, a bob ochr iddo, y geiriau: 'Iesu, na'd gamwaith'. O dan y darian ceir y geiriau 'Tywysogaeth Cymru'; cennin bob ochr i gefn y gadair, a phennau dwy ddraig ar flaenau'r breichiau. Ar waelod cefn y gadair gosodwyd plac pres helaeth a'r geiriau hyn arno:

> 'The Royal Jubilee Chair awarded together with a prize of £40 and a gold medal to the Rev. R A Williams (Berw) at the National Eisteddfod of Wales held in the Albert Hall, London, 1887, for the best ode on 'Queen Victoria' and occupied by HRH The Prince of Wales as President of the Eisteddfod.'

Cadair Eisteddfod Llundain, Blwyddyn Jiwbilî Aur y Frenhines Fictoria, 1887. Ar gadw heddiw ym Mhrifysgol Bangor. Enillwyd hi gan y Parchg Robert Arthur Williams, 'Berw'. Gwnaed gan Morris Henry Roberts, Llangollen. Sylwer bod tair pluen Tywysog Cymru, oedd unwaith i'w gweld bob ochr ar frig y gadair, bellach yn eisiau. Llun drwy garedigrwydd Richard Bebb.

Cedwir Cadair Eisteddfod Llundain, 1887, ym Mhrifysgol Bangor, ac fe'i gwelir yng nghyntedd Adran y Gymraeg, yn agos i ystafell Pennaeth yr Adran.

Teulu'r Robertsiaid, Llangollen, yn cynnal traddodiad y saer coed a gwneuthurwyr cadeiriau eisteddfodol

Yn ffodus iawn, ac yn arbennig drwy lafur Peter Jones, Llangollen, a'r Dr David ac Enid Roberts, Bangor, y mae gennym lawer iawn o wybodaeth am y teulu talentog o seiri coed, Llangollen, ond nad yw eto wedi cael ei chyhoeddi. Bwriad rhan olaf y bennod hon felly yw cyflwyno, yn gryno iawn, nodyn am brif aelodau'r teulu nodedig hwn a fu'n ymhél â chrefft y saer coed, yn ychwanegol at y tad a'r mab, John Roberts (1834-86) a Morris Henry Roberts (1865-1927), y rhoddwyd cryn sylw iddynt eisoes. Yr oedd yn deulu niferus dros ben. Bu i fwy nag un aelod ailbriodi, ac y mae tuedd amlwg hefyd i ailadrodd yr un enwau o genhedlaeth i genhedlaeth. Gyda mawr ofal, felly, y mae cyflwyno braslun o hanes y teulu.

Rwy'n llwyr sylweddoli na fydd gan amryw byd o'r darllenwyr, o bosibl, ddiddordeb yn y manylion bywgraffyddol sy'n dilyn. Fodd bynnag, y mae rheswm da dros eu cynnwys mewn cyfrol am fardd y Gadair Ddu gyntaf. Bu yng Nghymru, fel yr awgrymwyd eisoes, draddodiad cyfoethog o grefftwyr diwylliedig, a nifer o'r crefftwyr hynny yn perthyn i un teulu, ac y mae mawr angen cofnodi a chyhoeddi hanes y teuluoedd hyn. Anaml, serch hynny, y cafwyd teulu tebyg i'r teulu hwn o Langollen â chymaint o'i aelodau yn y cyfnod oddeutu 1740-1900 yn seiri coed, yn wneuthurwyr dodrefn, yn adeiladwyr ac, ar ben hyn oll, rhai ohonynt yn wneuthurwyr cadeiriau eisteddfodol o'r radd flaenaf.

Aelod amlwg o'r teulu hwn, wrth gwrs, oedd John Roberts (1834-86), gwneuthurwr y gadair a enillwyd gan Daliesin o Eifion: y bardd o'r dref yr oedd eisteddfodau a chadeiriau a thlysau eisteddfodol yn rhan annatod o'i fywyd. Ond nid unigolyn o grefftwr mo John Roberts. Cafodd y saer dodrefn a'r gwneuthurwr cadeiriau eisteddfodol hwn ddylanwad hefyd, y mae'n ddiamau, ar ei feibion, Austin Roberts (1863-1902) a Morris Henry Roberts (1865-1927), gwneuthurwr cadeiriau Lerpwl (1884) a Llundain (1887). Dylanwad hefyd, mae'n sicr, ar ei frawd iau, Morris Henry Roberts (1853-1941). Yn hytrach, felly, na chyfyngu'r sylwadau yn y bennod hon yn unig i wneuthurwr y Gadair Ddu gyntaf, y nod oedd cyfleu darlun o John Roberts yn ei gyd-destun. Y dyn ei hun – ie. Ond hefyd: y dyn a'i deulu. Dyn a'i draddodiad. Y crefftwr a'i gyd-grefftwyr. Cyd-grefftwyr yn cydweithio ac yn cyd-ddyheu.

Ar derfyn y manylion bywgraffyddol, ac er hwylustod pellach i'r darllenwyr, ychwanegir tabl achau syml yn cynnwys nodyn o'r prif grefftwyr yn unig yn y teulu hwn, ynghyd â rhai o'u disgynyddion hyd heddiw.

Dechreuwn y manylion bywgraffyddol am deulu Robertsiaid Llangollen gyda **Morris Roberts (1742-1810)**. Bu farw: 9 Medi 1810. Yr oedd yn saer troliau, saer melinau, a saer dodrefn. Bu hefyd yn dafarnwr am beth amser. Priododd â Jane Jones.

Mab i Jane a Morris Roberts oedd **John Roberts (1769-1836)**. Ganed: 27 Ionawr 1769. Bu farw: 3 Mai 1836. Roedd yn byw bryd hynny yn Nhrefor Uchaf, Llangollen. Yn 1811 roedd yn byw yn Llansanffraid Glynceiriog. Fe'i disgrifir fel saer coed a saer melinau. Priododd yn gyntaf ag Anne Finch. Ei ail wraig oedd Jane Jones, Rhysgog, Llangollen. Priodwyd hwy yn Eglwys Sant Collen, 20 Chwefror 1809. Ganed Jane: 5 Gorffennaf 1776. Bu farw: 18 Ebrill 1848.

Mab i Jane a John Roberts (1769-1836) oedd **John Roberts (1811-86)**: saer coed ac adeiladydd ('carpenter', 'joiner' a 'builder'). Ganed: 23 Mehefin 1811. Bu farw: 18 Medi 1886. Yn 1851 roedd yn byw yn London Road, Llangollen. Yn 1861 ac yn 1874 roedd yn byw yn Regent Street. Priododd ddwywaith. Yn gyntaf â Sarah

Davies. Yna ag Elizabeth Evans, Llandysilio, Llangollen, 23 Ebrill 1841. Ganed hi: *c.* 1811. Bu farw: 16 Gorffennaf 1873. Yn 1841 fe'i disgrifir hi fel 'dressmaker'.

Un o feibion Elizabeth a John Roberts (1811-86) oedd **William Roberts (1843-90)**. Bedyddiwyd: 31 Gorffennaf 1843. Bu farw: Mawrth 1890. Yn 1861, fe'i disgrifir fel 'joiner, Regent Street', Llangollen. Yn 1871: 'Manchester, carpenter', yn aros gyda'i chwaer, Mary. Erbyn 1881 roedd yn ôl yn 5 Cambrian Terrace, ac yn gweithio fel 'carpenter a joiner'.

Mab arall i Elizabeth a John Roberts (1811-86) oedd **Morris Roberts (1845-1910)**. Ganed: 11 Rhagfyr 1845. Bedyddiwyd yn Eglwys Sant Collen, 22 Chwefror 1845. Bu farw yn y Royal Infirmary, Lerpwl: 20 Mai 1910. Claddwyd yn Llangollen. Bu'n byw mewn amryw fannau yn Llangollen, ond bob tro disgrifir ei waith fel 'joiner'. Y cyfeiriad cyntaf sydd gennym yw Regent Street. Yna 1881: 15 Oak Street; 1891: Brynafon, Crescent Street; 1901: Brynafon, Market Street. Priododd, 5 Gorffennaf 1874, â Sarah Emma Crutch.

Awn yn ôl yn awr at y John Roberts (1769-1836) cyntaf y cyfeiriwyd ato, mab Morris Roberts (1742-1810). Eisoes fe'n cyflwynwyd i John Roberts (1811-86), mab i John Roberts (1769-1836) a'i ail wraig Jane. Mab arall o'r briodas hon, yr ail fab, oedd **Morris Roberts (1813-92)**. Ganed: 4 Rhagfyr 1813. Bedyddiwyd: 25 Rhagfyr 1813. Bu farw: 10 Mai 1892, a chladdwyd ym Mynwent y Ddôl, Eglwys Sant Ioan, Llangollen. Roedd yntau yn saer coed, saer dodrefn, a saer melinau. Ond yr oedd hefyd, yn arbennig yn y cyfnod tua 1850-80, yn un o brif adeiladwyr Llangollen a'r cylch. Bu'n Arolygwr tir ac adeiladau, y cyntaf yn hanes y dref yn dilyn haint y colera. Ar ben hyn, yr oedd yn flaenor yng Nghapel Seion, y Wesleaid, ac yn Arolygwr yr Ysgol Sul. Yn 1833 roedd yn byw yn Nhrefor Uchaf, Llangollen, ac fe'i disgrifir fel 'joiner'. Yn 1841, ac yntau yn dal i fyw yn Nhrefor Uchaf, fe'i disgrifir fel 'cabinet maker'. Yn 1851: 'joiner & Leader of Seion Chapel Wesleyan Methodists'. Erbyn 1861, ac eto yn 1871, roedd yn byw yn Mill Street Square ac yn gweithio fel adeiladydd. Yn 1881 roedd yn byw yn 2 Cambrian Terrace a disgrifir ei waith fel 'Architect and Surveyor'. Meddai'r Dr David ac Enid Roberts yn eu nodiadau ar hanes y teulu:

> 'Adeiladwr a syrfëwr cyntaf Cyngor Tref Llangollen oedd [Morris Roberts]. Ef a fu'n gyfrifol am adeiladu rhan helaeth o dai a siopau Stryd y Castell, gan gynnwys Neuadd y Dref a Gorsaf yr Heddlu, yn ogystal ag asgell orllewinol Plas Newydd, sydd erbyn hyn wedi'i dymchwel oherwydd difrod dŵr.'

Bu Morris Roberts hefyd yn adeiladu eglwys newydd Glyndyfrdwy; yn gyfrifol am yr estyniad newydd i Eglwys Sant Collen, Llangollen; ac yn adnewyddu rhannau o Gapel y Rug, Corwen.

Priododd yr aelod dylanwadol hwn o'r teulu dair gwaith. Ei ail wraig oedd Catherine Jones, o Gorwen. Ganed: 13 Ionawr 1814. Bu farw 30 Hydref 1874. Priododd hi a Morris Roberts: 2 Mai 1837.

Morris Roberts (1813-92), Llangollen: saer coed, saer dodrefn, saer melinau, adeiladydd, a thirfesurydd cyntaf tref Llangollen. Llun drwy garedigrwydd Dr David Roberts, Bangor.

Morris eto oedd enw'r mab hynaf o'r briodas hon, a Sarah oedd y ferch hynaf. Ganed 18 Medi 1839. Bu farw 14 Chwefror 1920. Yn 1861 disgrifir hi fel 'dressmaker'. Priododd Sarah, Mawrth 1869, yn Eglwys y Santes Fair Rhiwabon, ag **Edward Davies (*c.* 1844-1920)**, Llandrillo. Bu farw: 8 Medi 1920 a chladdwyd ef ym Mynwent y Ddôl, Eglwys Sant Ioan, Llangollen. Roedd yntau yn saer coed. Yn 1881, 1886 ac 1891 fe'i disgrifir fel 'joiner'. Yn 1881 roedd yn byw yn rhif 3 Berwyn Street. Erbyn 1886 ac 1891 roedd wedi symud i rif 5 Berwyn Street. Yn 1894 disgrifir ei waith fel 'builder'. Roedd yn byw yn Willow Street erbyn 1897. Yn 1901 roedd wedi symud i fyw eto, y tro hwn i 62 Berwyn Street, a disgrifir ei waith fel 'joiner' a 'carpenter'. Erbyn 1920 roedd unwaith yn rhagor wedi symud tŷ, yn awr i Cambrian Terrace.

Merch arall o briodas Catherine Jones a Morris Roberts (1813-92) oedd Ann. Ganed: 27 Medi 1844. Bu farw: 7 Rhagfyr 1918, yng Nghorwen. Ym mis Mawrth 1874 priododd hi yng Nghorris â **Cyrus Watkin (c. 1845-1921)**, Llangollen. Bu ef farw: 19 Ionawr 1921, a chladdwyd ef ym Mynwent y Fron, ger Wrecsam. Ei waith ef oedd: paentiwr, addurnwr, a gwydrwr, a bu'n byw yn rhif 1 Dee Road (1881); 24 Regent Street (1886).

Un o feibion Ann a Cyrus Watkin oedd **John Sydney Watkin (1884-1950)** Ganed: Rhagfyr 1884. Bu farw: 26 Ionawr 1950. Roedd yntau yn baentiwr, yn addurnwr ac yn wydrwr. Yn ogystal â gweithio yn Llangollen, bu hefyd am gyfnod yn gweithio yn Llundain.

Mab ieuengaf Morris Roberts (1813-92) a'i ail wraig, Catherine Jones, oedd **Morris Henry Roberts (1853-1941)**. Ganed: 21 Mawrth 1853, yn Mill Street, Llangollen. Mae'r flwyddyn 1852 ar ei garreg fedd yn anghywir. Bu farw: 25 Rhagfyr 1941, yn Ashgrove, Llangollen. Claddwyd ym Mynwent y Ddôl, Eglwys Sant Ioan, Llangollen. Addysgwyd yn y 'Liverpool Institute'. Disgrifir ei waith fel saer dodrefn: 'cabinet maker', ond yn 1891 fel 'furniture manufacturer'. Yn 1871 roedd yn byw yn Mill Street Square,

Morris Henry Roberts (1853-1941), Llangollen: saer dodrefn, adeiladydd, hapfasnachwr eiddo, ac aelod o Gyngor Tref Llangollen. Llun drwy garedigrwydd ei ŵyr, Dr David Roberts, Bangor.

Llangollen, ond yn 1881, 1891 ac 1901 yn rhif 6 Berwyn Street. Yn 1911 roedd yn byw yn Avondale, Sandringham Avenue, Y Rhyl, a disgrifir ei waith fel 'House Furnisher & Builder'. Yn 1920 roedd yn byw yn Idris House, Abbey Road, Llangollen. Yn ogystal â bod yn saer dodrefn, yn adeiladydd ac yn hapfasnachwr eiddo, roedd Morris Henry Roberts hefyd yn gynghorydd ar Gyngor Tref Llangollen.

Priododd Morris Henry Roberts (1853-1941) â Margaret Alice Pugh (1860-1944), Llangollen. Un o'u meibion oedd Morris Trevor Roberts (1887-1980). Graddiodd mewn peirianneg a bu'n athro cemeg yn Ysgol Ramadeg Llangollen. Mab iddo ef a'i briod, Mary Ellen (Williams), yw'r **Dr David Powys Wynn Roberts**, Bangor. Plant i Enid a David Roberts yw **Gareth Wyn Roberts**, **Arwel Wyn Roberts**, a **Geraint Wyn Roberts**. Enwau wyrion Enid a David Roberts yw: **Siôn Wyn** a **Tomos Wyn**, **Matthew Wyn** a **Maeve Wyn**, **Eleri Wyn** a **Mati Wyn**.

Carreg fedd Morris Henry Roberts (1853-1941), Llangollen, a'i briod Margaret Alice Pugh. Llun gan yr awdur.

Llun agos o garreg fedd Morris Henry Roberts a'i briod. (Sylwer: 1853, nid 1852, fel sydd ar y garreg fedd, oedd blwyddyn geni MHR.) Ar waelod y garreg cerfiwyd y geiriau: 'The Master is come and calleth for thee.' Llun gan yr awdur.

* * *

Awn yn ôl unwaith eto yn awr at Morris Roberts (1813-92), y saer dodrefn a saer melinau, a briododd dair gwaith. Eisoes cyflwynwyd rhai o'i ddisgynyddion o'i ail briodas â Catherine Jones. Gwraig gyntaf Morris Roberts oedd Elinor Kirkham, Yr Wyddgrug. Ganed: 4 Ionawr 1814. Bu farw: Gorffennaf 1835, yn un ar hugain mlwydd oed. Yr unig blentyn o'r briodas hon oedd **John Roberts (1834-86), y saer a wnaeth y Gadair Ddu ar gyfer Eisteddfod Wrecsam, 1876**.

Priododd John Roberts (1834-86) ag Elizabeth Myfanwy Fechan (Fychan?) Roberts yn Islington, Rhagfyr 1854. Ganed: 24 Awst 1835. Bu farw: 30 Hydref 1920. Y mab hynaf o'r briodas hon oedd **Austin Roberts (1863-1902)**, y saer dodrefn a chadeiriau barddol y rhoddwyd sylw iddo eisoes.

Priododd Austin Roberts (1863-1902) â Caroline Emily Roberts (g. 1868), Llanblodwel, ger Croesoswallt. Un o'u meibion oedd **Albert Reginald Roberts (1898-1970)**, a briododd Kate Marjorie Lettice Isabel Roberts (1898-1970), Caerdydd.

Mab i Kate Marjorie Lettice Isabel ac Albert Reginald Roberts ydoedd **Richard Julian Roberts (1930-2010)**, a fu'n Geidwad y Llyfrau Printiedig ac yn Ddirprwy Lyfrgellydd Llyfrgell Bodley, Rhydychen. Plant iddo ef yw **Hilary Rhiannon Roberts**, Caerdydd, ac **Alun Roberts**, Cricklade, Wiltshire. Mab i Hilary a Russell Roberts yw **Ivor Julian Roberts**. Plant i Clare ac Alun Roberts yw: **Eric**, **Tristan** a **Jasper**.

Ail fab Kate Marjorie Lettice Isabel ac Albert Reginald Roberts yw **Adrian David Scudamore Roberts (g. 1933)**, sy'n byw heddiw yn Bladon, swydd Rhydychen, tad **Bronwen Louise Roberts**, Llundain, a **David Clement Roberts**, Hove, swydd Sussex.

Trown yn ôl eto yn awr at John Roberts (1834-86), gwneuthurwr y Gadair Ddu. Mab arall iddo ef a'i briod Elizabeth Myfanwy oedd

Morris Henry Roberts (1865-1927), brawd i Austin Roberts, y cyfeiriwyd ato uchod, a **gwneuthurwr cadeiriau Lerpwl (1884) a Llundain (1887)**. Priododd ef â Martha Crompton (1861-1921), ond ni wn am neb o blith eu disgynyddion hwy a ddilynodd grefft y saer coed. Morris Henry Roberts (1865-1927), felly, oedd yr olaf mewn llinach nodedig o seiri coed a gwneuthurwyr cadeiriau eisteddfodol y teulu hwn o Langollen.[20] Ond nid dyma, yn hollol, chwaith, ddiwedd y stori, fel y cawn weld yn rhan olaf y bennod hon.

Arthur Avery yn parhau traddodiad y gadair farddol yn Llangollen

Erbyn tua 1904 ymddengys fod Morris Henry Roberts (1865-1927) wedi trosglwyddo'r gwaith coed yn Llangollen i **Arthur Avery (1872-1933)**, yn cynnwys y gweithdai yn rhif 6 ac 8 Berwyn Street a'r gweithdy yn Market Street. Symudodd Arthur Avery o Handsworth, Birmingham, i Langollen i fyw, a pharhau i lunio dodrefn i'r tŷ a chadeiriau ar gyfer eisteddfodau lleol.

Un o'r eisteddfodau mwyaf llwyddiannus yn y cyfnod hwn oedd Eisteddfod Gadeiriol Gwent, cyfres o eisteddfodau lled genedlaethol a gynhelid yn Rhymni, o dan nawdd Cwmni Haearn Rhymni, rhwng 1899 ac 1913. Y mae nifer o'r cadeiriau a enillwyd yn yr eisteddfodau hyn, yn ffodus iawn, wedi goroesi, ac, fel y dengys Richard Bebb a'r Dr Sioned Williams yn *Y Gadair Farddol*, a'r Dr W T R Pryce mewn erthygl werthfawr yn *Planet*, y mae'r cyfan o'r cadeiriau yn dilyn yr un patrwm, mwy neu lai.[21] Yr unig eithriad yw cadair Eisteddfod y Fenni, 1909, er cof am 'Wenynen Gwent', cadair hardd a wnaed yn arddull gynnar cadeiriau canoloesol.[22] Meddai awduron *Y Gadair Farddol* am gadeiriau Eisteddfodau Rhymni:

> 'Maent yn arddull Seisnig-Iseldiraidd yr ail ganrif ar bymtheg, a gwnaed hwy ym Mechelen, canolfan gynhyrchu dodrefn rhwng Antwerp a Brwsel. Yr oedd y dref yn arbenigo ar ddodrefn o wahanol arddulliau

hanesyddol, llawn cerfwaith, ar gyfer eu hallforio drwy orllewin Ewrop, ac a oedd yn boblogaidd iawn yn ne Cymru.'[23]

Yr arfer wedyn oedd i bob eisteddfod addasu'r gadair o dramor drwy osod unrhyw ychwanegiad perthnasol i'w heisteddfod arbennig hwy ar grib y gadair, neu ar y cefn. Yn ôl pob tebyg addaswyd cadeiriau Eisteddfodau Gwent hyd 1904 gan Morris Henry Roberts, ac wedi hynny gan Arthur Avery. Mewn erthygl yn *Tarian y Gweithiwr*, Mai 1902, y mae'r awdur yn edrych ymlaen at groesawu'r eisteddfod eto i Rymni, gan ychwanegu: 'Mae cadair hardd gerfiedig, o dderw y Gogledd-dir, wedi cyrhaedd.'[24] Dyma awgrym go bendant mai Morris Henry Roberts, gwneuthurwr cadeiriau Eisteddfodau Lerpwl (1884) a Llundain (1887), ac un o seiri dodrefn a chadeiriau barddol

Arthur Avery (1872-1933), Llangollen, a'i deulu. Ef a ddilynodd Morris Henry Roberts gyda'r gwaith saer coed ac fel gwneuthurwr cadeiriau eisteddfodol. O'r chwith: Alice Maud, priod. Yn y canol, eu tri phlentyn: Josephine, Cicely ac Arthur Robert (1900-76), olynydd ei dad fel arwerthwr dodrefn. Llun gwreiddiol gan J Percy Clarke (Lettsome), Llangollen. Cafwyd copi o'r llun hwn drwy garedigrwydd Alwena a Keith Avery, Llangollen.

enwocaf Cymru yn ei gyfnod oedd hefyd wedi addasu'r cadeiriau ar gyfer Eisteddfodau Gwent.

Yn Rhestr Testunau rhai o'r eisteddfodau hyn cyhoeddwyd hysbyseb gan Arthur Avery yn datgan:

> 'Arthur Avery, Successor to M.H. Roberts, 6 and 8 Berwyn Street, Llangollen: Cabinet Maker and upholsterer. Shop Fitter and Air Tight Case Maker. Manufacturer of Every Description of Household Furniture. Dealer in Second-hand and Antique Furniture. Wringing Machines, and Bicycles, etc.'[25]

Yn Rhaglen y Dydd am y flwyddyn 1906 ymddangosodd yr un hysbyseb, ond gyda'r ychwanegiad hwn:

> 'Manufacturer of every description of Eisteddfodic chairs.' 'Makers of Cadair Gwent for the Rhymney Eisteddfod.'[26]

Hysbyseb Arthur Avery, Llangollen, yn rhaglen Eisteddfod Cadair Gwent, Rhymni, 28 Mai 1912.

Etifeddodd Morris Henry Roberts (1853-1941) y gweithdai saer yn rhifau 6 ac 8 Berwyn Street, Llangollen, ar ôl ei dad, Morris Roberts (1813-92). Yna, ar y 25ain o Hydref 1920, gwerthwyd yr adeiladau hyn gan Morris Henry Roberts i ŵr o'r enw Mr Herbert Churchill, ac, yn fuan wedyn, gwerthwyd hwy gan Herbert Churchill i Mr Arthur Avery.

* * *

Blwyddyn 1913 oedd yr olaf o Eisteddfodau Cadeiriol Gwent. Yna daeth y Rhyfel Byd Cyntaf. Wedi'r Rhyfel, daeth cwmni Arthur Avery hefyd i ben fel gwneuthurwyr dodrefn a chadeiriau barddol. Ond gyda'i brofiad helaeth yn y maes, dechreuodd ar waith gwerthu

Enghraifft o waith coed Arthur Avery a'i fab, Arthur Robert Avery, Llangollen: bwrdd derw, 1911.

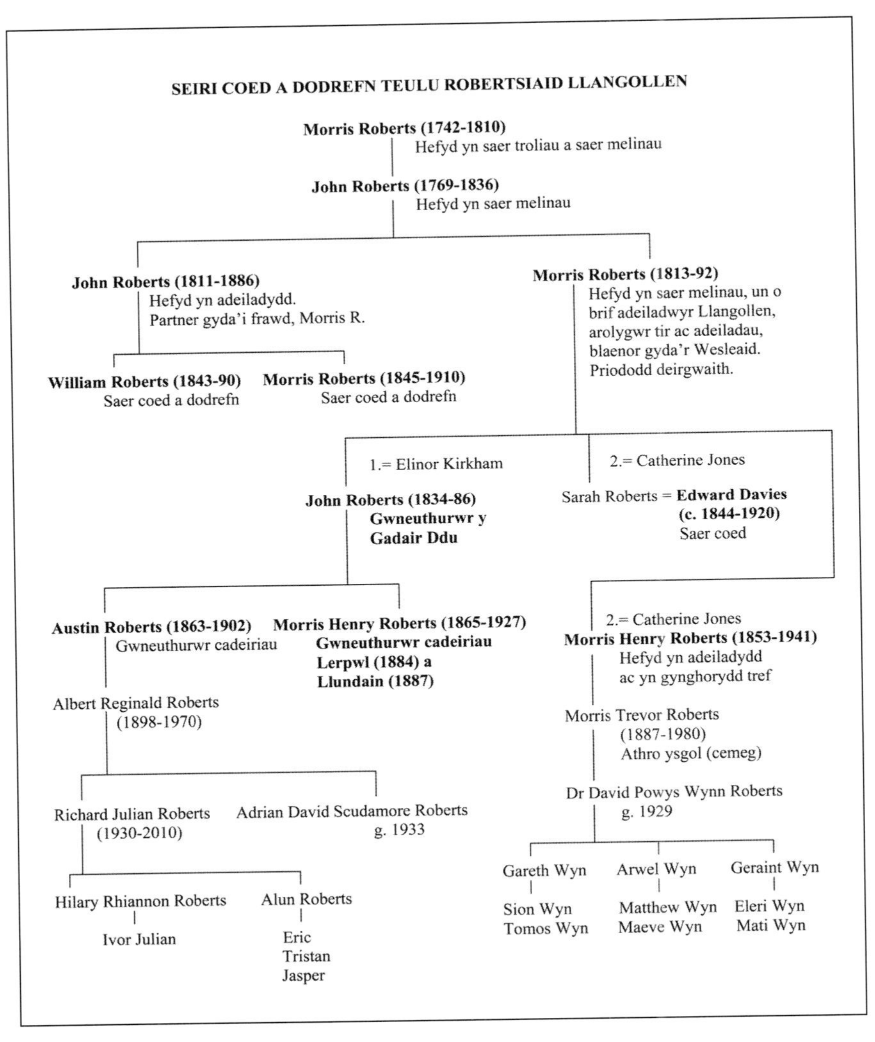

Teulu seiri coed a dodrefn Teulu'r Robertsiaid, Llangollen.

dodrefn a chelfi'r tŷ mewn ocsiwn. Bu Arthur Avery farw, 4 Chwefror 1933. Rhoddir ei gyfeiriad ar y pryd fel: 'Arden, Abbey Road' a '26 Berwyn Street'. Gadawodd £7376.19.4 o arian yn ei ewyllys.

Olynwyd Arthur Avery fel arwerthwr dodrefn yn Llangollen gan ei fab, **Robert Arthur (Edwin) Avery**. Ganed: 27 Mawrth 1900. Bu farw: Medi 1976. (Nid oedd yn arddel yr 'Edwin' yn ei enw.)

Fe'i holynwyd yntau yn y gwaith gwerthu dodrefn gan ei fab, **Arthur Keith Avery** (g. 1930), er na fu ef erioed yn arwerthwr ei hun. **Cynhaliwyd yr ocsiwn olaf yn 1989.** Y mae Arthur Keith Avery, a'i briod Alwena, o Rosllannerchrugog, yn byw heddiw yn Llangollen.[27] Bu'n garedig iawn yn adrodd ei atgofion wrthyf. Y mae'n ymhyfrydu yn hanes ei deulu ac yn hanes y teulu talentog o seiri coed: Robertsiaid Llangollen. Wedi cyflwyno braslun o'r hanes yn y bennod hon, dau air yn unig sydd angen eu hychwanegu: felly ninnau.

15

Dirgelwch y Cadeirio Pwy Oedd Gwir Enillydd y Gadair yn Eisteddfod Wrecsam, 1876? Ai Taliesin o Eifion? Ai Elis Wyn o Wyrfai?

Y MAE'N DRA thebygol y bydd teitl a chynnwys y bennod hon yn gryn syndod i'r rhan fwyaf o'r darllenwyr. Paham fod unrhyw amheuaeth nad Thomas Jones, Taliesin o Eifion, oedd gwir enillydd y gadair yn Eisteddfod Genedlaethol Wrecsam, 1876? Ym mis Ebrill 1896, fodd bynnag, bron ugain mlynedd wedi'r eisteddfod gofiadwy honno, fe gyhoeddwyd llythyr yn *Y Geninen* a oedd yn cynnwys datganiad cwbl syfrdanol mai bardd arall oedd wedi ennill y gadair mewn gwirionedd, ond i'r bardd caredig hwnnw dosturio wrth briod Taliesin a'i theulu.

Y gŵr a wnaeth y datganiad rhyfeddol hwn oedd William Jones, 'Bleddyn' (1829?-1903), yr hynafiaethydd diwyd, gŵr uchel ei barch yn Nyffryn Llangollen, cyfaill i Daliesin, a'r person (fel y soniwyd ym mhennod 14) a fu'n ymddiddori'n fawr yng ngwaith John Roberts, gwneuthurwr y Gadair Ddu.

Ysgrifennu llythyr ar gyfer *Y Geninen* a wnaeth Bleddyn i gofio am y Parchg Ganon Ellis Roberts, 'Elis Wyn o Wyrfai' (1827-95). Yn rhan

William Jones, 'Bleddyn' (1829-1903), Llangollen: hynafiaethydd a ffynhonnell yr honiad syfrdanol ynghylch pwy oedd gwir enillydd y gadair yn Eisteddfod Wrecsam, 1876. Llun o gyfrol D E Jenkins, *Bedd Gelert. Its Facts, Fairies, and Folk-lore*, 1899, yn seiliedig, yn bennaf, ar erthyglau a gyhoeddwyd gan Bleddyn yn *Y Brython*, 1861.

gyntaf y llythyr y mae'n dwyn i gof amgylchiad yn 1858, ac yntau'n byw ym Mhorthmadog, ar y pryd, ac yng nghwmni Ioan Madog. (Brodor o'r Bontnewydd, ger Rhiwabon, oedd John Williams, 'Ioan Madog' (1812-78), gof a bardd, a ddychwelodd i Dremadog, ardal ei rieni, pan oedd ef yn nawmlwydd oed.) Ar yr amgylchiad hwn y gwelodd Bleddyn Elis Wyn am y tro cyntaf, er na chafodd gyfle i siarad ag ef. Yn y llythyr y mae'n dyfynnu barn uchel Ioan Madog am Elis Wyn, yn llanc ifanc bryd hynny ac yn gweithio gyda'i dad, Morris Roberts, 'Eos Llyfnwy', yn y felin yn Llwyn-gwalch, Llandwrog, Sir Gaernarfon: '... bachgen iawn ydyw o; fe fydd yn sicr o enill Cadair yr Eisteddfod yn fuan iawn.' Adroddodd Ioan Madog hefyd ran o'r sgwrs a fu rhyngddynt:

> 'Dywed i mi a fedri di Saesneg?'
>
> 'Na fedraf', ebe yntau.
>
> 'Wel, cymer di gyngor genyf fi; dysga Saesneg: fedrodd yr un prydydd Cymreig erioed fyw ar ei brydyddiaeth; ond dysga di Saesneg, ac mi ddeui i rywbeth gwell na gwas i felinydd.'[1]

'Aeth hithau [gwraig Taliesin] i Wrecsam ddydd yr Eisteddfod a dywedodd ei hamgylchiadau wrth Elis Wyn ... a'r weddw druan, drallodus, a dderbyniodd y Gadair a'r wobr ...'

Cwrdd ag Elis Wyn o Wyrfai yng nghwmni Ioan Madog, dyna'r digwyddiad cyntaf y mae Bleddyn yn sôn amdano. Dyma yn awr ddyfynnu'n gyflawn ail ran ei lythyr.

> 'Y digwyddiad arall ydyw yr un canlynol: Pan aeth Elis Wyn i Rosymedre [1862] yr oedd Taliesin o Eifion wedi symud o Langollen i'r Cefnmawr. Rywfodd daeth y ddau fardd, yr englynwr diail a'r awdlwr, i gyffyrddiad â'u gilydd; a buont yn gyfeillion neullduol; a phan ddychwelodd Tal. i'w hen gynefin - Llangollen, byddai Elis Wyn, bob pryd y deuai i'r Llan, yn galw gydag ef; a thrwy hyny daeth y teulu yn dra chariadus â'u gilydd. Mae hanes y "Gadair Ddu" yng Ngwrecsam yn ddiweddar ac adnabyddus. Nid ydwyf yn cofio pa sawl un oedd yn ymgeisio am y Gadair, gan nad yw y feirniadaeth wrth fy llaw; ond yr oedd Elis Wyn a Thal. yn mhlith yr ymgeiswyr. Bu farw Taliesin fis [= ddau fis a hanner a mwy] cyn yr eisteddfod, ond yr oedd ei awdl wedi ei gyru i mewn mewn pryd trwy garedigrwydd un o fyfyrwyr Coleg

Y Parchg Ganon Ellis Roberts, 'Elis Wyn o Wyrfai' (1827-95). Llun o gasgliad Llyfrgell Genedlaethol Cymru.

y Bedyddwyr yn y Llan. Yr oedd Taliesin wedi bod am hir amser yn analluog i ddilyn ei alwedigaeth gan arteithiau y droedwst: o herwydd hyny yr oedd ei amgylchiadau, o dan y dwfr, mewn gwirionedd. Oddeutu dyddiau yr eisteddfod daeth i glustiau ei weddw rywfodd fod Elis Wyn yn gydymgeisydd â'i gŵr, ac mai ef a enillai y Gadair. Aeth hithau i Wrecsam ddydd yr eisteddfod, a dywedodd ei hamgylchiadau wrth Elis Wyn: aeth yntau yn ddiymaros, a thynodd ei awdl ei hun o'r gystadleuaeth: a'r weddw druan, drallodus, a dderbyniodd y Gadair a'r wobr. Ni raid ychwanegu gair arall ar hyn.'[2]

1922-23: gohebiaeth yn *Yr Herald Cymraeg* a'r *Darian*

Hyd y gwn i, ni wnaeth neb ddatganiad tebyg i hwn cyn i lythyr Bleddyn gael ei gyhoeddi yn *Y Geninen*. Ond y rhyfeddod mwyaf (hyd y gwn i eto) yw na wnaeth neb chwaith ysgrifennu i'r Wasg i gefnogi na gwrthwynebu honiad ysgubol Bleddyn yn 1896. Gellid disgwyl ymateb brwd, o leiaf ymhlith gwŷr llên y cyfnod. Meddylier am y cannoedd o ddarllenwyr y cylchgrawn poblogaidd, *Y Geninen*. Ond na – distawrwydd llwyr.

Yn rhifyn 16 (1898) o'r *Geninen*, fodd bynnag, fe wnaed rhai sylwadau y mae'n rhaid rhoi sylw pellach iddynt. Fe'u cyflwynwyd gan John Edwards, 'Meiriadog' (1813-1906), bardd, golygydd ac argraffydd, yn enedigol o Lanrwst, ond a fu'n byw y rhan fwyaf o'i oes yn Llanfair Caereinion. Yn rhifyn 14 (1896) o'r *Geninen* (tt. 143-5) dechreuodd Meiriadog gyhoeddi ei hunangofiant, gan ddefnyddio'r pennawd: 'Fy Nghylch-Fywyd'. Fel hyn yr ysgrifennodd ar derfyn y seithfed ran (*Y Geninen*, 16, 1898, t. 64). Ym mrawddeg olaf y dyfyniad, gwelir ei fod yn cyfeirio at Iolo Trefaldwyn fel un o feirniaid yr eisteddfod. Ond dylid egluro nad un o feirniaid cystadleuaeth y gadair ydoedd.

> 'Yr eisteddfod nesaf, hyd y cofiwyf, yr ymgystadleuais ynddi oedd "Eisteddfod y Gadair Ddu", fel ei gelwid, gynnelid yn Ngwrecsam yn 1876, yr hon Gadair a ddyfarnwyd i Taliesin o Eifion, yr hwn yntau a fu farw ychydig ddyddiau [= ychydig wythnosau] cyn yr eisteddfod.

> Pan fraich-yn-mraich gyda'r Archdderwydd Clwydfardd yn myned tua phabell yr eisteddfod, dywedai wrthyf ei fod "yntau gwedi rhyfygu cystadlu ar destyn y Gadair hono, sut bynag y troai y fantol ar ei ryfyg." Wedi myned trwy ddefod y *Cadeirio Du* hwn, aethym gyda'r cyfaill Iolo Trefaldwyn i gael cwpanaid adfywiol o dê yn ei dŷ, a chael eistedd wrth y bwrdd yn ei gadair farddol fuddygol hefyd. Yn yr ymgom rhyngom â'n gilydd dywedai yn agored na buasai yno gadeirio o gwbl pe buasai Taliesin yn fyw, ond mai cadair wag a fuasai, am mai dyna oedd dyfarniad y beirniaid, nad oedd yr un o'r awdlau yn teilyngu na chadair na gwobr, er yr ystyrid eiddo Taliesin yr oreu. Ond gan i'r ymgeisydd oedd yn *oreu* farw mor agos i ddiwrnod yr eisteddfod, iddynt ei dyfarnu yn oreu fel gwobr i'r weddw alarus ar ol ei phriod. Dyna sylwedd yr hyn yr hysbysai Iolo fi o hono, heblaw chwanegu mai y cyfaill Mr James Clarke, Llangollen, a drefnodd yr awdl at ei gilydd, oedd yn ysgrifenedig ar liaws mawr o hen amleni (*envelopes*), a hyny wrth erchwyn gwely Taliesin, druan. A fydd i'r darllenydd gredu hyn o gyfrinach, nis gwn; ond y mae fy mod i yn adrodd yr hyn a ddywedai Iolo wrthyf yn profi fy mod i yn ei gredu; ped amgen, ni chyhoeddaswn mo hono, ond yn unig am y ffaith fod Iolo Trefaldwyn yn *wr o eirwiredd*, yn un o *bwyllgor* yr eisteddfod yna, ac yn un o'i *beirniaid* hefyd.'

Diddorol yw nodi i sylwadau Meiriadog gael eu dyfynnu'n helaeth gan lythyrwr dienw, yn *Y Glec* (rhifyn 4, Tachwedd 2011, t. 13). Y mae'n amlwg hefyd fod awdur y llythyr hwn yn credu yn yr hyn a ddywedwyd gan Meiriadog. Meddai ar ddechrau'i lythyr, cyn mynd rhagddo i ddyfynnu geiriau'r hunangofiannwr:

> 'Roedd y rhifyn cyntaf [o'r *Glec*] o ddiddordeb arbennig i mi ar gyfrif hanes trist Taliesin o Eifion yn marw cyn derbyn ei gadair yn Eisteddfod Wrecsam yn 1876. Ni ddywedwyd y cwbl am y Gadair Ddu honno, ond hyd yn hyn bûm yn gyndyn o gywiro'r gwall rhag siomi pobl lengar Eifionydd, a'm rhoi fy hun a'm teulu mewn perygl. Ond "gwirionedd sydd borth na ellir ei gau".'

Fodd bynnag, fel y cawn sylwi eto yn y bennod bresennol, nid pawb oedd yn cytuno â barn Iolo Trefaldwyn a Meiriadog parthed enillydd y Gadair Ddu yn Wrecsam. Y mae angen hefyd nodi i Feiriadog gael ei gamarwain gan Iolo Trefaldwyn pan ddywedodd y gŵr hwnnw mai 'y cyfaill Mr James Clarke, Llangollen, a drefnodd [awdl Taliesin] at ei gilydd'. Gwelwyd eisoes mai'r myfyriwr diwinyddol, Benjamin Humphreys, Llangollen, a fu'n gyfrifol am ailysgrifennu'r awdl a'i hanfon mewn pryd i'r eisteddfod. Perthnasol hefyd yw cyfeirio at farn Benjamin Humphreys am Iolo Trefaldwyn a fynegwyd ganddo mewn llythyr yn *Y Darian*, 8 Mawrth 1923. (Gw. pen. 13, t. 242.) Yr un modd, dylid nodi i Daliesin o Eifion farw 'ychydig wythnosau' cyn yr eisteddfod, nid 'ychydig ddyddiau', fel y dywed Meiriadog yn ei hunangofiant. (Bu farw 1 Mehefin 1876. Cynhaliwyd yr eisteddfod 22-25 Awst 1876.)

Yn 'Llith y Clerwr' a gyhoeddwyd yn *Yr Herald Cymraeg* yn ystod 1922 – llith y dyfynnir ohoni'n helaeth yn y bennod hon – cyfeirir droeon at sylwadau Meiriadog a barn Iolo Trefaldwyn. Er enghraifft, yn y llith a gyhoeddwyd yn rhifyn 5 Rhagfyr 1922. Mewn un llith (rhifyn 26 Medi 1922 o'r *Herald*) y mae'r Clerwr yn llawdrwm ei farn am Iolo Trefaldwyn. Meddai amdano: 'A pha werth y sydd yn nywediadau Iolo Trefaldwyn ar bwnc Y Gadair Ddu! Dim yn y byd mawr llydan.'

1922: dyma'r flwyddyn yr agorwyd y fflodiart o ran trafod y cwestiwn llosg – llosg i rai, o leiaf – sef pwy oedd gwir enillydd cadair Wrecsam yn 1876? Yr achlysur oedd cyhoeddi *Gweithiau Taliesin o Eifion*, gan Hughes a'i Fab, Wrecsam, y cerddi wedi'u casglu gan fab Taliesin, John Llewelyn Jones, a'u golygu gan Wil Ifan. Dyna pa bryd y sylwodd rhai personau nad oedd cyfeiriad o gwbl yn y gyfrol at honiad Bleddyn. Pam na wnaed unrhyw ymgais i'w wadu? Yn 1922 bu gohebu prysur yn *Yr Herald Cymraeg*, gyda'r 'Clerwr' yn brif amddiffynnydd fersiwn Bleddyn o hanes y Gadair Ddu. Yna, yn y flwyddyn ddilynol, gohebu brwd eto, yn *Y Darian* y tro hwn, a 'Chasnodyn' yn brif gefnogwr Bleddyn.

Llith y 'Clerwr'

Rhown sylw yn gyntaf, felly, i'r colofnau a'r llythyrau a gyhoeddwyd yn *Yr Herald Cymraeg*, gan ddechrau gyda 'Llith y Clerwr', yn rhifyn 26 Medi 1922. Y tro hwn y mae'n neilltuo'i golofn gyfan i gyflwyno hanes bywyd Taliesin ac i fynegi ei farn am y farddoniaeth a gyhoeddwyd yn y gyfrol o'i waith. Cyfeiria, er enghraifft, at arfer y bardd o gyfansoddi englynion gydag wyth sillaf yn lle'r saith arferol yn y ddwy linell olaf, yr esgyll, ac meddai: 'Y mae llawer i englyn sydd yn y llyfr yn bradychu rhyw ymdrech i ffitio'r gredo.'[3] Er hyn, canmol y bardd a wna'r 'Clerwr'. Meddai, er enghraifft, am yr englyn 'Cusan' (a briodolid i Daliesin): 'Glywsoch chwi rotsiwn beth erioed – cystal â chri yr hen Omar [Khayyâm] am win.'[4] Y mae'n cydymdeimlo â chystudd maith y bardd:

> 'At hyn i gyd, collodd ei iechyd, bu'n rhy ddiofal wrth bysgota, ac wrth aros yn ei hosan wleb, a chafodd y cymalwst yn erwin – gwyddai beth oedd methu a symud cam o'i wely am fisoedd, a bu yn y cyflwr hwnnw lawer gwaith drosodd cyn marw yn 56 oed ... Ni ellir byth feirniadu Taliesin yn deg heb gofio'i adfyd.'[5]

Y mae'r 'Clerwr' hefyd yn cloi ei lith drwy ddweud bod yn y gyfrol:

> 'lu mawr o ganeuon a phethau felly – pethau na ddylai'r un Cymro fod heb eu darllen. Nid caneuon mor gyfoethog, mi wn a chaneuon Ceiriog, ond ni thâl hynny fel esgus i beidio a mynnu eu darllen i gyd.'[6]

'... ac ni ddylem ninnau fod yn ddistaw ... oni wypom galon y gwir.' 'Ar y gwir mae rhagoriaeth!' '... nid teg i'r gwir ymguddio.'

Yn rhifyn 10 Hydref 1922 o'r *Herald* y mae'r 'Clerwr' unwaith eto yn neilltuo'r golofn gyfan i drafod Taliesin, ond y tro hwn, nid ei fywyd a'i farddoniaeth fel y cyfryw, ond gweithred honedig ei briod,

Elizabeth Jane Jones, a'r ymateb i'r weithred honno. Yn fuan yn ei golofn, fodd bynnag, y mae'n gwneud sylwadau am y gyfrol *Gweithiau Taliesin o Eifion* sy'n ein synnu, yn enwedig o gofio iddo bythefnos cyn hynny roi geirda i gerddi'r bardd. Y mae'n cydnabod yn onest iddo brynu'r gyfrol yn benodol er mwyn cael gwybod a oedd ynddi gyfeiriad o gwbl at ddatganiad Bleddyn. Yna â rhagddo i ryfeddu at fab Taliesin, y casglwr, a Wil Ifan, y golygydd, yn anwybyddu hyn oll.

> '... mae arnom eisieu'r gwir ... I fod yn onest, er mwyn hynny y prynais i "Weithiau Taliesin": nid oedd ddim galw arall arnaf i wneuthur hynny - y mae 'Helen' yn un o'm cyfrolau o'r "Geninen", a 'Chaswallon' yn fy llyfr Eisteddfod Pwllheli, 1875, a bron bopeth arall o waith da'r bardd yn fy llyfrgell mewn rhyw lyfr neu'i gilydd. Ond ... nid oes yn y Gweithiau ddim un gair ar y pwnc. Rhydd mab Taliesin fraslun o yrfa'i dad, a rhydd Wil Ifan ragair ddigon teidi; ond ni ddywaid na'r naill na'r llall ddim sillaf ar bwnc Y Gadair Ddu o safbwynt y nodiad hwnnw gynt yn y "Geninen". Pam, tybed, yr anwybyddwyd y fath nodiad a hwnnw mewn llyfr fel hwn? Mae dichon na wyddai Wil Ifan ddim yn y byd am y fath nodyn, ac na freuddwydiodd erioed am y fath ddirgelwch - ac nid myfi mo'r dyn i'w feio am hynny Ond syt yn y byd yr aeth [Ap] Taliesin heibio i'r pwnc mor gwbl dawedog? Gwir yw nad yw ei ddetholiad o Weithiau ei dad yn siarad yn uchel amdano fel llenor, y mae'r llyfr yn orlawn o bethau tila sydyn ... mae'n hoff ganddo ganu'n ddifyfyr a diofal ... Ond nid yw hyn eto'n ddadl dros anwybyddu Elis Wyn o Wyrfai, ac ni ddylem ninnau fod yn ddistaw am hynny oni wypom galon y gwir. 'Ar y gwir mae rhagoriaeth!' Beth yw'r gwir yn y cyswllt yma, Wil Ifan? Tithau, Ap Taliesin, oni chlywaist mo'r ystori am dy fam yn Eisteddfod Gwrecsam, a pha'r ddull a oedd i'r stori honno y pryd hwnnw?[7]

Yn ei lith cyfeiria'r 'Clerwr' at lythyr Evan R Parry, Bethesda, yn *Yr Herald Cymraeg*, 26 Medi 1922. Roedd ef wedi sôn am Feiriadog (John Edwards), y cyfeiriwyd ato eisoes ar ddechrau'r bennod hon. Mynnai Evan R Parry y byddai Meiriadog, o bawb, yn gwybod am fersiwn Bleddyn o hanes y Gadair Ddu, os oedd unrhyw wir yn y stori. Felly Iolo Trefaldwyn. Eto, ni ddywedodd yr un o'r ddau ddim. Ni fu chwaith, meddai Evan Parry, unrhyw sôn o gwbl yn y wasg nac unlle arall am awdl Elis Wyn o Wyrfai ar y testun 'Helen Llwyddawg'. Ond y mae gan y 'Clerwr' atebion parod – ac mewn brawddegau byrlymus hefyd ar brydiau – i bob un o osodiadau'r gŵr o Fethesda. A dyma rai ohonynt:

> 'Yr oedd Elis Wyn yn ddyn o Gristion o'r iawn ryw, ac yn hoff iawn ganddo wneuthur cymwynas heb adael i'r naill law wybod pa beth a wnelai'r llall. Os felly, pa ryfedd nad yw Meiriadog yn son am y peth? Yr wyf fi yn sicr ddigon os gwnaeth Elis Wyn yr hunanaberth yr ydys yn son amdano iddo roddi pob gewyn ar waith i rwystro Meiriadog, a phawb tebyg iddo, i wybod dim am y peth. Oni wyddai Elis Wyn nad oedd dyn fel Meiriadog yn un i fradychu cyfrinach felly iddo? Gwyddai, mi gymrwn fy llw, 'dase galw! A pha werth y sydd yn nywediadau Iolo Trefaldwyn ar bwnc Y Gadair Ddu! Dim yn y byd mawr llydan. A pha bryd y dywedodd ef y peth a roddir yn ei enau – yn ystod yr Eisteddfod, ynte ar ol darllen yr awdl. Na, ni roddaf i bwys yn y byd ar dystiolaeth o'r fath gan y fath wr ar y fath achos ...
>
> Ond beth am Ysgrifennydd yr Eisteddfod, a'r beirniaid hwythau? ebe rhywun, gan awgrymu y rhoisai'r bobl dda hynny'r gwir i'r byd yn ddiymdroi. A'r fath ymresymiad diasgwrn cefn yw hwnyna, ebe finnau! Wrth gwrs, nid oedd Ysgrifennydd Eisteddfod Wrecsam yn ddigon ffol i ddywedyd wrth y dorf wleb ei grudd a briw ei chalon mai ffug heb ei debyg oedd prif act ei Eisteddfod! Ac, wrth reswm, fe ofalodd hyrwyddwyr yr Eisteddfod am fanteisio hyd yr eithaf ar Y Gadair Ddu, ac Edith Wyn yn torri i grio ar ganol canu ei chan! Dyna'r union beth i anfarwoli'r Eisteddfod Genedlaethol ... A mentraf ddywedyd fel hyn: os gwir yw i Elis Wyn wneuthur yn Wrecsam y peth y dywaid yr ystori iddo'i wneuthur, ni chollodd y gwr da hwnnw funud o amser cyn rhoddi pob gewyn ar waith i ddifa'i awdl - y copi a oedd yn y gystadleuaeth yn ogystal a phob scrap a oedd yn aros o gwmpas y ddesg gartref ...
>
> Chwi welwch fy mod i yn tueddu i gredu ystori'r "Geninen", ac yn gweld popeth, rywsut, yn cydweithio o'i phlaid. Yn wir, y mae'r ffaith mai yn y "Geninen" y gwelais hi yn mynd ymhell iawn dros ei geirwiredd: dilys gennyf na roisai Eifionydd wynt i'r fath chwedl yn ei

gylchgrawn oni bai ei bod yn un a haeddai hynny. Ac y mae'r ffaith mai Bleddyn a adroddodd y chwedl yn rywbeth pwysig dros ben yn y ddadl drosti. Gwr da oedd Bleddyn, a llenor gwych.'[8]

'Profion pur Ifan Parri!' Y 'Clerwr' unwaith eto yn ateb dadleuon y gŵr o Fethesda

Yr oedd yn *Yr Herald Cymraeg* adran 'Barn y Bobl: Rhydd i Bob Dyn ei Farn ac i Bob Barn ei Llafar'. Yn rhifyn 31 Hydref 1922, un o'r cyfranwyr yw Evan R Parry, Tabernacle Terrace, Bethesda, a phennawd ei lythyr yw 'Y Clerwr a'r Gadair Ddu Eto'. Dyma ddyfyniad byr:

> 'Os gwnaeth Elis Wyn yr anfadwaith o daflu ei awdl, benigamp yn ddiau, yn aberth i'r fflamau, credaf iddo wneud cam a llenyddiaeth y wlad a garai mor angerddol, a gallwn ddweyd geiriau Dyfed am bryddest Gwili ar "Tuhwnt i'r Llen" am ei ymddygiad - "Gwastraff ar feddyliau - i ba beth y bu'r golled hon." Uchelgais bardd yw'r gadair genedlaethol, ac felly yn hanes Elis Wyn o Wyrfai, ac yr oedd yn hoff iawn o gystadlu mewn eisteddfodau ... I derfynu hyn o ysgrif, er chwilio a chwalu ni welaf un ffaith am gysylltiad yr anwyl fardd Elis Wyn o Wyrfai ag Eisteddfod Wrecsam 1876 ...'[9]

Dyma gyhoeddi rhifyn 14 Tachwedd 1922 o'r *Herald Cymraeg*, ac wele'r 'Clerwr' ar gefn ei geffyl unwaith yn rhagor. Cawn amcan o gynnwys ei lith yn yr is-bennawd 'Profion pur Ifan Parri' a'i frawddegau agoriadol:

> '... gair byr i'r pwynt heddyw ... rhaid imi daro'r hoel ar ei phen rhag blaen neu fynd at ryw waith arall! Am hynny, chwi welsoch lythyr hirfaith y cymrawd Evan R Parry, Bethesda, yn yr "Herald" fythefnos yn ol, a gwyddoch mai'r Clerwr a'r Gadair Ddu oedd ei deitl.'[10]

Y mae'r 'Clerwr' yn neilltuo ei golofn gyfan i ateb dadleuon Evan R Parry. Dyma ddetholiad o'i lith.

'Fy amcan i wrth holi Wil Ifan a mab Taliesin o Eifion parth y Gadair Ddu oedd ennill sicrwydd yn ei chylch, a gwybod pam na roisid gair o wrogaeth i Elis Wyn o Wyrfai yng Ngweithiau Taliesin – od oedd ef yn haeddu hynny. Ni welodd Wil Ifan nac Ap Taliesin yn dda i roddi i mi ateb o'r byd – yn wir, ni chymerth na'r naill na'r llall arno fy nghlywed. Ond fe ddaeth y brawd o Fethesda i'r maes, a gwnaeth ei oreu glas i ateb drostynt, hynny yw, dyna'r argraff a edy ef arnaf i. Ac y mae ton ei holl frawddegau'n mynd yn erbyn y son am Elis Wyn. Er hynny i gyd, y mae'n dywedyd mai gwell ganddo ef gredu ystori'r Gadair Ddu fel y'i ceir gan Feiriadog – a chroeso i minnau ei chredu fel y'i ceir gan Fleddyn! Yrwan, ni thal peth fel hyn; mae arnom ni eisieu'r gwir gonest, creded Ifan a minnau'r gred a fynnom! Beth yw'r gwir hwnnw? Wil Ifan ac Ap Taliesin a ddylai fedru ateb. A phaham y mae'r gwr o Fethesda cystal a siarad ar eu traws hwy? – gadawer llonydd iddynt hwy ateb od oes ganddynt ateb i'w roddi.

Y peth sy'n ddifrifol yn y ddadl yw hyn: y mae gwadu perthynas Elis Wyn a'r Gadair Ddu yn gwadu geirwiredd Bleddyn – gwr a ddywedodd yn bendant i Elis Wyn aberthu cadair, gwobr a chlod Eisteddfod Wrecsam er mwyn gweddw ac amddifaid bach tlodion ei hen gydnabod Taliesin ... ni fedraf i gredu Ifan R Parri heb hefyd anghredu Bleddyn - ac yr wyf i yn deall bod Bleddyn yn gymydog i deulu Taliesin pan ysgrifennodd ar y pwnc i'r "Geninen", h.y. yr oedd ef yn ymyl llygad ffynnon y gwir ar y pwnc. Beth a wnaf? A ddylwn i wadu Bleddyn er mwyn credu'r bachgen o Fethesda? I mi, nid oes dim yn anhygoel yn hunanaberth Elis Wyn – gwr a fedrai wneuthur pethau felly oedd ef ... Pob diolch dyladwy i Barri am a wnaeth yn yr achos yma, – ond nid da lle dylem gael gwell! Ac am hwnnw yr wyf i yn gofyn.'[11]

T Jones, Penmaen-mawr yn ymuno yn y ddadl, ac ymateb y 'Clerwr'; Golygydd yr *Herald* yn ymyrryd, a dirwyn y drafodaeth i ben

Yr Herald Cymraeg, 21 Tachwedd 1922, a dyma lais newydd yn ymuno yn y ddadl ynghylch pwy oedd gwir enillydd y Gadair Ddu, sef T Jones, Penmaen-mawr. Cyhoeddodd lythyr byr yn y golofn 'Barn y Bobl', ac y mae'n datgan ei brif bwynt ar ei union, ac yn rhoi pen ar y mwdwl drwy atgoffa'r darllenwyr ei fod yntau'n frodor o'r un ardal â Thaliesin:

> 'Hyn sydd gennyf i'w ddweyd, mai eiddo Taliesin oedd y gadair yn Eisteddfod Wrecsam, 1876, gydag uchel gymeradwyaeth y beirniaid. Nid wyf yn gwybod pa le'r oedd Ellis Wyn yn sefyll, ond gwn mai Taliesin oedd yn gwir deilyngu y gadair, y wobr, a'r anrhydedd. Yr oedd eu tynged wedi'i setlo amryw ddyddiau cyn dydd yr Eisteddfod. Os dyddiau yr Eisteddfod y gwnaeth y beirniaid eu meddwl i fynny, pwy oedd i'w derbyn? Nid Eisteddfod Genedlaethol mohoni ond ffwlbri noeth. Nid cydymdeimlad chwaith oedd safon y feirniadaeth, mi wrantaf, ond gwir gyfiawnder. Nid wyf yn meddwl y byddai sibrwd ymysg y beirdd pwy oedd i'w hennill, ddyddiau cyn yr Eisteddfod y pryd hwnnw ...
>
> Cefais y fraint, Mr. Gol., o'm geni yn yr un ardal â Thaliesin mewn rhyw hyd dau gae i Dyn-y-Gors. Yr oedd amryw o flynyddoedd yn hŷn na mi, ond yr oeddwn yn hoff iawn o ddilyn ei symudiadau, a darllen ei weithiau. Yr oeddwn yn meddwl ei fod yn un o feirdd goreu yr oes honno.'[12]

Unwaith eto y mae'r 'Clerwr' yn methu ag ymatal rhag ailafael yn y ddadl ynghylch y Gadair Ddu. Defnyddia dri chwarter ei golofn i ymateb i'r llythyr a gyhoeddwyd yn rhifyn 21 Tachwedd o'r *Herald*, ac y mae mor ddi-flewyn-ar-dafod ac mor bendant ei farn ag erioed. 'A'r hwyr oer ar Eryri' a roes yn is-bennawd i'w golofn y tro hwn, a daw arwyddocâd y llinell gynganeddol hon i'r amlwg wedi inni ddarllen ei baragraff agoriadol.

> 'Gwelodd y Parch. Thomas Nicholson dymestl fawr ar Eryri unwaith, a chanodd iddi ddarn o gywydd gwych – cywydd y byddaf yn synnu sut nas gwelem yn ein pigion cynganeddol weithiau. A phan welais lythyr "T. Jones, Penmaenmawr" dan y teitl "Y Clerwr a Thaliesin" yn yr "Herald" fythefnos yn ol, cipiais afael ynddo'n wyllt dan furmur cwpled o'r cywydd a nodais, sef y cwpled hwnnw,
>
> Enwog lwyfan goleufellt
> Yw'r Penmaen Mawr pan mewn mellt.

> Wrth gwrs, am oleuni, a chilfach a glan iddi, yn helynt Cadair Ddu Gwrecsam, 1876, yr oeddwn i yn edrych ac yn disgwyl, mellt neu beidio. Ond, a gwae finnau, os oedd hi yn dywyll eisys arnaf i a'r cymrawd galluog Evan R. Parry, Bethesda, ar y pwnc rhyfedd hwn, fe lwyddodd yr hynafgwr o Benmaen Mawr i'w gwneuthur yn dywyllach fyth arnom.'[13]

A dyma rai dyfyniadau pellach o lith y 'Clerwr', gan gynnwys yn ei frawddeg olaf un cyfeiriad at Gadair Ddu Hedd Wyn.

> 'Mynnai Bleddyn mai rhad rodd Elis Wyn o Wyrfai i weddw ac amddifaid bach tlodion Taliesin oedd y Gadair Ddu; mynnai Meiriadog yntau mai tipyn o wyro barn ar ran y beirniaid a wnaeth y Gadair Ddu'n bosibl, – Cadair Wag oedd hi i ddechreu, ond gwybu'r beirniaid mai awdl Taliesin oedd yr oreu o'r pentwr a oedd ar eu bwrdd a threfnwyd i gael Cadair Ddu. O'r ddwy chwedl yna, eiddo Bleddyn yw'r dlysaf, ac am hynny yr wyf i yn ymladd cymaint drosti. Ond wele, myn T. Jones, Penmaen Mawr, inni gredu mai "gwir deilyngdod" a beris y Gadair Ddu! Mae hyn i gyd
>
> Ddigon i foedro 'mennydd dyn gwan,
> Heb wybod pa fan i fyned.
>
> Hyd yma, methais yn lân a chael allan o ble y cafodd Bleddyn ei chwedl dlos. Dangosodd Evan R. Parry mai ar air Iolo Trefaldwyn – un o feirniaid Wrecsam, yr ysgrifennodd Meiriadog. Pwy, tybed, sy gan T. Jones fel ei garn? Ellis Jones, Nant y Glyn, Eifionydd, perthynas agos i Daliesin – ef a ddywedodd yr hanes yng nghlyw T. Jones, a hynny ymhen ychydig ddyddiau wedi'r Eisteddfod. Y drwg yn y fan yma yw hyn. Pa ryw hanes a adroddodd y dywededig Ellis Jones – hanes y peth a fu ar y llwyfan yn Wrecsam, ynteu'r hanes o ystafell y beirniaid ymlaen i'r diwedd? Cyn y peth a fu ar y llwyfan y bu'r peth y mae Evan R. Parry a minnau'n chwilio amdano, sef gwreiddyn y dirgelwch.
>
> Pob diolch i'r garddwr o Benmaen Mawr am adael inni wybod mai gwr o Eifionydd yw ef, a maddeued i mi am ddywedyd na fedraf i gyfrif hynny'n dda i ddim yn y drafodaeth ar Gadair Ddu Taliesin – Cadair Ddu y mae arnaf ofn na ddaw hi byth i safle urddasol Cadair Ddu Hedd Wyn.'[14]

Ar derfyn llith y 'Clerwr' yn rhifyn 5 Rhagfyr 1922, ychwanegodd Golygydd *Yr Herald Cymraeg* y nodyn hwn.

> '(Gwell gadael llonydd bellach i bwnc y Gadair Ddu, oni bo gan rywun rywbeth newydd i'w draethu. Nid oes ond opiniynau wedi eu traethu hyd yn hyn, a'n hopiniwn ni yw mai stori Meiriadog yw'r debycaf i wir – o lawer iawn. – Gol.)'[15]

'Ond fe ddaeth fy nhad adre heb y gadair ...': sylw mab Elis Wyn o Wyrfai yn un o lythyrau 'Casnodyn' yn *Y Darian*

Wedi i'r drafodaeth ar y Gadair Ddu ddod i ben yn *Yr Herald Cymraeg*, 5 Rhagfyr 1922, dyma ailddechrau'r dadlau y flwyddyn ganlynol yn *Y Darian* (y papur newydd wythnosol radicalaidd a lansiwyd yn Aberdâr yn 1875 ac a elwid bryd hynny: *Tarian y Gweithiwr*). Fel yr oedd y 'Clerwr' yn danbaid ei farn yn *Yr Herald* mai i Elis Wyn o Wyrfai y dyfarnwyd Cadair Wrecsam yn wreiddiol, felly 'Casnodyn' yn ei lythyrau yn *Y Darian*. Ysgrifennai o'r Gogledd, ond methais â chanfod i sicrwydd pwy ydoedd ef na'r 'Clerwr'. Dyma rai o'i brif bwyntiau yn rhifyn 15 Chwefror 1923 o'r *Darian*:

> 'Yn Llangollen y trigai Taliesin pan fu farw, ac yno hefyd y trigai Bleddyn pan ysgrifennodd y llythyr hwnnw i'r Geninen, – peth a rydd awgrym da nad oedd Bleddyn yn ysgrifennu 'dan ei ddwylo'. Gwell fyth, o blaid Bleddyn, o leiaf, dywedodd y llenor gwych, Bob Owen, Llan Frothen, wrth Y Clerwr, mai gwr na roddai ar bapur ddim chwedlau gwrach oedd Bleddyn, eithr gwr i roddi pwys ar ei air, boed hwnnw mor anhygoel i ni ag y bo. Ac onid oedd distawrwydd llenorion Y Geninen yn hen ddigon o reswm dros gredu Bleddyn, neu ynte gredu nad oedd popeth yn rhyw lyfn iawn? ...
>
> A phan oedd dadl Y Clerwr a'i Gyfeillion bron a mynd cyn ddued a'r Gadair Ddu ei hun fe sgrifennodd Elldeyrn, Nantglyn, Dinbych, air at ei ffrind Y Clerwr yn darllen yn debyg i hyn (oddiar fy nghof y copiaf):- "Yr oeddwn i yn athro dan Elis Wyn yn 1876, ac i mi y daeth gwobr Rhieingerdd Eisteddfod y Gadair Ddu, eithr ni soniodd

Elis Wyn ddim un gair wrthyf am ei berthynas â'r Wyl - er fy mod i o hyd ac o hyd dan yr argraff ei fod ef yn cynnyg am y Gadair honno. Yr unig ffordd i setlo dadl yr Herald yw ymofyn a mab Elis Wyn ei hun ar y pwnc; cawn wybod rhywbeth felly. Pydrwch arni gyd a'r gwaith hwn." Y diwedd i hynyna a fu i'r Clerwr lwyddo i berswadio Elldeyrn i sgrifennu at fab Elis Wyn. A chafodd Elldeyrn ateb yn darllen i'r perwyl yma (oddiar fy nghof eto), "Y peth a wn i am y pwnc dan sylw yw hyn – Cafodd fy nhad orchymyn i fynd i Eisteddfod Gwrecsam, gan na fynnai'r Pwyllgor gadeirio cynrychiolydd y buddugwr. Ond fe ddaeth fy nhad adref heb y Gadair. Estyn, cyfaill mynwesol i nhad, oedd Cadeirydd Pwyllgor Llenyddol yr Eisteddfod honno, a thrwy hynny, mae'n debyg, y llwyddodd fy nhad i dynnu'i awdl ei hun allan o'r gystadleuaeth ar y foment olaf honno." Ac ebr Elldeyrn ymhellach, "Dyna i chwi DDYN oedd Elis Wyn! Pwy arall a fuasai'n gwneuthur y fath beth? Nid myfi!" Dyna ben.'[16]

'Y bardd a ddywedai na chlywsai air am y stori oedd yr Archdderwydd [Dyfed]': J J Evans a Wil Ifan yn ymuno yn y drafodaeth ac yn gwrthod dadleuon 'Casnodyn'

Yn yr un rhifyn o'r *Darian*, 15 Chwefror 1923, yr oedd gan J J Evans, Abergwaun, yntau lythyr byr o dan y pennawd: 'Y Gadair Ddu'. A dyma un o'i brif bwyntiau:

'Bu Eisteddfod fawr yng Ngwrecsam fis Medi, 1820, pryd y gorfu Bardd Nantglyn am "Awdl ar Farwolaeth y Brenin Sior III." ... Yr oedd Thomas Jones o Ddinbych yntau wedi ymgeisio a bu efe farw cyn yr Eisteddfod. Yn Eisteddfod nesaf Gwrecsam (1876) ... cafwyd bod y bardd buddugol wedi marw yn fuan ar ol anfon ei gyfansoddiad i mewn. Trwy ryw gytrawiad rhyfedd ei enw yntau oedd Thomas Jones (Taliesin o Eifion). ... Debyced yw'r ddau amgylchiad, fel nad yw'n syn gennyf i Gasnodyn ddyrysu rhyngddynt.'[17]

Hawdd deall paham i 'Gasnodyn' ddefnyddio geiriau a brawddegau pur ddychanol yn *Y Darian*, 1 Mawrth 1923, wrth ymateb yn chwyrn i'r ymresymiad uchod. Meddai:

'Syr, – A sylwasoch chwi ar ddoniolwch llythyr y cymrawd J. J. Evans, Abergwaun, ... ac a welsoch chwi yn eich oes rywbeth anos ei ateb? Naddo, neno dyn.

Nage, nid moedro rhwng y Parch. Thomas Jones, o Ddinbych, a Thaliesin o Eifion a wnaethum i ... Eisteddfod Powys a gynhelid yng Ngwrecsam yn 1820; ond yr Eisteddfod Genedlaethol a gynhelid yno yn 1876. Nid peth hawdd imi oedd moedro yma? ... O, ie, Thomas Jones oedd enw bedydd Taliesin, ac yr oedd yn 'reit naturiol i ryw ffwlcyn fel fi i misio hi' wrth son am y cadeiriau! Tanciw!'[18]

Am y tro awn yn ôl i rifyn 22 Chwefror 1923 o'r *Darian*. Ynddo cyhoeddwyd llythyr gan Wil Ifan yn cynnig dadleuon argyhoeddiadol iawn. Yn ei baragraff cyntaf un y mae'n dweud yn blwmp ac yn blaen beth sydd wedi'i ysgogi i ysgrifennu ar bwnc y Gadair Ddu. Ie, 'profion' 'Casnodyn', ac ychwanega: 'Gall darllenwyr y *Darian* yn awr weld drostynt eu hunain mor ddisail yw'r cyfan.'[19] Yna â rhagddo yn ddiymdroi i fynegi rhai o'i wrthddadleuon.

'Hola Casnodyn pam nad atebai mab Taliesin a Wil Ifan haeriadau'r Herald Cymraeg. Ofnaf y rhaid ini'n dau gyfaddef nad ydym yn gweld yr Herald. Efallai ei fod yn bapur ardderchog, ond anodd cael amser i ddarllen pob papur lleol ar hyd a lled Cymru.

Dywed mab Elis Wyn i'w dad dderbyn neges [i fod yn bresennol yn Wrecsam ar ddiwrnod y cadeirio], ond nid oes sicrwydd pa un ai neges swyddogol ydoedd ynte un o'r ugeiniau o negeseuon answyddogol sydd bob amser yn hedfan o gwmpas cyn pob cadeirio. Clywais i, yn bersonol, ar sail anwadadwy, mai fi oedd i ennill y Goron yn Rhyd Aman; ond gan na ddanfonaswn linell i'r Eisteddfod methais yn lân a chredu'r neges. Nid oes Eisteddfod heb ei chnwd o wybodaeth gyfrinachol; ac y mae pob cyfrinach wedi ei seilio ar awdurdod anffaeledig. "Onid oedd distawrwydd llenorion y Geninen yn hen ddigon o reswm dros gredu Bleddyn ...?" [Dadl Casnodyn] Neu yn hen ddigon o brawf beth oedd barn llenorion y Geninen am y fath stori?

Y bardd a ddywedai na chlywsai air am y stori oedd yr Archdderwydd. Bu Dyfed yn cyd-feirniadu droeon ag Elis Wyn; ac yn ei holl ymddiddan ag ef ni ddywedodd Elis air erioed i awgrymu nad

Taliesin oedd biau'r Gadair Ddu; ac yn ol barn aeddfed Dyfed nid Elis Wyn a fyddai'r gwr i gelu ffaith o'r fath rhag ei gyfeillion mynwesol.

Darn tyner iawn yw disgrifiad Casnodyn o gyfarfyddiad Elis Wyn a gweddw Taliesin ar faes yr Eisteddfod. Dywed mab Taliesin na fu ei fam yn agos i'r Eisteddfod! Y mae bai ar Ap Taliesin am ddinistrio ohono ddarlun mor farddonol a thirion! "Adroddodd hi iddo ef ei thlodi mawr hi a'i phlant mân." Digon amlwg na wyr Casnodyn pwy oedd gweddw Taliesin, na dim am ei hamgylchiadau, onide gwelai ar unwaith mor amhosibl ei ddarlun.'[20]

'Ni fu gweddw Taliesin yng Ngwrecsam o gwbl ddiwrnod y "Gadair Ddu": Llythyr dadlennol y Parchg Benjamin Humphreys yn *Y Darian*

Yn yr holl ddadlau a fu ynghylch gwir enillydd y gadair yn Wrecsam, 1876, y llythyr meithaf a'r pwysicaf o ddigon yw eiddo'r Parchg Benjamin Humphreys, Felin-foel, Gweinidog gyda'r Bedyddwyr, yn *Y Darian*, 8 Mawrth 1923. Yn wahanol i 'Lith y Clerwr' yn *Yr Herald Cymraeg* a llythyrau 'Casnodyn' yn *Y Darian*, er enghraifft, dibynna ef, bron yn gyfan gwbl, ar ffeithiau, yn hytrach na barn bersonol, neu, a defnyddio gair Golygydd *Yr Herald*, 'opiniynau'. Y mae hynny, dybiwn i, yn ddadl gref dros gytuno â'i ddarlun ef o'r hanes. Eisoes dyfynnwyd rhannau o'r llythyr hwn wrth sôn am gystudd Taliesin (pennod 4); y cymorth a dderbyniodd y bardd gan Benjamin Humphreys, pan oedd yn fyfyriwr yn Athrofa Llangollen, i gopïo'i farddoniaeth (pennod 11); a gweithred y myfyriwr ifanc yn cynrychioli Taliesin ar ddiwrnod y cadeirio (pennod 13). Ym mrawddegau agoriadol ei lythyr yn *Y Darian*, dywed Benjamin Humphreys ei fod yn ysgrifennu ar gais y Golygydd. Dyma, felly, ail ran y llythyr dadlennol hwn:

'Ysgrifennwyd llawer yn ddiweddar ynglyn a'r "Gadair Ddu", er na welais i ond dau lythyr. Gwneir ymdrech deg i ysbeilio Taliesin o Eifion o'i anrhydedd, drwy honni mai awdl Elis Wyn o Wyrfai oedd yr oreu yng Ngwrecsam, ond iddo, fore'r cadeirio, dynu'i gyfansoddiad o'r gystadleuaeth, o dosturi at deulu'r bardd oedd yn ei fedd. Mewn epistol yn y Darian bythefnos yn ol,[21] y mae gohebydd ['Casnodyn'] yn rhoi'r hanes yn fanwl, cryno, a thaclus, a hynny gyda hunanhyder, un a gred y dylai'i air ef fod yn derfyn ar bob ymryson. Dywed, heb os nac oni bae, i weddw Taliesin fyned i Wrecsam ddiwrnod y gadair, ac wedi cael o hyd i Elis Wyn, iddi ddadleu'i thlodi mor effeithiol, fel yr aeth yr offeiriad parchus hwnnw, yn ei "ddyngarwch", at y beirniaid, i drefnu bod anrhydedd y Gadair i fyned i Daliesin, a'r arian i'w deulu.

A gaf fi ddweyd, a hynny gyd â'r pendantrwydd mwyaf, nad oes gair o wir yn hanner gyntaf y stori ddel hon. Ni fu gweddw Taliesin yng Ngwrecsam o gwbl ddiwrnod y "Gadair Ddu". Nid oes dim yr wyf yn fwy sicr ohono na hynny. Gelwais gyda hi yn ei thy y bore hwnnw cyn cychwyn i'r Eisteddfod, a rhoddodd lythyr i mi i'w roi yn llaw Yr Estyn, ac yn y llythyr gwnai'n hysbys i'r bardd a'r offeiriad hwnnw, y dymunai hi i'r hwn a gymerodd drafferth i gopio'r awdl, a'i hanfon i'r gystadleuaeth, gael ei gadeirio, pe digwyddai i'w diweddar briod gael ei farnu'n fuddugwr. Euthum yn ol o'r Eisteddfod, cefais hi ar ei haelwyd, cyflwynais iddi'r wobr, ac adroddais iddi'r hanes. Ni bu hi dros riniog ei thy yn ystod y dydd. Heblaw hynny, ni chred neb a adwaenai Mrs. Jones y dadleuai hi byth am ffafr Elis Wyn, na neb arall, ar sail ei thlodi. Boneddiges yn ystyr oreu'r gair oedd hi: boneddiges mewn teimlad, ymddygiad, a dygiad i fyny, ac o ysbryd rhy uchel o lawer i *gapio* i undyn byw pwy bynnag, na gofyn am friwsion oddiar fwrdd hyd yn oed Elis Wyn, hen gyfaill i'w phriod ymadawedig. Gwn hyd sicrwydd nad oedd yng Ngwrecsam ddydd y cadeirio, nac unrhyw ddydd arall yn ystod wythnos yr wyl; ac yr wyf yr un mor sicr, pe bae yn yr Eisteddfod, y byddai'n well ganddi ddioddef artaith eisieu nag addef ei bod yn gyfyng ei hamgylchiadau. Os syrthia'r nodiadau hyn o dan olygon rhai o'i hen adnabyddion yn Llangollen, gwn y cytunant a mi yn y portread hwn o weddw Taliesin o Eifion.

Mawryga'r gohebydd y cyfeiriwyd ato "ddyngarwch" Elis Wyn yn tynnu'i awdl fuddugol o'r gystadleuaeth yn ffafr Taliesin o Eifion. Ond atolwg, pa raid oedd i'w "ddyngarwch" alw'i gyfansoddiad o ddwylo'r beirniaid? Gan mai tosturio'r oedd wrth deulu llwm, oni allai wneud hynny'r un mor effeithiol drwy adael i weithrediadau'r dydd redeg eu cwrs, cymeryd ei gadeirio fel y bardd buddugol, ac wedi hynny estyn yr ugain punt i'r weddw dlawd? Pa bwrpas a gyrhaeddid drwy i Elis Wyn, o dan gymhellion "dyngarwch", ei ysbeilio ei hun o fri pennaf Eisteddfod Genedlaethol 1876? Os cymeryd trugaredd a wnai ar y weddw daer a ddadleuai ei thlodi, yr wyf yn methu gweled na allai gwrdd a'i hachos hi, a bodloni'i galon dyner ei hun, yr un mor llawn a gwirioneddol, wrth roi arian y wobr i deulu Taliesin, a chadw anrhydedd y Gadair iddo'i hunan.

Nid yn hawdd y gallai Elis Wyn hepgor yr anrhydedd. Yr oedd yn fwy iddo ef nag i Taliesin yn ei fedd, ac yr oedd arno fwy o'i angen. Cafodd Taliesin yn ei ddydd fwy o enwogrwydd eisteddfodol nag Elis Wyn. A pha fudd i weddw dlawd oedd gosod urddas mor fawr ar ei phriod oedd o dan y gwys? Ymddengys i mi fod priodoli'r fath "ddyngarwch" eithafol a gwastraffus i wr doeth a da fel Elis Wyn yn arwydd o gloffni yn adroddiad eich gohebydd. Mwy na hynny, y mae stori "dyngarwch" Elis Wyn yn gorffwys ar stori taerineb gweddw Taliesin yn dadleu'i thlodi ar faes yr Eisteddfod fore'r cadeirio; ond yn gymaint a bod stori ymweliad y weddw a Gwrecsam y diwrnod hwnnw'n ffug, heb rith o wirionedd, pam na allwn gredu mai ffug hefyd yw stori'r "dyngarwch"? Oni ddiflanna'r naill gyda'r llall? Wedi symud y sylfaen, a all yr adeilad sefyll?

Un gair arall. Os gwir yw i Elis Wyn ymwadu ag ef ei hun, a phenderfynu'r bore hwnnw roi Cadair Eisteddfod Gwrecsam i Daliesin, onid yw'n rhyfeddod y rhyfeddodau i'r ffaith fod mor hir yn guddiedig. Y cyntaf i wneud y peth yn hysbys oedd Mr William Jones (Bleddyn), mewn pwt o lythyr yn y Geninen ymhen amser hir wedi'r digwyddiad. Nid yr arfer ymysg Eisteddfodwyr yw cadw cyfrinach mor fawr a hon am flynyddoedd. Nid mater bychan, rhy ddibwys i son am dano, oedd rhoi cadair un awdur i awdur arall. Os Elis Wyn oedd y buddugwr, diau y gwyddai'r beirdd hynny yn ystod dyddiau'r Eisteddfod; ac os aed ati, wedi hynny, i gadeirio Taliesin, onid yw'n rhesymol tybio y byddai cyfnewidiad mor bwysig yn achosi murmur mawr ddiwrnod y Gadair. Ond fel mater o hanes, nid oedd son yng Ngwrecsam am drosi anrhydedd y bardd byw i'r bardd marw. Treuliais y diwrnod hwnnw, a thrannoeth, yng nghyfrinach y beirdd, ac y[ng] nghymdeithas y prif Eisteddfodwyr, a hynny cyn y cadeirio ac wedi'r cadeirio, ond ni ynganodd undyn air yn fy nghlyw, mai awdl Elis Wyn oedd y fuddugol. Nid oedd y fath stori, hyd y deallais i, ar dafod neb yn ystod yr wyl.

Yr wythnos wedi'r Eisteddfod, treuliais brynhawn yng nghwmni'r "Gohebydd" - gohebydd enwog y Faner [John Griffith, 'Gohebydd Llundain'] - yr hwn oedd yn Llangollen ar ymweliad a'i frodyr. Bum ar ei gais yn darllen iddo ddarnau helaeth o'r awdl fuddugol, ac er i ni gael ymgom hir am helyntion Eisteddfod Gwrecsam, ni ddywedodd air am "ddyngarwch" Elis Wyn yn rhoi'r Gadair i Taliesin, ac eddyf pawb y gwyddai ef y dirgelion oll ynglyn a phrif sefydliad y genedl. Wedi sefydlu o honof yn Manchester, bum dro ar ol tro'n ymddiddan am y "Gadair Ddu" gyda'r Eisteddfodwr selog Idris Fychan, ac ni ddisgynnodd brawddeg erioed oddiar ei wefusau yntau yn nghylch "dyngarwch" Elis Wyn. Onid yw'n rhyfedd fod y gyfrinach wedi ei chadw oddiwrth wyr blaenaf y sefydliad cenedlaethol. Ddiwrnod yr Eisteddfod, bum yn ymddiddan a lliaws o'r beirdd: yn awr yn cael ymgom ag un, ac yn y man yn cydgyfrinachu a hanner dwsin a rhagor; ond ni ddaeth i'r bwrdd unwaith gymaint ag awgrym fod Elis Wyn wedi rhoi'r gadair i Daliesin; ac ar hyd y flwyddyn honno, ac am rai blynyddoedd, cawn groeso i gwmni beirdd ac Eisteddfodwyr, nid am fy mod yn fardd nac Eisteddfodwr, eithr ar gyfrif fy nghysylltiad a'r "Gadair Ddu"; ond ar hyd y blynyddoedd hynny, ni chlywais air o gwbl am waith Elis Wyn yn tynnu'i awdl fuddugol o ddwylo'r beirniaid, gan amddifadu'i hun o anrhydedd mwyaf ei fywyd, a hynny, os gwir yw'r gair, o dosturi pur at deulu llwm Taliesin o Eifion. Nid wyf yn barod i dderbyn y dyb newydd ac anhebygol hon. Hyd oni chaf brofion cryfach na dim a welais hyd yma, glynaf yn fy hen gred, i Taliesin gael ei eiddo haeddiannol ei hun pan ddyfarnwyd iddo "Gadair Ddu" Eisteddfod Genedlaethol Gwrecsam, 1876.'[22]

Tystiolaeth y Parchg W M Roberts, mab Elis Wyn o Wyrfai

Ymhen yr wythnos wedi i'r Gweinidog o'r Felin-foel gyhoeddi ei lythyr ef, roedd Golygydd *Y Darian* yn croesawu tyst arall i ddweud ei farn am enillydd y Gadair Ddu. Y Parchg William M Roberts, Rheithordy, Llangynyw, ger Y Trallwng, oedd y gŵr hwn, mab Elis Wyn o Wyrfai.

'Annwyl Syr, – Cefais gopi o Darian Mawrth 8 gan Elldeyrn, a deallaf fod ymryson llym wedi bod ynglyn â Chadair Ddu Gwrecsam, 1876. Ychydig o amser sydd gennyf yn awr, ond fel mab hynaf y diweddar Elis Wyn, dymunwn i chi grybwyll yn bendant nad oes sail o gwbl i'r si fod Elis Wyn wedi tynnu ei awdl yn ol yn Eisteddfod y Gadair Ddu. Os nad ydwyf yn cyfeiliorni ail ydoedd eiddo Elis Wyn. Felly y mae gohebiaeth B. Humphreys yn gwbl gywir yn hyn. Ond beth a feddylia wrth geisio dyrchafu y diweddar Daliesin o Eifion uwchlaw Elis Wyn fel bardd. Gadawn i Gymru, fodd bynnag, farnu yn hyn ...

Buasai yn dda gennyf glywed pa fodd y dechreuodd y ddadleuaeth yma. Gwir fod fy nhad yn hynod o lednais a thyner, ac felly yn ddiameu y dechreuwyd y sibrwd. Ond er y gwn fod llawer o ddadleu ar y pryd ynghylch y dyfarniad, dyna'r gwir – ni allaf hawlio bod Elis Wyn wedi aberthu ei hunan fel y crybwyllir. Ond dylai Cadair Ddu Birkenhead dawelu hyn i gyd, a Hedd Wyn sy'n gorwedd ar drum gwaedlyd Pilkem Ridge yn Ffrainc, ydyw fy ngwron i.'[23]

Llythyr olaf 'Casnodyn' yn *Y Darian* yn dwyn y drafodaeth i ben

Wedi cyhoeddi llythyrau'r Parchg Benjamin Humphreys a mab hynaf Elis Wyn o Wyrfai, fe ellid tybio mai dyna bellach ben talar y trafod ar ddirgelwch y cadeirio yn Wrecsam. Ond na, nid felly y bu. Daeth 'Casnodyn' unwaith yn rhagor i fynegi amheuon ar dudalennau'r *Darian*. Dyma rai dyfyniadau. A chyda'r sylwadau hyn y deuwn â'r bennod hon i ben.

'Syr, – Da chwi, gadewch imi ddywedyd gair neu ddau eto ar y pwnc uchod, ac na chaewch y drws ar fy wyneb: nid yr hyn sydd "derfynol" i'r naill ohonom sydd felly i'r llall. Myfi, druan, a fu mor rhyfygus a chodi dadl Y Gadair Ddu ...

Daeth llawer peth da i'r golwg yn ystod y ddadl, a rhai pethau trist iawn hwythau – dyddiau olaf Taliesin, er esiampl. Ond wele o'r diwedd, air oddiwrth fab hynaf Elis Wyn ei hun, yr William acw. Ac y mae ef yn gwadu i'w dad dynu'i awdl yn ol, ac yn credu mai ail yn y gystadleuaeth oedd ef! Yr ydych chwi, syr, am i hyn fod yn derfyn ar y ddadl! Ond yr wyf i mewn duach caddug nag erioed, ac ni wn ar ba law i droi. Mae dau fab Elis Wyn yn cydnabod bod gan eu tad awdl yng Ngwrecsam – peth y mynnai llu o'm gwrthwynebwyr fy ngwawdio am gredu gair Bleddyn arno! Ond y mae'r ddau frawd yn dywedyd peth arall, ac yn anghytuno ar hwnnw! Gwelwch nad oes gennyf i mo'r help am yr anghysondeb. Diolch o galon i chwi am eich cymorth i gael y gwir i'r golwg.'[24]

16

Symbolaeth, Defod a Pharhad Traddodiad:

Cofio Taliesin; Drysu Rhwng Dwy Gadair; a Hynt y Gadair Ddu Gyntaf, 1876-2011 (Llangollen – Caerffili – Llangollen – Wrecsam – Catalonia – Wrecsam – Rhuthun – Llangollen)

ER I DALIESIN o Eifion farw'n gymharol ifanc, yr oedd wedi cael oes lawn a diddorol ac wedi gadael ar ei ôl waddol helaeth o gerddi. Pan ddaeth y diwedd, wedi blynyddoedd o ddioddef, yr oedd ganddo gylch eang o gyfeillion a chydnabod ymhell ac agos. Bu amgylchiadau trist ei farw cyn derbyn y gadair yn Eisteddfod Wrecsam, 1876, hefyd, bid siŵr, yn destun sgwrs a sylw ar lafar ac yn y wasg am flynyddoedd wedyn.

Pan ddaeth yr Eisteddfod Frenhinol Genedlaethol eto i Wrecsam ym mis Medi, 1912, yr oedd yn ddigon naturiol, felly, i gyhoeddi yn *The Official List of Subjects and Prizes* lun o Daliesin, nodyn byr am ei fywyd, a dyfyniad o'i englyn: 'Cymru lân, Cymru lonydd ...'. Hefyd yn yr un rhaglen cyhoeddwyd erthygl 'Wrexham and its Eisteddfodau: Interesting Reminiscences', gyda sylw arbennig i Eisteddfod Wrecsam, 1876, a defod drist y cadeirio.[1]

'Tra môr, tra Brython'; 'Trech awen nag addysg'; Almanac 1878: 'Cadair Ddu Eisteddfod Gwrecsam, 1876'

Nid gweithred arferol, fodd bynnag, oedd cyhoeddi almanac lliw, lled fawr ei faint, yn arbennig er coffadwriaeth am fardd, a'r almanac hwnnw yn un o'r rhai harddaf a mwyaf diddorol a gwerthfawr o'i fath. Ond dyna a wnaed ar gyfer y flwyddyn 1878: almanac ' "Cadair Ddu" Eisteddfod Gwrecsam, 1876', ac yr ydym yn ffodus fod ychydig gopïau prin ohono wedi goroesi.[2]

Ar ei frig ceir y geiriau: 'The Eisteddfod Presentation Almanack for 1878.' Ar y gwaelod argraffwyd y geiriau: 'Designed and compiled by E T Smith. Printed and published by E Smith... Birmingham.' Un nodwedd arbennig o'r almanac unigryw hwn yw'r nifer helaeth o arwyddeiriau a diarhebion a gynhwyswyd, a'r rhai hynny'n fras yn gysylltiedig â'r Orsedd a'r Eisteddfod, yr iaith a'r diwylliant Cymraeg, ac â chrefydd. Diddorol yw sylwi, fodd bynnag, na ddefnyddiwyd gwyddor y beirdd o gwbl wrth baratoi'r almanac hwn. Diddorol sylwi hefyd, ac eithrio Thomas Jones, Taliesin o Eifion, ei hun, mai portreadau o wŷr eglwysig, nid beirdd, a ddewiswyd ar gyfer y pedwar darlun yng nghorneli'r almanac.

Ar frig yr almanac, fel cefndir, ceir darlun o fynyddoedd Eryri, Castell Caernarfon (?), ac Afon Menai (?), gyda llongau hwyliau ar y dŵr. Ar y brig, yn union yn y canol, ceir tarian a choron, ac ar y darian bedwar llew yn cynrychioli arfbais y tywysogion canoloesol Cymreig. Bob ochr i'r darian gwelir draig ar y chwith a llew ar y dde, yn cynrychioli'r cynheiliaid Tuduraidd. Uwchben y goron argraffwyd y geiriau: 'Oes y byd i'r iaith Gymraeg'. O dan y darian argraffwyd y geiriau: 'Tywysogaeth Cymru'. O dan y geiriau hynny ceir darlun o'r Gadair Ddu, ar y chwith, gyda'r geiriau: 'Adgof uwch adgof' a 'The prize – bardic chair', a darlun o Daliesin o Eifion ar y dde, gyda'r geiriau: 'Trech awen nag addysg', a 'The late Thos Jones, Llangollen'. Ar yr ochr chwith i'r Gadair Ddu ceir darlun o blu a choron Tywysog Cymru, gyda'r geiriau: '*Ich dien*' a 'Heb

Almanac 1878, i goffáu Eisteddfod y Gadair Ddu, Wrecsam, 1876. O gasgliad Amgueddfa Werin Cymru.

Dduw, heb ddim'. Ar yr ochr dde i Daliesin ceir darlun arall o blu a choron Tywysog Cymru, gyda'r geiriau, y tro hwn: '*Ich dien*' a 'Duw a digon'.

Dyma fanylion am y pedwar gŵr eglwysig y ceir darluniau ohonynt ym mhedair cornel yr almanac. Yn y gornel chwith uchaf ceir darlun o'r 'Rev[d] Owen Thomas, DD (Liverpool)', gyda'r geiriau: 'Goreu gair, gair Duw'. Yn y gornel dde uchaf: 'Late Professor Peters (Ioan Pedr), Bala', gyda'r geiriau: 'Gorau arf, arf dysg'. Yn y gornel chwith isaf: 'Rev[d] J Evans (Eglwys Bach)', gyda'r geiriau: 'Da yw'r maen gyda'r Efengyl'. Yna, yn y gornel dde isaf: 'Rev[d] H Jones, DD, Principal, Baptist College, Llangollen', gyda'r geiriau: 'A gair Duw yn uchaf'.

Ar draws canol yr almanac argraffwyd y pennawd a ganlyn mewn llythrennau breision: ' **"Cadair Ddu" Eisteddfod Gwrecsam, 1876**'. Yn y canol, o dan y geiriau hyn, gwelir y nod cyfrin, neu'r pelydr goleuni, ac o'i gylch yr arwyddeiriau gorseddol a ganlyn: 'Dan nawdd Duw a'i dangnef'; 'Y gwir yn erbyn y byd'; 'O, Iesu, na'd gamwaith'; 'A laddo, a leddir'. Yna, o dan y geiriau uchod, wele'r llun adnabyddus o'r gorseddogion (neu, o leiaf, rai ohonynt) a oedd yn bresennol ar achlysur defod y cadeirio yn Eisteddfod Wrecsam, 1876, ac yn amgylchynu'r gadair wag, wedi'i gorchuddio â lliain du. Y mae argraffwyr yr almanac, er clod iddynt, wedi ymdrafferthu i enwi'r personau, gan gyfeirio at bob person fesul rhif (er nad yw'n rhwydd bob tro i uniaethu'r union bersonau yn y llun â'r rhifau hyn). Dylid nodi hefyd fod 32 person yn y llun, 17 yn y rhes flaen a 15 yn y rhes ôl, er mai at 30 person y cyfeirir yn ôl enwau a rhifau. Gellir cymharu'r llun â'r llun cyffelyb a gyhoeddwyd ym mhennod 13 y gyfrol hon. Dyma enwau'r personau a'u rhifau fel y cofnodwyd hwy yn yr almanac:

1. A J Brereton, Esq (*Andreas o Vôn*), Mold. 2. Mr W Lloyd Jones, Llanfyllin. 3. Mr Nathaniel Reynolds (*Nathan Dyfed*), Merthyr. 4. Mr O Gethin Jones, Penmachno, Llanrwst. 5. Mr Tegerin Hughes,

Llanerchymedd, Anglesea. 6. Mr Tudno Jones, Bangor. 7. Mr Owen Owens, Contractor, Menai Bridge. 8. Mrs Kate Wynne Mathison, Birmingham. 9. Rev. Rowland Williams (*Hwfa Môn*), London. 10. Dr Williams, Wrexham. 11. Dr Eyton Jones, Wrexham. 12. Rev. R Parry (*Gwalchmai*), Llandudno. 13. Mr Hugh Davies, Wrexham. 14. Madame Edith Wynne. 15. Rev. D Roberts, Wrexham. 16. Rev. Ellis Roberts (*Elis Wyn o Wyrfai*), Vicar of Llan[gwm], Corwen. 17. Mr R Lloyd, Wrexham. 18. Mr Iolo Trefaldwyn, Wrexham. 19. Mr C Hughes, Caersws. 20. J Griffith, Esq. (*Gohebydd*), Llangollen. 21. Mr W C Davies, Bangor. 22. Pro. Peters, Bala. 23. Dr Evans (*Tudur*), Llanerchymedd. 24. J Hughes (*Carwad*), Chester. 25. Rev. D Jones, Coedpoeth. 26. J R Elias, Esq. (*Y Thesbiad*), Anglesey. 27. Mr Menaiwyson, Menai Bridge. 28. Mr O I Hughes, Llanerchymedd. 29. Mr R Davies (*Mynyddog*). 30. *Estyn.*

Yn union o dan y rhestr o enwau ceir yr hysbyseb a ganlyn: 'With the compliments of the Season, from Thomas & Jones, Drapers and Mercers, Llanidloes, Montgomeryshire.' Yna, yn union o dan yr hysbyseb hon, argraffwyd y nodyn manwl a ganlyn: '**Account of the Ceremony of the "Black Chair"**. Written by John R Elias, Esq. (*Y Thesbiad*), Pentraeth, Anglesey'.

'On Thursday, August 24th, a most solemn scene took place. Preparations for the ceremony of Chairing as Bard, for 1876, the composer of the best Welsh Ode, "Helen Llwyddawg", had been made as usual, and the ode signed "Eusebius" declared to be the best and worthy of the prize. The Usher at the sound of the trumpet summoned the author to present himself, whereupon Mr Benjamin Humphreys, Student, Baptist College, Llangollen, stepped forward and informed him that the late Thos. Jones, of Llangollen, who had died since the ode was sent in, was the composer. The ode was forwarded the day previous to his death, his last words being "*Ydyw yr awdl wedi ei danfon yn saff.*" ("Is the poem safely forwarded.")

The Usher having announced this solemn circumstance to the audience, asked for a short suspension of the proceedings while the Bards retired to prepare a change in the ceremony. On their reappearance, each wearing a crepe badge on the arm, the Bardic Chair was covered with

> a pall, and the cortege moved slowly in the following order: 1. Sword and Mace; 2. Usher ("*Mynyddog*") and Trumpeter; 3. "Pencerddes" and "Pencerdd Gwalia"; 4. Druid ("*Gwalchmai*") and Gorsedd Bard ("Hwfa Môn") escorting "Y Thesbiad" bearing on a black cushion the Prize Gold Medal, which he deposited on the veiled chair. The bards and officers having taken their positions, "Pencerddes" (*Madame Edith Wynne*) and "Pencerdd Gwalia" (*Mr John Thomas*) came to the front and sang and played the mournful old air "Dafydd y Garreg Wen". Madame Edith Wynne, overcome by deep feeling, fairly broke down at the third stanza amid the sobs and tears of the audience. The performance of the "Dead March in Saul" (in place of "See the conquering hero comes") concluded this most touching scene which will mark the Wrexham Eisteddfod as the most remarkable on record.'

Cynnwys yr almanac coffa diddorol hwn hefyd - mewn mân lythrennau sydd yn annarllenadwy bron i'r llygad noeth - galendr am y flwyddyn 1878. Yn ogystal â nodi rhai o brif wyliau'r flwyddyn, cyfeirir yn gryno iawn yn y calendr at rai digwyddiadau cofiadwy yn hanes Prydain Fawr. Ac eithrio sylw i Ddewi Sant ar y 1af o Fawrth, prin y ceir cyfeiriad o gwbl at Gymru. Dyma ragflas o'r cofnodion, gan gyfyngu i ddau faes yn unig: gwyliau'r flwyddyn a dyddiadau geni a marw rhai enwogion.

> *Gwyliau'r Flwyddyn*: Sul, 6 Ionawr: Epiphany; Llun, 1 Ebrill: All Fool's Day; Sadwrn, 6 Ebrill: Old Lady Day; Sul, 28 Ebrill: Low Sunday; Iau, 30 Mai: Holy Thursday; Iau, 20 Mehefin: Corpus Christi; Gwener, 21 Mehefin: Proclamation; Mawrth, 12 Awst: Old Lammas Day; Sadwrn, 21 Rhagfyr: St Thomas.

> *Dyddiadau enwogion*: Iau, 7 Chwefror: [Charles] Dickens, b. 1812; Llun, 8 Gorffennaf: [Edmund] Burke, d. 1797; Mawrth, 9 Gorffennaf: [Richard Brinsley] Sheridan, d. 1816; Sadwrn, 5 Hydref: H[orace] Walpole, b. 1717; Iau, 24 Hydref: [Geoffrey] Chaucer, d. 1400.

Cyhoeddi'r gyfrol: *Gweithiau Taliesin o Eifion*: 1922; *Beirdd y Gofeb*: 1951; a chodi'r gofeb ym Mhlas Newydd: 1958

Bu raid aros hyd y flwyddyn 1922 cyn y cafwyd amgylchiad cenedlaethol arbennig i ddwyn i gof unwaith yn rhagor enw a chyfraniad Thomas Jones, Taliesin o Eifion. Dyma'r flwyddyn, fel y cofiwn, wedi'r hir aros, y cyhoeddwyd cyfrol o'i farddoniaeth: *Gweithiau Taliesin o Eifion (Bardd y Gadair Ddu)*. Casglwyd y cerddi, fel y nodwyd eisoes, gan J[ohn] Llewelyn Jones, ei fab, a'u golygu gan Wil Ifan. Ar waelod dalen deitl y gyfrol ceir y geiriau: 'Wrecsam: Hughes a'i Fab, Argraffwyr, 1922'.

Cofiwn hefyd mai yn sgîl cyhoeddi'r gyfrol hon, yn bennaf, y cafwyd gohebu brwd yn *Yr Herald Cymraeg* a'r *Darian* yn ystod 1922-23 pa un ai Taliesin o Eifion ynteu Elis Wyn o Wyrfai oedd gwir enillydd Cadair Eisteddfod Wrecsam, 1876. Ond os oedd un neu ddau unigolyn bryd hynny â'u bryd ar nacáu i'r bardd o Langollen y clod a'r anrhydedd o ennill Cadair Wrecsam, nid felly trwch y trigolion yn y fro hon a'r cyffiniau. Yn wir, erbyn 1950 yr oedd ymgyrch ar droed i godi cofeb i gofio tri o feirdd yr ardal, a Thaliesin yn un ohonynt. Y ddau arall ydoedd Jonathan Hughes, 'Bardd Pengwern' (1721-1805), a William Roberts, 'Gwilym Ceiriog' (1858-1919).

Plas Newydd, Llangollen, o ddarlun dyfrliw gan Emrys Williams, Whitby, Ellesmere Port.

I ddathlu cyfraniad y beirdd hyn a'r achlysur o osod cofeb i gofio amdanynt, cyhoeddwyd cyfrol, 91 tudalen, ym mis Rhagfyr 1951, gan Bwyllgor Cyffredinol y Gofeb. Teitl y gyfrol yw *Beirdd y Gofeb*, a'r awdur ydoedd Daniel Williams. Neilltuir dros hanner y gyfrol i ymdrin â Jonathan Hughes. Dyma ddyfyniad o ragair y gyfrol sy'n rhoi gwybodaeth inni am gefndir codi'r gofeb:

> 'Codwyd cofadail fechan i Huw Morus ym min ffordd, ger Pont y Meibion; ac nid anhysbys Neuadd Ceiriog yn y Glyn i Gymry twymgalon. Ond, am Jonathan Hughes, un o brif garolwyr y Dywysogaeth yn ei gyfnod, ni cheir na maen na cherflun, na charreg bellach ar ei fedd, i nodi'r fan: "Yn y gweryd mae'n gorwedd".
>
> Bu cymdeithasau cyn hyn yn sisial cŵyn, a gwŷr llên o fri yn dwrdio; er hynny, neb yn symud, "clindarddach drain dan grochan", fu'r cwbl. O'r diwedd, ysgytiwyd ein claerineb gan ŵr sydd â'i sêl yn eirias dros bopeth da ym mywyd Cymru: Mr J. Iorwerth Roberts yw hwnnw, ysgolfeistr o'r dref hon, ysgrifennydd ariannol Undeb Cymru Fydd a'r Ymgyrch Senedd i Gymru. Iddo ef mae'r credyd am daflu'r garreg i'r dŵr. Apeliodd at wŷr effro, sy'n gynnes eu calonnau at Gymru a'i defion.[3] Bu Cyngor y Dref yn fawrfrydig eu cefnogaeth, a rhoes ei fendith ar y bwriad i osod y gofeb y tu mewn i ffiniau'r Plas Newydd, hen gartref hysbys Eleanor Butler a Sarah Ponsonby. Er mai cofeb i Jonathan Hughes yn unig a fwriedid ar y dechrau, ac yn bennaf dyna yw; daeth cais unol o'r pwyllgor i gysylltu enwau Taliesin o Eifion a Gwilym Ceiriog, hwythau yn feirdd Llangollen, o gymaint ag iddynt dreulio eu hoes yma, a dwyn anrhydedd cenedlaethol i odre'r Berwyn. Hysbys ddigon y ddeuddyn hyn, heb angen yr "atgyfodi" a oedd yn angenrheidiol i hen brydydd Pengwern ...
>
> Ynglŷn â chynllun y gofeb, buom yn ffodus i sicrhau gwasanaeth Mr Dewi Prys Thomas, B.Arch., A.R.I.B.A., gŵr ieuanc disglair yn ei alwedigaeth. A chredaf y dywed y cyhoedd mai da fu ein dewis.[4]

Saif y gofeb ar dir Plas Newydd, Llangollen, ar yr union safle ble gynt yr oedd 'tŷ paun' y Cadfridog John York, y gŵr a ddaeth yn berchennog Plas Newydd yn 1876. Yn 1958, flynyddoedd wedi'r cyffro cychwynnol, yr agorwyd y gofeb yn swyddogol, a gwnaed hynny

Cofeb y Beirdd ym Mhlas Newydd, Llangollen, 1958. Y cynllun gan Dewi Prys Thomas. Llun gan Peter Alexander, Gwasanaeth Treftadaeth Sir Ddinbych, Rhuthun.

Geiriad Cofeb y Beirdd ym Mhlas Newydd, Llangollen.

Agoriad Cofeb y Beirdd ym Mhlas Newydd, 1958. Llun drwy garedigrwydd Peter Jones, Llangollen. O'r chwith i'r dde: y Parchg H Jones Davies; Emrys Roberts; Robert Avery; Garner Evans, AS; [?] Gilbert; Sara Pugh Jones; Iorwerth Roberts; Nest Roberts; [?]; [?].

gan J Iorwerth Roberts, Llangollen, yr ysgolfeistr a fu'n ymgyrchydd mor frwd o'i phlaid. Cynlluniwyd hi ar ffurf cysgodfa, a gwnaed y llidiardau haearn gyr a welir ar ei blaen gan Gwmni Brunswick, Caernarfon. Talwyd amdanynt gan y cyhoedd drwy'r arian a gasglwyd yn sgîl ymdrechion Cymdeithas Llên Llangollen.[5] Ar un o'r muriau y tu mewn i'r gysgodfa gwelir y geiriau Saesneg hyn:

This shelter
was provided through
voluntary effort by
Llangollen
Developments
Association
1958

Dyma'r union eiriau sydd ar y gofeb i'r beirdd:

Jonathan Hughes
1721 – 1805
Taliesin o Eifion
1820 – 1876
Gwilym Ceiriog
1858 – 1919
Gosodwyd y llidiardau hyn gan
drigolion Llangollen i gofio
ei phrifeirdd
1958

'I think I shall be able to see that the dear old chair of my father shall not see the inside of a second-hand shop': y Gadair Ddu honedig yn nhŷ bwyta'r Dorothy yng Nghaerdydd: 1912

Ar Ionawr y 18fed 1912 cyhoeddwyd y pennawd a'r is-bennawd a ganlyn yn y *Western Mail*: 'The Black Chair: Interesting Gift to the Welsh Museum'. A dyma'r adroddiad sy'n dilyn:

'Among the visitors to the Dorothy Restaurant in Cardiff there are few among those who have observed and have even sat in the large bardic chair in the corner of the luncheon room who know anything of its pathetic story.

It was in 1876 at the National Eisteddfod held at Wrexham, that this bardic chair became famous. From that day to this it has been known, and will be known as long as the history of the eisteddfod exists, as "Y Gadair Ddu", or the "Black Chair". A prize had been offered for the best ode on "Helen Lwyddawg". The chair, beautifully designed and carved, was a part of the award. It was on the platform ready to accommodate the bard who might be fortunate enough to be adjudged worthy of the prize. The multitude had assembled from all parts of the Principality, and even from beyond the confines of Wales, to witness the interesting ceremony of the chairing of the bard. The adjudicators announced their decision that the best poem had been written by the competitor who had signed himself as "Eusebius". The conductor (Mynyddog) immediately asked in the usual way, "Is 'Eusebius' here?" A young man stood up in the midst of the vast assembly and said that "Eusebius" was the nom de plume of Taliesin of Eifion (Mr Thomas Jones, of Llangollen), who had sent his poem to Wrexham on the very day of his death. As soon as this pathetic announcement was made the bards, who were already on the platform ready to take part in the ancient ceremony, retired to their ante-room, and soon returned to the eisteddfod pavilion wearing signs of mourning. They then expressed their grief in verse. Madame Edith Wynne sang that mournful Welsh ballad "Dafydd y gareg wen", and the chair was draped in black, and for all time it will be known as the "Black Chair".

This is the historical chair which Mr Stephens[6] of the "Dorothy" has promised to present to the Welsh National Museum through the good offices of Sir Marchant Williams, who is a member of the council of the museum.'

Ymhen deuddydd (20 Ionawr) cyhoeddwyd y llythyr a ganlyn yn y *Western Mail*, gan fab Taliesin, yn gwrthddweud yn llwyr yr honiad o eiddo 'Mr T Stephens'. Y pennawd yw: 'Cadair Ddu: "Interesting Gift to the Welsh Museum" '.

'Sir,–Will you kindly allow me to contradict the statement made in your issue of the 18th inst. respecting the gift of the Black Chair by Mr Stevens to the Welsh National Museum.

Mr Stevens has never seen, owned or possessed the chair in question, and, therefore, cannot make the gift.

The chair has never been out of my possession, and I feel sure that my very respected friend, Mr Stevens, has been very grievously deceived in supposing he owned the genuine Cadair Ddu.–I am, &c.,

J Llywelyn Jones
(Ap Taliesin o Eifion)

Cardiff, Jan. 19.'

Yn dilyn y llythyr hwn cyhoeddwyd hefyd y nodyn a ganlyn gan T Stevens:

'Sir,–I have received telephonic and written communications from Mr J Llywelyn Jones, son of the late bard Taliesin o Eifion, who won the chair prize at Wrexham Eisteddfod, stating that the chair is still in possession of the family, so that the chair at present at the Dorothy is not the one that I was led to believe when I purchased it. I am more than glad to know that this valued heirloom is still in the possession of those who will prize it most,–I am &c.,

T Stevens
The Dorothy, Cardiff, Jan. 19.'

Yna, ymhen deuddydd eto, 22 Ionawr, cyhoeddwyd yn y *Western Mail* lun o'r ddwy gadair ochr yn ochr, gyda'r pennawd: 'Cadair Ddu: The Spurious and the Real'. Ar y chwith y mae llun o'r Gadair Ddu gyda'r geiriau: 'The genuine chair'. Ar y dde ceir llun o'r gadair a fu yn nhŷ bwyta'r Dorothy, Caerdydd, gyda'r geiriau: 'The chair owned by Mr Stevens'. Argraffwyd hefyd y geiriau hyn:

'The famous Black Chair, of historic and pathetic memory, is in the possession of Mr J Llywelyn Jones, son of the late bard Taliesin o Eifion, who won the chair prize at Wrexham Eisteddfod. Another chair, similar in many respects, has been presented to the Welsh Museum by Mr T Stevens, of the Dorothy Restaurant, Cardiff, in the belief – now found to be incorrect – that it was the genuine Cadair Ddu.'

travelling on the Manouba, and Italy has refused to agree to this.—Reuter.

believed that the exertion fatally affected her heart.

CADAIR DDU: THE SPURIOUS AND THE REAL.

THE GENUINE CHAIR.

THE CHAIR OWNED BY MR. STEVENS.

The famous Black Chair, of historic and pathetic memory, is in the possession of Mr. J. Llywelyn Jones, son of the late bard Taliesin o Eifion, who won the chair prize at Wrexham Eisteddfod. Another chair, similar in many respects, has been presented to the Welsh Museum by Mr. T. Stevens, of the Dorothy Restaurant, Cardiff, in the belief—now found to be incorrect—that it was the genuine Cadair Ddu.

Cadair Taliesin o Eifion, 1876, a'r 'Gadair Ddu' honedig a fu'n eiddo i T Stevens ac a fu'n cael ei harddangos yn ei fwyty: Bwyty'r Dorothy, Caerdydd, hyd nes datgelu'r gwirionedd, 20 Ionawr 1912. Llun drwy ganiatâd y *Western Mail*.

Yn y cyswllt hwn rhaid cywiro un sylw a wnaed yn y *Western Mail*, 18 a 22 Ionawr 1912. Er i Mr T Stevens gyflwyno rhai gwrthrychau o'i eiddo i'r Amgueddfa yng Nghaerdydd ym mlynyddoedd cynnar yr ugeinfed ganrif, nid oedd y gadair farddol ymhlith y gwrthrychau hynny.

Wedi i'r *Western Mail* ddatgelu'r dryswch a fu rhwng y Gadair Ddu a chadair farddol T Stevens o Fwyty'r Dorothy, Caerdydd, ailadroddwyd yr hanes hefyd ym mhapurau Lerpwl a *The Llangollen Advertiser*. Yn sgîl llythyr a dderbyniwyd gan Morris Henry Roberts (1853-1941), Llangollen, brawd John Roberts (1834-86), gwneuthurwr y Gadair Ddu, cyhoeddwyd yr adroddiad manwl a ganlyn yn rhifyn 26 Ionawr 1912 o *The Llangollen Advertiser*:

> '**The Black Chair**
> Mr M H Roberts forwards from Rhyl some interesting facts concerning what is known as the *Gadair Ddu*, which was won by "Taliesin o Eifion" at the Wrexham Eisteddfod of 1876, and which the Liverpool papers, the other day, erroneously reported had been presented to the Welsh National Museum by Mr Stevens, a restaurant keeper, of Cardiff. Mr Roberts writes: The *Gadair Ddu* was made by my brother, the late John Roberts, formerly of Osborne House. It was sent as a competitive chair and the chief "awdl" prize was awarded to "Taliesin o Eifion" – then a naturalized Llangollenite – and the prize for the chair was awarded to my brother ...
>
> **Two Chairs**
> It appears that Mr Stevens, of the Dorothy Café, Cardiff, was the owner of a chair that, in many points, resembles the "Black Chair", and which he states he was led to believe was the genuine article when he purchased it and, after it had stood in his luncheon room for some time, he presented it to the National Museum as such, the donation being duly announced in the press. However, as has been the case with many another good man before him, Mr Stevens appears to have been mistaken and this fact is emphasised in a letter which his son, now holding an important mercantile appointment at Cardiff writes to Mr James Clarke (Iago Eifion) at Llangollen. In this letter Mr J Llewelyn Jones says Mr

Stevens is an old friend of his and is fully convinced of his error. For years he had exhibited the chair and stated he purchased it at a second hand furniture shop in Wrexham and this, the son of the dead bard thinks, may cause someone to say: "Ow! Ow! Taliesin, y teulu isel!" He concludes by asking "Iago Eifion" to contradict the rumour that the chair, to which so many stirring memories attach, has passed out of his family, whenever he has an opportunity, and I gladly assist him in doing this.

Similarity of Design

That there is some excuse for the mistake having arisen is made clear by illustrations appearing in the *Western Mail* of the genuine and spurious chairs side by side. As already stated they have several features in common; but, even to the most casual observer, the superior artistic claims of that for which Mr M H Roberts's brother was responsible must be apparent. After all, apart from all material charms, it is the robe of sentiment which, as it were, hangs over a memorial of the kind that renders it priceless to those who were near and dear to the dead bard; and it is therefore good to know that the original chair is in the safe keeping of "Ap Taliesin o Eifion" who, in his letter to "Iago Eifion", says: "I think I shall be able to see that the dear old chair of my father shall not see the inside of a second-hand shop" ... '[7]

Addoldy Eglwys yr Annibynwyr, Glanrafon, Llangollen: hen gapel Taliesin o Eifion

Nodwyd eisoes mai i Lanrafon, Capel yr Annibynwyr, yn Church Street, Llangollen, yr âi Taliesin o Eifion i addoli. Bu'r Gadair Ddu ar gadw am oddeutu deugain mlynedd yng nghapel newydd Glanrafon yn Princess Street, a dyma'r man gorau, felly, i ddweud gair am hen gapel y bardd.

Deillia'r cofnodion cynharaf am Achos yr Annibynwyr yn Llangollen o'r flwyddyn 1808. Dyna pryd y sefydlwyd y Parchg William Williams, 'Williams o'r Wern' (1781-1840), mab Cwm-hyswn-ganol, plwyf Llanfachreth, Meirionnydd, yn weinidog gyda'r Annibynwyr yn Y Wern a'r Herwd, ger Wrecsam. Yn ogystal â sefydlu Achos yn Llangollen, sefydlodd Achosion Annibynnol yn

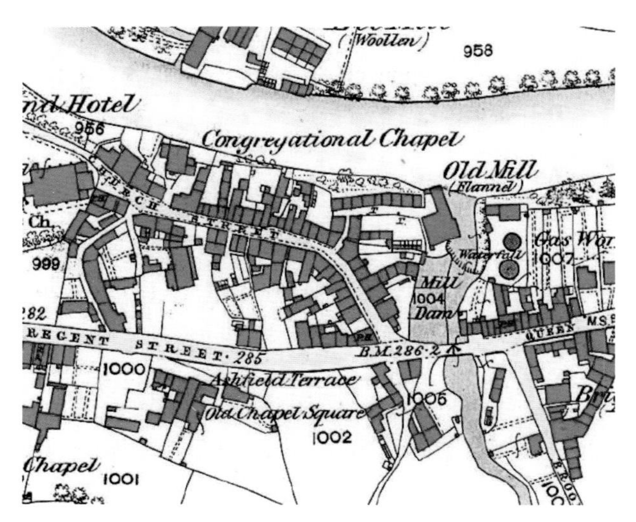

Map, 1872, drwy garedigrwydd Peter Jones, yn dangos lleoliad Capel Glanrafon, Church Street, Llangollen, lle yr arferai Taliesin o Eifion gwrdd i addoli.

Rhosllannerchrugog a Rhiwabon. Yr oedd Williams o'r Wern yn bregethwr heb ei ail. Edrychid arno ef, John Elias a Christmas Evans, fel 'tri chedyrn y pulpud Cymraeg'.

Ar y dechrau, cynhelid y gwasanaethau yn Llangollen mewn ystafelloedd yng Ngwesty'r Royal Oak, Chapel Street.[8] Yna, yn 1817, adeiladwyd addoldy gan yr Annibynwyr yn Church Street, gyda seddau ynddo i 214.[9] Oherwydd ei fod yn agos i Afon Dyfrdwy, rhoddwyd yr enw Glanrafon arno. Perthynai dau dŷ i'r capel hefyd.[10] A dyma'r capel yr âi Taliesin o Eifion iddo i addoli. Wedi marwolaeth Williams o'r Wern yn 1840, bu'r Parchg Evan Evans yn Weinidog yng Nglanrafon am ddeugain mlynedd, ac ef oedd y Gweinidog yng nghyfnod Taliesin. Y Gweinidog rhwng 1888 ac 1893 ydoedd y Parchg Rowland Williams, 'Hwfa Môn' (1823-1905), y bardd cynhyrchiol ac Archdderwydd Cymru, 1895-1905.

Yn ôl adroddiad y Comisiwn Brenhinol ar Henebion, cafwyd peth ailadeiladu yn 1843, ac eto yn 1873. Roedd saithdegau'r ganrif hon yn Llangollen, mae'n amlwg, yn adeg o dwf mewn Anghydffurfiaeth ac yn adeg brysur hefyd o adeiladu ac ailadeiladu addoldai. Meddai adroddiad yn *The Llangollen Advertiser*, 12 Medi 1873:

> '... an era of building new and renovating old chapels and churches ... Our friends at Glan'rafon have commenced making some important alterations on their "Tabernacle" since Monday last ...'

Cyn diwedd y ganrif roedd cynulleidfa Glanrafon â'u bryd ar adeiladu capel newydd, mwy ei faint. Prynwyd darn o dir yn Princess Street, 31 Hydref 1898; gosodwyd y garreg sylfaen, 11 Medi 1902, ac agorwyd y capel yn swyddogol, 13 Awst 1903: 'erected facing the Victoria Promenade on the banks of the Dee.'[11] Cynlluniwyd y capel gan Owen Morris Roberts a'i Fab, Porthmadog, a'i adeiladu gan D Roberts, Llangollen. Yr oedd lle ynddo i gynulleidfa o 550, a'r gost derfynol o'i adeiladu ydoedd £3,100.[12] Parhawyd i ddefnyddio'r hen gapel yn Church Street yn achlysurol hyd 1914, ond, yn y man, fe'i dymchwelwyd.

Trosglwyddo'r Gadair Ddu i Gapel newydd Glanrafon, Awst 1940

Wedi Eisteddfod Wrecsam, 1876, bu'r Gadair Ddu ar gadw'n ofalus gan deulu Taliesin o Eifion. Yna, yn Awst 1940, cyflwynwyd hi gan Mary Gwenddydd, 'Mair Taliesin', merch Taliesin, yn rhodd i Gapel Glanrafon. Ceir rhaghysbysiad o'r achlysur yn y *Llangollen Chronicle and North Wales Journal*, 16 Awst 1940, gyda'r pennawd: 'Bardic Chair to be Presented to Glan'rafon Church. Historic "Black Chair" Eisteddfod of 1876 Re-called.'

> 'An interesting ceremony will take place at Glan'rafon Welsh Congregational Church, Llangollen, on Sunday evening next ... It is understood that the donor of the Black Chair, Mair Taliesin, will journey from Caerphilly to Llangollen for the ceremony on Sunday evening ...'

Yn yr adroddiad hwn cyfeirir yn fyr at Daliesin o Eifion a rhoddir crynodeb o hanes defod drist y cadeirio. Yr wythnos ganlynol, 23 Awst 1940, fodd bynnag, ceir adroddiad manwl o'r cyfarfod a gafwyd

Capel newydd Glanrafon, Princess Street, Llangollen. Yno y cedwid y Gadair Ddu, 1940 - *c.*1980. Llun gan yr awdur.

y nos Sul cynt yng Nghapel Glanrafon. Y pennawd yw: 'Presentation of the "Black Chair" at Llangollen'.

> 'One of the largest congregations seen at Glan'rafon Welsh Congregational Church for many years assembled on Sunday evening on the occasion of the presentation to the church of the historic "Black Chair", posthumously awarded to the famous bard, the late Mr Thomas Jones, (Taliesin o Eifion), Llangollen, at the Wrexham National Eisteddfod of 1876. The proceedings were presided over by the senior deacon, Mr J D Pritchard, who referred to the great help given by members of the bard's family to the cause at Glan'rafon, and expressed the pleasure of all concerned at the presence that evening of the bard's daughter and donor of the chair "Mair Taliesin" (Mrs Morgan), Caerphilly. The gift of the historic "Black Chair", he said, was another valuable asset to the church which had been so close to the heart of Taliesin o Eifion's family. Mr A Parry Morgan, Llangollen, spoke of the bard's work, and related some interesting events in his life re-called to him by a personal friend of Taliesin o Eifion, Mr Charles Roberts, Tŷ Du, the grand old man of Llangollen, who was 98 years of age. Mr Parry Morgan read a selection of the bard's poems, and then followed the dedication of the chair by the Rev. William Evans (Wil Ifan), Bridgend.
>
> Following the dedication, Mair Taliesin briefly addressed the gathering. In the course of her remarks she spoke of the joy it gave her that she was able to come to Llangollen that evening to make the presentation. The solo "Dafydd y Garreg Wen", rendered by Madame

Edith Wynne on that memorable day at the Wrexham National was sung by Mr Albert Davies, and the proceedings closed with a short address by Mr H Glynne Jones, Chairman of the Urban Council. Special hymns were sung during the evening and Miss Blodwen Davies was at the organ. The arrangements of the presentation meeting were carried out by the church secretary, Mr W H Lettsome.

It is interesting to note that the "Black Chair" – a magnificent piece of workmanship – was made by a Llangollen cabinet maker, the late Mr John Roberts, Osborne House ... His daughter, Miss Martha Roberts, who now resides at Llys Tegla, Princess Street, opposite Glan'rafon Church, was amongst those present at the presentation ceremony on Sunday evening.'[13]

O Langollen i Wrecsam: hynt y Gadair Ddu, c. 1981 – 1993

Erbyn saithdegau'r ugeinfed ganrif yr oedd yr Achos Annibynnol yng Nglanrafon wedi gwanhau yn fawr, a daeth i ben cyn diwedd y degawd hwnnw. Ond ailgysegrwyd yr addoldy, a bellach yr oedd yn eiddo i'r Undeb Efengylaidd.

Tra cedwid y Gadair Ddu yng Nghapel Glanrafon, fe'i defnyddid fel rhan o'r sêt fawr. Ond beth fu hynt y gadair wedi i'r Achos Annibynnol ddod i ben? Meddai'r Parchg James Cornford, gweinidog presennol Eglwys Efengylaidd Glanrafon:

'The chapel was bought by us around 1981 and was re-dedicated the 11th September 1982 ... As to the "Black Chair" the former Trustees removed it and replaced it with the chair we have now, we think the "Black Chair" went to Plas Newydd and the Ladies of Llangollen, but we cannot be sure.'[14]

Yn ôl tystiolaeth lafar, dyna a ddigwyddodd, er inni fethu â darganfod unrhyw gofnod ysgrifenedig. Gwyddom i sicrwydd, fodd bynnag, mai o Blas Newydd y trosglwyddwyd y gadair i Lyfrgell Wrecsam, tua diwedd yr wythdegau, neu yn gynnar yn nawdegau'r ugeinfed ganrif. Bryd hynny trosglwyddwyd oddeutu pum cadair o Blas Newydd i

Llyfrgell Wrecsam i'w cadw wedyn mewn gwahanol lyfrgelloedd yng Nghlwyd. Cadwyd y Gadair Ddu yn Llyfrgell Wrecsam.

Unwaith eto, nid oes gennym gofnod ysgrifenedig o'r union ddyddiad y trosglwyddwyd y cadeiriau o Blas Newydd, ond yr oedd y Gadair Ddu yn Llyfrgell Wrecsam yn sicr cyn 28 Mai 1992. Dyna pa bryd yr anfonodd un o ddisgynyddion Taliesin o Eifion, Iris (Kelly) Pouteaux, Ynys Guernsey, lythyr at Hedd ap Emlyn yn gofyn am gael dod i Lyfrgell Wrecsam i weld y gadair unwaith eto.[15]

Cyn i hynny ddigwydd, fodd bynnag, manteisiwyd ar sawl cyfle i roi cyhoeddusrwydd teilwng i'r Gadair Ddu. Yn 1984 trefnodd Cyngor Sir Clwyd arddangosfa ar y testun: 'Traddodiad Eisteddfodol Clwyd', a llun o'r gadair yn cael lle amlwg ynddi. Gwelwyd yr arddangosfa hon yn Eisteddfod Gerddorol Gydwladol Llangollen, Gorffennaf 1984, ac yna, y flwyddyn ganlynol, yn Eisteddfod Genedlaethol Y Rhyl a'r Cyffiniau, Awst 1985. Dyna pa bryd (1985) y cyhoeddwyd y llyfryn gwerthfawr: *Traddodiad Eisteddfodol Clwyd* gan Wasanaeth Llyfrgelloedd ac Amgueddfeydd Clwyd. Awdur y cyhoeddiad oedd Hedd ap Emlyn, prif ymchwilydd yr arddangosfa.

O Gymru i Gatalonia; o Wrecsam i Ruthun: y Gadair Ddu, 1993 – Mai 2005

Yn 1993 trefnwyd arddangosfa: 'Agweddau ar Ddiwylliant Cymru', gan Gyngor Sir Clwyd, i'w gweld yn Llieda, Catalonia, ac yr oedd cadair Taliesin o Eifion ymhlith y gwrthrychau a gludwyd yno bob cam o Wrecsam. Prif drefnydd yr arddangosfa hon eto oedd Hedd ap Emlyn, Llyfrgellydd Gwasanaethau Cymraeg Clwyd. Yr oedd Catalonia yn arbennig o falch o dderbyn yr arddangosfa a chael cyfle i gryfhau'r ddolen gyswllt rhyngddi hi a Chymru, ac ar achlysur yr agoriad, 27 Tachwedd 1993, yn Gymraeg y traddododd Hedd ap Emlyn ei anerchiad.

Ym mis Ebrill 1996 bu'r Gadair Ddu ar fenthyg i Amgueddfa Wrecsam ar gyfer arddangosfa ar Ddiwylliant Cymru.

O Wrecsam i Ruthun; O Ruthun i Wrecsam; yna'n ôl i Langollen ...; Mai 2005 – Rhagfyr 2011

Ar y 25ain o Fai 2005 trosglwyddwyd cadair Taliesin o Eifion o Lyfrgell Wrecsam (lle bu am flynyddoedd yn amlwg i bawb ei gweld) i ystordy corfforaethol yn Rhuthun, yng ngofal Gwasanaeth Treftadaeth Sir Ddinbych.[16] Yno rhoddwyd y sylw gorau posibl iddi o ran cadwraeth, er ei bod bellach, ysywaeth, o olwg y cyhoedd. Yng ngwanwyn 2009, wedi cryn holi ble yn union y cedwid y gadair bellach, aeth Dr David ac Enid Roberts, Bangor, i Ddinbych i'w gweld. Dal ar y cyfle hefyd i fynegi eu barn y dylai'r gadair unwaith eto gael ei harddangos i'r cyhoedd, naill ai ym Mhlas Newydd, neu yn Amgueddfa Llangollen.

Eisoes, fodd bynnag, yr oedd cynlluniau ar y gweill i'r gadair fod yn rhan o arddangosfa yn Amgueddfa Llangollen yn ystod gaeaf 2009-10. Hynny a ddigwyddodd; bu yno am bedwar mis.[17]

Gydag Eisteddfod Genedlaethol Wrecsam, Awst 2011, yn nesáu, yr oedd, wrth gwrs, fwy o reswm fyth i roi pob cyfle i'r cyhoedd weld y gadair. A dyna oedd dymuniad Gwasanaeth Treftadaeth Sir Ddinbych. Bu i rai ohonom, gan gynnwys swyddogion yr Eisteddfod Genedlaethol, wneud cais i'r gadair gael ei harddangos ar y Maes yn ystod wythnos yr Eisteddfod. Ni fu hynny'n bosibl, yn bennaf oherwydd problemau diogelwch, ond cyhoeddwyd llun o seremoni'r cadeirio yn Eisteddfod Wrecsam, 1876, yn Rhaglen yr Wythnos.

Y datblygiad pwysicaf, fodd bynnag, oedd i Hedd ap Emlyn, Llyfrgellydd Wrecsam, wneud cais i Wasanaeth Treftadaeth Sir Ddinbych i'r Gadair Ddu gael ei harddangos yn y Llyfrgell am rai misoedd cyn yr Eisteddfod. Yr amcan, wrth gwrs, oedd ennyn diddordeb y cyhoedd a rhoi pob cyfle iddynt wybod mwy am hanes y gadair: ei gwneuthurwr a'i henillydd. Gwnaed cais pellach gan y Llyfrgell i'r gadair gael ei harddangos hefyd ar y Maes yn ystod wythnos yr Eisteddfod, fel rhan o babell Cyngor Sir Wrecsam. Caniatawyd y cais cyntaf, ond nid yr ail, a bu cadair Taliesin, ynghyd â'r beithynen hardd a wnaed ganddo ar gyfer Eisteddfod Fawr Llangollen, 1858, ar gael i ymwelwyr lawer eu gweld mewn man amlwg yn Llyfrgell Wrecsam o'r 25ain o Fai hyd y 10fed o Hydref 2011. Mawr fu'r diddordeb yn y gadair a'r beithynen yn ystod y cyfnod hwn.

O'r 10fed o Hydref hyd y 12fed o Ragfyr, arddangoswyd y gwrthrychau hefyd yn Amgueddfa Wrecsam. Yna, ar y 14eg o Ragfyr 2011, trosglwyddwyd y Gadair Ddu gyntaf, cadair Thomas Jones, Taliesin o Eifion, ynghyd â'r beithynen, i'w cadw'n barhaol yn Amgueddfa Llangollen. Gwirfoddolwyr sy'n gweithio yn yr amgueddfa fechan, ddiddorol hon, ac y maent yn haeddu pob clod am eu hymroddiad a'u llafur diflino. Gwn hefyd fod y staff, megis trigolion Llangollen eu hunain, yn arbennig o falch o gael derbyn y gadair a'r beithynen, a neb yn fwy felly na Peter Jones, un o ymddiriedolwyr yr Amgueddfa, a gŵr sydd wedi ymddiddori gymaint yn hanes Taliesin o Eifion. Felly, yr un modd, Dr David ac Enid Roberts, Bangor.

Y beithynen a wnaed gan Daliesin o Eifion (1858), a'r Gadair Ddu gyntaf (1876) yn cael eu harddangos yn barhaol yn Amgueddfa Llangollen, Rhagfyr 2011. Llun gan yr awdur.

Y Gadair Ddu gyntaf a'r gadair a fu gynt ym meddiant Gwili ac ar fenthyg i Eisteddfod Gŵyl Ddewi Ysgol Gynradd Eagleswell, Llanilltud Fawr: drysu eto rhwng dwy gadair farddol

Adroddwyd eisoes hanes y cymysgu a fu rhwng cadair Taliesin o Eifion a'r gadair a fu'n eiddo i Mr Stevens, Bwyty'r Dorothy, Caerdydd (1912). Nid dyma, fodd bynnag, yr unig achos o gymysgu rhwng y Gadair Ddu gyntaf a chadair dderw farddol arall. Y tro hwn, cadair a fu'n perthyn i'r Parchg Ddr John Gwili Jenkins (1872-1936), genedigol o'r Hendy, ger Pontarddulais, oedd y gadair y bu dryswch ynglŷn â hi. Yn ogystal â bod yn ddarlithydd coleg ac yn ysgolhaig amlwg ym maes y Testament Newydd, yr oedd ef hefyd, fel y gwyddom, yn fardd, yn llenor, ac yn olygydd *Seren Cymru*, 1914-27, 1933-36. Bu'n Archdderwydd Cymru (1932-36), ac enillodd goron Eisteddfod Genedlaethol Merthyr Tudful, 1901, a nifer o gadeiriau eisteddfodau taleithiol.[18]

Yr oedd Gwili yn un o naw o blant Elizabeth a John Jenkins. Yr ieuengaf ohonynt oedd Bronwen Rees. Ei phlant hi oedd Olwen a John. Merch i John (Rees) yw Sara Reid, Coety, ger Pen-y-bont ar Ogwr. Wedi i Olwen (Murray) farw yn 1999, etifeddodd Sara Reid gan ei modryb gadair dderw farddol a chopi treuliedig o 'Almanac 1878: Cadair Ddu Eisteddfod Gwrecsam, 1876'.

Yr oedd stori yn nheulu Gwili iddo ef fod yn berchennog y Gadair Ddu gyntaf, cadair Taliesin o Eifion. Dyma'r 'stori' a adroddwyd wrth Sara Reid gan ei thad, Dr John Rees, a'i modryb, Olwen Murray. Ond cyfaddefodd Sara Reid mai 'dryslyd braidd' oedd y stori honno, ac ni wyddai sut y bu i Gwili, ei hen ewythr, berchnogi'r Gadair Ddu. Ond dyma'r gadair, yn ei thyb hi ar y pryd, oedd bellach yn ei meddiant hi ac ar gadw yn ei chartref yng Nghoety.

Bu Sara Reid yn un o rieni a llywodraethwyr Ysgol Gynradd Eagleswell, Llanilltud Fawr. Bob blwyddyn, rhwng 2000 a 2006, arferai roi benthyg y gadair oedd yn ei meddiant i'w defnyddio yn seremoni cadeirio'r bardd yn Eisteddfod Gŵyl Ddewi'r ysgol. Dyma ddyfyniad o adroddiad a gyhoeddwyd yn y *Llantwit Major Gem*, 6 Mawrth 2002, gyda'r pennawd: 'Bardic history of Y Gadair Ddu':

> 'Children, staff, parents and visitors of Eagleswell Primary School had a great time celebrating St David's Day at their Eisteddfod last Friday. Pupils dressed in national costume, Welsh rugby shirts, large hats and daffodils listened and cheered as results were read out ... The standard of work was very high and tension was rising as reverse order was read out for the best poem. The winner becomes the Bard and is chaired at the ceremony which includes the address to the spectators: "A oes heddwch?" and the reply: "Heddwch!" – the trumpeter, the Druids and swords, all stand by in their gowns.
>
> The honour went to Sam Bolt in year-6. However, the ceremony was made extra special by the fact that the chair used was an original Bardic chair, dating back to 1876. It was lent to the school for the day by a parent governor, whose great uncle, John 'Gwili' Jenkins, was an Archdruid ... and who acquired this chair, which has an unusual history.
>
> At the Wrexham Eisteddfod in 1876, a Welsh poem Helen Llwyddawg was chosen as the winner. The writer, whose Eisteddfod name was Eusebius, did not come forward at the sound of the trumpet. It was revealed that the writer, Thomas Jones, had died just after the poem was sent in. However, the ushers decided to go ahead with the ceremony, covered the Bardic chair with a black pall, and put the gold medal on a cushion and moved in procession, led by the traditional sword and mace ... This has gone down in history as one of the most remarkable Eisteddfodau on record. The chair is known as "Y Gadair Ddu" – "The Black Chair". It is a solid backed chair, made from dark wood with beautiful carvings of dragons, a shield and three Welsh feathers and leaf detail on the arms. It is wonderful to know that the chair is now used as it was intended to be used – for the chairing of a Bard, and in such a great school.'[19]

Dyma ddisgrifiad o'r gadair farddol sydd ar gadw yng nghartref Sara Reid. Ar ei brig ceir cerfiad o dair pluen Tywysog Cymru, ac ar y cefn ceir dwy ddraig fawr yn wynebu'i gilydd. Ar y cefn hefyd gwelir

Cadair a fu ym meddiant teulu'r Parchg Ddr John Gwili Jenkins (1872-1936). Camgymerwyd hi am gadair Taliesin o Eifion. Llun drwy garedigrwydd perchennog y gadair ac aelod o deulu Gwili, Sara Reid, Coety, Pen-y-bont ar Ogwr.

Llun gan Sara Reid o gefn y gadair a fu'n eiddo i Gwili.

tarian, a bob ochr i'r darian cerfiwyd dwy genhinen. Ar freichiau'r gadair a'i blaen ceir cerfiadau o ddail y dderwen.

O'r disgrifiad uchod, ac o fwrw un cipolwg ar lun o'r gadair a gyhoeddir yn y gyfrol bresennol, y mae'n amlwg ddigon, afraid dweud, fod gwahaniaeth mawr iawn rhwng y gadair a fu ar lwyfan Eisteddfod Gŵyl Ddewi Ysgol Gynradd Eagleswell, Llanilltud Fawr, 2000-06, er mor ddiddorol ydyw, a chadair Taliesin o Eifion. Nid oedd gan Sara Reid unrhyw amcan sut y cychwynnwyd y stori mai'r Gadair Ddu gyntaf oedd y gadair farddol a fu unwaith ym meddiant Gwili. A methais innau, er holi ymhellach, ddarganfod unrhyw ateb. Ond tybed, fodd bynnag, nad yw'n werth ystyried hyn: roedd almanac 1878 a gyhoeddwyd i gofio Eisteddfod Wrecsam, 1876, bob amser, yn ôl Sara Reid, yn cael ei gadw gyda'r gadair. Ai cam-gysylltu'r naill wrthrych â'i gilydd a wnaed?

Dylid ychwanegu un sylw arall cyn rhoi pen ar fwdwl y drafodaeth hon: fe all y gadair sy'n awr ar gadw gan Sara Reid fod, wrth gwrs, yn un o'r cadeiriau a enillwyd gan Gwili, ei hen ewythr. Yn wir, y mae hynny'n dra thebygol.[20]

Y gadair farddol a'r Gadair Ddu gyntaf: symbolaeth, defod a pharhad traddodiad

Soniwyd eisoes (pennod 14) am bwysigrwydd y gadair farddol yng Nghymru. Yn y fan hon gellir ychwanegu cymaint â hyn: yr oedd yn ddrych o gelfyddyd a chrefft y saer coed ac yn hardd i'r llygad. Hawdd deall, felly, paham yr oedd teuluoedd, cymdeithasau a sefydliadau yn falch o gael arddangos dodrefnyn mor gain. Ond yr oedd yn fwy na hynny. Yr oedd yn fodd i ddathlu diwylliant cenedl; yn arwydd - yn symbol - o bwysigrwydd y bardd a'i swyddogaeth i'w wlad, i'w fro a'i bobl. A mwy na hynny eto, yr oedd y gadair farddol hefyd yn ddolen deuluol o bwys. Cyfrwng gweladwy i ddwyn i gof; i ymlawenhau ac ymhyfrydu. Teulu yn falch o gael rhannu yn y clod a'r anrhydedd a ddaeth i ran aelod enwog o'r teulu hwnnw: 'Dyma'r gadair a enillodd fy nhad'; 'Dyma'r gadair gafodd fy hen hen daid / dad-cu'.

Yr un modd, rhoddwyd pwys arbennig ar gael eistedd mewn cadair a enillwyd gan hwn a hwn ac, yn enwedig felly, mewn cadair a enillwyd gan aelod o'r teulu. Yr oedd yn ddefod deuluol. Mwynhau'r profiad braf o ail-fyw llwyddiant y bardd.

Y mae'r hyn a ddywedwyd yn y ddau baragraff diwethaf yn amlwg o wir yn achos cadair y bardd o Langollen. Y mae'r hanes a adroddwyd eisoes am y cymysgu a fu rhwng dwy gadair farddol, er enghraifft, yn adlewyrchu awydd cryf personau a theuluoedd am gael eu cysylltu'n annatod â chadair arbennig iawn, sef, yn yr achos hwn, cadair Taliesin o Eifion. Yr oedd cael gwneud hynny, boed yn achos Mr Stevens, o Fwyty'r Dorothy, Caerdydd, neu yn achos aelod o deulu Gwili, yn destun balchder a llawenydd.

A sôn yn awr yn benodol am y wir Gadair Ddu gyntaf, y mae'n sicr i fwy nag un aelod o deulu Thomas Jones, enillydd y gadair, fod yn awyddus iawn i gael y profiad o eistedd yn y gadair arbennig hon. Er, yn ôl pob tebyg, i fwyafrif aelodau'r teulu, wedi cenhedlaeth Taliesin a'i blant, golli gafael ar y Gymraeg, y mae'n amlwg fod rhai ohonynt, o leiaf, am fynnu cadw'n fyw y cof am un o'u hynafiaid enwog a oedd yn fardd cadeiriol.

Dyma yn dilyn, felly, gofnod o ymweliad Mrs Iris (Kelly) Pouteaux, St Peter Port, Guernsey, a'i nith, Mrs Iris J Price, Llanyrafon, Cwmbrân, â Llyfrgell Wrecsam, yn 1992, i weld y gadair enwog unwaith yn rhagor. Y mae'n werth dyfynnu'n helaeth o dri llythyr sy'n ymwneud â'r ymweliad hwn oherwydd eu bod yn cyfleu mor awyddus yr oedd y ddwy wraig i wireddu eu dymuniad. Ysgrifennwyd y llythyrau gan y fodryb a'i nith, a'u hanfon at Hedd ap Emlyn, Llyfrgellydd Gwasanaethau Cymraeg Clwyd ar y pryd.

Yn gyntaf, dyma lythyr Iris Pouteaux, Guernsey, dyddiedig 28 Mai 1992:

'Please accept my grateful thanks for the information you have sent me re. Taliesin o Eifion. His daughter, Mair (Mrs Joseph Morgan) of Caerphilly was willing to adopt me, aged 7, when my mother died, and I regret that this did not happen. I hope before the Summer goes Mrs Iris Price & I will visit Wrexham for me to see again the Bardic Chair. I recall the Peithynen well & the bars of the "ladder" that could be turned.'

Yn ail, dyma lythyr Iris J Price, Cwmbrân, dyddiedig un dydd yn ddiweddarach, 29 Mai 1992:

'I wish to convey my deep gratitude to you for the trouble you have taken in sending me your book of the Eisteddfod [*Traddodiad Eisteddfodol Clwyd*, 1985] and all the other documents, including the copy of the original letter written by Taliesin o Eifion which I received this morning. My Aunt and I are very much looking forward to seeing the "Bardic Chair" and the "Peithynen", which is so beautifully illustrated in your book.'

Y mae'n amlwg i'r fodryb a'i nith lwyddo i weld y Gadair Ddu. Digwyddodd hynny ar y dydd Llun, 17 Awst 1992.[21] A dyma ail lythyr Iris J Price at Hedd ap Emlyn, llythyr di-ddyddiad, ond un sy'n cyfeirio at yr ymweliad.

'It was with great joy and delight that I received the photographs of the Eisteddfod ... Then a few days later, I received Taliesin o Eifion's book [*Gweithiau Taliesin o Eifion*, 1922] which includes the prize winning Welsh Ode. My only sadness is that I am unable to speak Welsh. My son who is trying to make his way in the acting world was told by his agent to learn Welsh. I am sure the book will give him great incentive, as he is very interested as well. Sadly my Aunt died last January. But I have some lovely photographs of her sat on the Bardic Chair that was part of her life so long ago. It was a wonderful experience for her at the end of her life.

My family and I would like to offer our deep gratitude to you for all you have done for us. The photographs and the book are not only of great family interest. We feel they are very unique, and we will treasure them always.'[22]

Prin yw disgynyddion Taliesin o Eifion y gwyddom amdanynt sy'n fyw heddiw. Y mae, fodd bynnag, un aelod amlwg iawn o'r teulu, sef Elizabeth Bowen Roberts, Llangollen (disgynnydd ar ochr ei thad, Edward Ellis Roberts). Fel y nodwyd eisoes, y mae hi wedi ymddiddori'n fawr yn hanes Thomas Jones ac yn gyfarwydd iawn â'r Gadair Ddu.

Y mae'n llawenydd deall hefyd fod o leiaf ddwy gangen o deulu'r seiri coed a'r adeiladwyr o Langollen, teulu'r Robertsiaid, yn ymhyfrydu'n fawr yng nghelfyddyd y crefftwyr coed talentog hyn. Cyfeiriwyd droeon eisoes at Dr David Powys Wynn Roberts, ŵyr i Morris Henry Roberts (1853-1941), brawd i John Roberts (1834-86), gwneuthurwr Cadair Wrecsam, 1876. Rhaid enwi hefyd Richard Julian Roberts (1930-2010), Dirprwy Lyfrgellydd, Llyfrgell Bodley, Rhydychen, gor-ŵyr i wneuthurwr y Gadair Ddu. Merch i Richard Julian Roberts yw Hilary Rhiannon Roberts, Caerdydd. Ar y 27ain o Orffennaf 2011 aeth hi gyda'i mab, Ivor Julian, deg oed, i Lyfrgell Wrecsam, ac y mae llun ar gael o Ivor yn eistedd yn falch yn y gadair hardd a wnaed gan ei hen hen hen daid, John Roberts, Llangollen.

Wrth gofio am yr hogyn deg oed yn cael tynnu'i lun yn y Gadair Ddu gyntaf a enillwyd gan Thomas Jones, Taliesin o Eifion, yn Eisteddfod Wrecsam, 1876, ac wrth gloi pennod olaf y gyfrol hon, y ddau air sy'n gwbl addas i'w datgan yw 'parhad traddodiad'. Diolchwn ninnau am draddodiad sy'n werth ei barhau.

Parhad traddodiad. Ivor Julian Roberts, 10 oed, Caerdydd, yn Llyfrgell Wrecsam, 27 Gorffennaf 2011, yn eistedd yng nghadair Taliesin o Eifion, y gadair a wnaed gan ei hen, hen, hen daid, John Roberts, Llangollen. Llun gan Hedd ap Emlyn.

Atodiad

Llythyr oddi wrth Rhys ap Rhisiart at yr Awdur

Derwin Bach
Bryncir
Eifionydd
10 Tachwedd 2011

Annwyl Gyfaill,

Maddau i mi am yr oedi, daeth cyfnod hir-ddisgwyliedig o dywydd a fferrodd y ddaear wedi cyfnod o wlybaniaeth. Gyda'r sychwynt, cafwyd cyfle prin i derfynu'r frwydr flynyddol er cyfyngu lledaeniad pabwyr a brwyn.

Dywedi mai breintiedig ydwyt o gyflwyno dy gyfrol ar Taliesin o Eifion a thrwyddi ennill cyfle pellach i ymdreiddio'n ddyfnach i ysbryd a naws oes un a rychwantodd warth a chamwedd y Llyfrau Gleision. Fy mraint innau ydyw rhoi hwb fechan i achos dy fenter ar fwy nag un ystyr.

Ar un adeg bu rhai o'm teulu yn crafu byw, fel y dywedir, yn y Beudy Newydd ar fin Ffordd Môn (Y Lôn Goed i weddill Cymru) [gw. nodyn golygyddol], nid nepell o fwthyn Ty'n-y-gors, ar dir y Beudy Mawr, man geni Taliesin o Eifion, a fedyddiwyd yn eglwys ei blwyf, Llanystumdwy, Medi 17eg, 1820. Ymhen y rhawg, daeth un o feibion Dafisiaid y Prys Mawr, Llanuwchllyn, yma i amaethu. Yn ei hiraeth am Benllyn, dadorseddwyd Llety'r Anifail [y Beudy Mawr] a gosododd enw ei hen gartref yn ei le. Ag ystyried agosatrwydd yr ail Brys Mawr i Ffordd Môn, a'r doreth o dderi ac ynn amgylchynol, bu'n ail-fedyddiad i'w gymeradwyo, gan i Fostyniaid y Plas Hen, rywdro yn y 18fed ganrif, dynnu tafell o dir y Beudy Mawr a chreu tyddyn arall gyda'r teitl anochel: Y Beudy Newydd. Anfarwolwyd hen drefgorddau cyffiniol y Betws a'r Bryn Bras gan gartrefi'r Du a'r Gwyn [Robert Williams, 'Robert ap Gwilym Ddu', a David Owen, 'Dewi Wyn o Eifion'], a rhyngddynt – y Beudy Mawr, man geni Bardd y Gadair Ddu gyntaf.

Beth ysgogodd John ac Elizabeth Jones i gefnu ar Eifionydd ym 1826 a sefydlu yn Llangollen bell, o bobman? Tybed ai effeithiau colledus tymor o hir sychder a barodd i'w cymydog yn y Betws Fawr daer erfyn am wlaw yng Ngorffennaf 1826 fel hyn?

Dad eiddym, deued addas – gawodydd,
Gwywedig yw'n teyrnas;
A mwyda dir crindir cras
Â da wlaw Duw Elias.*

[* Nodyn gol. Gw. Robert ap Gwilym Ddu, *Gardd Eifion* (1841), t. 60. Cefndir yr englyn yw I Brenhinoedd, pen. 17-18. 'Dywedodd Elias … wrth Ahab … "Cyn wired â bod Arglwydd Dduw Israel yn fyw … ni bydd na gwlith na gwlaw y blynyddoedd hyn ond yn ôl fy ngair i." ' (17:1) 'Ar fyr dro duodd yr awyr gan gymylau a gwynt, a bu glaw trwm …' (18:45)]

Efallai y bydd dy ymdriniaeth di yn cynnig ateb i amgylchiadau'r mudo.

I newid cywair, a ydyw enw Miss Ray Looker, Caerdydd, yn taro tant? Ei heiddo hi ydyw'r ysgrif ar fywyd a gwaith Pedr Fardd yn *Y Bywgraffiadur Cymreig Hyd 1940*. Mynn Miss Looker, yn groes i'r gred leol, mai ym Mrynengan y ganwyd ef, a ninnau'n ddiniwed argyhoeddedig mai Tan-yr-ogof, ar lethrau'r Garn, piau'r mawl a'r bri. Diarhebai'r diweddar J R Morris, llyfrwerthwr nid anenwog Y Bont Bridd, Caernarfon, gynt, nad ysgrifennwyd cofiant teilwng i'r gŵr hwn ag ystyried y deunydd crai a adawyd gan Arfonog (R W Roberts) a Bob Owen. Trysoraf gof cynnar o J R yn gwaradwyddo 'esgeulustod' O M druan yn nacau lle i Bedr Jones yng Nghyfres y Fil!

Dyna ddigon o grwydro. Terfynaf drwy ddymuno llwyddiant i'r cofiant ...

Cofion
Rhys

Nodyn golygyddol (gyda diolch i'r Dr Anne Elizabeth Williams, Clynnog Fawr, am y cyfeiriad):

'Ffordd Maughan' – 'Ffordd Môn' – 'Y Lôn Goed'
Yn ei gyfrol, *O Gwr y Lôn Goed* (Gomer, 1996, t. 29), ysgrifennodd yr awdur, Robin Williams, y nodyn diddorol hwn:

> 'Ffordd yw hi, welltog gan amlaf, gyda rheng o goed urddasol o'i deutu sy'n ymwáu trwy gefn gwlad dros waun a chors am bedair milltir a hanner helaeth. Mae hi'n cychwyn ar bwys golchdy ym mhentref Afon-wen, ac yn dod i ben ei thaith mewn unigeddau pell yng ngolwg Brynengan a Mynydd Cenin. Ei chynllunydd oedd John Maughan, a ddechreuodd ar ei fenter hynod yn y flwyddyn 1819 gan ddod i ben â'i dasg wedi naw mlynedd o galedwaith oedd yn gwbl anhygoel.'

Ar glawr ôl y gyfrol ychwanegwyd y sylw a ganlyn:

> 'Yn nauddegau'r ganrif ddiwethaf, bu gweithwyr y stiward, John Maughan, wrthi'n gosod cryn bum milltir o ffordd ar draws corstir gwyllt stad Mostyn yn Eifionydd. Am i filoedd o dderi a ffawydd gael eu plannu o'i deutu, gydag amser cafodd 'Ffordd Maughan' yr enw 'Lôn Goed'.'

Nodiadau

Rhagymadrodd

1. Gwasg Prifysgol Cymru, Caerdydd, 1935.
2. Barddas, 2007
3. Gw. Daniel Williams, *Beirdd y Gofeb*, Pwyllgor Cyffredinol y Gofeb, Llangollen, 1951, tt. 78-90. Ganed Gwilym Ceiriog yn Y Ddôl, Pandy Melin Deirw, Dyffryn Ceiriog, ond yn Llangollen y treuliodd ran helaeth o'i oes. Bu farw Thomas, ei fab, yn y Rhyfel Byd Cyntaf, a chyn hyn bu'n hiraethu am David Emrys, ei fab hynaf, a ymfudodd i'r Wladfa, a marw yn 24 mlwydd oed o'r teiffoid. Claddwyd ef ym mynwent y Gaiman. 'Iorwerth y Seithfed' oedd testun awdl fuddugol Gwilym Ceiriog yng Nghaerfyrddin. O gofio iddo foli'r brenin am ei heddychiaeth, addas iawn oedd y ffugenw a ddewisodd, sef 'Heddychwr'. Roedd prynhawn Iau y cadeirio yn llethol o boeth, 'a phedair mil ar ddeg o bobl ymron llesmeirio yn y gwres'. Meddai J J Williams:

   A minnau o'r Pentre pell
   Yma'n pobi mewn pabell!
   (*Beirdd y Gofeb*, t. 86)

4. Gw. *Y Bywgraffiadur Cymreig Hyd 1940*, t. 486.
5. *ibid.*, t. 451.
6. Cyhoeddwyd y garol yn ddiweddar gan Arfon Gwilym a Sioned Webb yn eu cyfrol, *Hen Garolau Cymru*; Cyhoeddiadau Gwynn, 2006.

7. Gwasg Gomer, Llandysul, 1980.
8. *The Bardic Chair. Y Gadair Farddol*, Saer Books, Cydweli, 2009.

1. O Eifionydd i Langollen: Teulu, Addysg a Gwaith

1. Cafwyd llawer o fanylion bywgraffyddol am Daliesin o Eifion, ei hynafiaid a'i deulu, gan Peter Jones, un o ymddiriedolwyr Amgueddfa Llangollen. Hefyd o'r gyfrol *Gweithiau Taliesin o Eifion (Bardd y Gadair Ddu)*, wedi eu casglu gan John Llewelyn Jones (ei fab), a'u golygu gan Wil Ifan, Wrecsam, 1922.
2. Guto Roberts, *Eifionydd*. Cyfres Broydd Cymru, 5; Gwasg Carreg Gwalch, 1998, tt. 97, 100-1.
3. *Gweithiau*, t. iv.
4. Gwybodaeth gan Peter Jones.
5. *Gweithiau*, t. v.
6. Ceir cyfeiriad at hynny yn y bras nodiadau Saesneg am fywyd a gwaith Taliesin o Eifion, gan berson dienw, sydd ar gadw yn Llyfrgell Genedlaethol Cymru. Gw. casgliad llawysgrifau Taliesin o Eifion, yn arbennig Llsg LlGC 9627 B.
7. Yn ôl Cyfrifiad 1841, roedd John Jones a'i deulu yn byw bryd hynny yn 'Church Street', Llangollen, a disgrifid ei waith fel 'plumber & painter'.
8. *Gweithiau*, t. v. Cafwyd gwybodaeth hefyd gan Dr David ac Enid Roberts, Bangor.
9. *Y Traethodydd*, 70, 1921, t. 57.
10. *Gweithiau*, t. v.
11. *Y Traethodydd*, 70, 1921, t. 57.
12. *Gweithiau*, t. v.
13. *Y Traethodydd*, t. 57.

14. *Gweithiau*, t. vi.
15. *ibid.*
16. Llsg LlGC 9616 E.
17. *Y Traethodydd*, 70, 1921, t. 57.
18. Ailgyhoeddwyd yr erthygl hon o *The Llangollen Advertiser*, Medi 1886, yn y cylchgrawn misol, *Glyn News . Newyddion o'r Glyn*, Awst 2010, tt. 15-16.
19. *Beirdd y Gofeb*, 1951, t. 67.
20. *Gweithiau*, t. 16.
21. *Beirdd y Gofeb*, t. 68.

2. Cartref, Priod a Phlant

1. *Gweithiau Taliesin o Eifion*, t. vi.
2. *Y Traethodydd*, 70, 1921, t. 57.
3. Rwy'n ddiolchgar i Peter Jones, Amgueddfa Llangollen, am y cyfeiriad hwn.
4. Rhuddenfab, *Cof a Chadw am Ŵyl Fawr 1858*, tt. 4, 16.
5. Tystiolaeth Peter Jones, Amgueddfa Llangollen.
6. 'Taliesin o Eifion', *Y Darlunydd*: 'Cyhoeddiad Misol y Bobl', rhif 9, cyf. 2, Medi 1877, t. 1.
7. *Y Traethodydd*, 70, 1921, t. 57. Priododd Caroline Matilda Kelly ac Edward Roberts, Mehefin 1854. Daeth eu mab, Samuel Judson Roberts, yn un o brif ddynion papurau newydd Kentucky. Ef oedd perchennog a golygydd y *Lexington Leader*. Bu farw Edward Roberts yn 1860 ac ailbriododd ei wraig â'i frawd, Caleb Roberts. Mab o'r briodas hon oedd Evan L Roberts, Gweriniaethwr amlwg. Yng Ngorffennaf 1897 fe'i hapwyntiwyd gan yr Arlywydd William McKinley yn 'Collector of Internal Revenue for the Seventh Kentucky District'. Gwybodaeth gan Peter Jones, Llangollen. Gw.

hefyd *A History of Kentucky and Kentuckians*, cyf. 2, 1912, t. 730.

8. Trevethin a nodir hefyd ar ffurflen Cyfrifiad 1871.
9. *Gweithiau*, t. iv.
10. *Y Traethodydd*, 70, 1921, t. 57.
11. AWC 43.259/1-2. Rwy'n arbennig o ddiolchgar i Elen Phillips, Amgueddfa Werin Cymru, am iddi fy nghyfeirio gyntaf at fodolaeth y wisg briodas hon ac am ei chymorth parod i'w disgrifio a thynnu ei llun.
12. *Gweithiau*, t. 218 (Atodiad).
13. *ibid.*, t. 219 (Atodiad).
14. *ibid.*, t. 36.
15. *ibid.*, t. 37.
16. Llsg LlGC 9615 D.
17. *Gweithiau*, t. 38.
18. *Dechrau Canu. Rhai Emynau Mawr a'u Cefndir*, Pen-y-bont ar Ogwr, 1987, t. 76.
19. *Gweithiau*, tt. 70-1.
20. *ibid.*, t. 71.
21. *ibid.*, t. iv.
22. Drwy gymorth Peter Jones, Llangollen. Ef hefyd a'm cyfeiriodd gyntaf at yr erthygl gan R E Roberts yn *The Llangollen Advertiser*, 4 Rhagfyr 1903, y buwyd yn dyfynnu ohoni yn y bennod hon.
23. *The Llangollen Advertiser*, 4 Rhagfyr 1903.
24. *ibid.*
25. Geraint a Zonia Bowen, *Hanes Gorsedd y Beirdd*, Barddas, 1991, tt. 306-7.
26. *ibid.*, t. 312.

27. *ibid.*, t. 289.
28. *ibid.*, t. 296.

3. Hiraeth am Fro ei Febyd

1. *Gweithiau Taliesin o Eifion*, tt. 43-4. Gw. hefyd Llsg LlGC 9627 B (toriad, di-ddyddiad, o'r *Faner*?).
2. *Beirdd y Gofeb*, t. 65.
3. T. 2. Dyma ffurf y paladr, fel y golygwyd yr englyn gan Wil Ifan:

   Yn Eifion mae'm henafiaid, – hunant
   Yno, 'rhen anwyliaid ...

4. *Y Traethodydd*, 70, 1921, t. 58.
5. *Gweithiau*, t. 69.
6. *ibid.*, t. 34.
7. *ibid.*, t. 62.
8. *ibid.*, t. 38.

4. Pysgota a Dal Cwningod; Tlodi a Chystudd; Personoliaeth a Chymeriad

1. *Gweithiau Taliesin o Eifion*, t. vi.
2. *ibid.*, t. 9.
3. *ibid.*, tt. 80-6.
4. *ibid.*, t. 32.
5. *ibid.*, t. 33.
6. *ibid.*, t. viii.
7. *ibid.*, t. 17.
8. *Beirdd y Gofeb*, t. 70.
9. *Gweithiau*, tt. viii, 53-5.

10. *Cof a Chadw am Ŵyl Fawr 1858*, tt. 3, 4, 16. Nid oes sicrwydd pa dŷ yn Llangollen yn union ydoedd.
11. Toriad (o'r *Faner*?) ymhlith papurau Taliesin o Eifion yn Llyfrgell Genedlaethol Cymru, Llsg LlGC 9627 B.
12. *Y Darian*, 8 Mawrth 1923, t. 8. Sylwer bod sylw'r myfyriwr o'r Athrofa sy'n cyfeirio at yr englynion, 'Oriau Olaf Iesu Grist': 'ac yr wyf yn cofio'u darllen ar y pryd yn ei lawysgrif ...', yn wahanol i dystiolaeth John Llewelyn, mab Taliesin, a ddyfynnwyd eisoes. Dywed ef mai ei 'chwaer' a ysgrifennodd yr englynion, oherwydd fod ei thad yn rhy wael ar y pryd.
13. *Baner ac Amserau Cymru*, 10 Mehefin 1876, t. 4.
14. *Y Traethodydd*, 70, 1921, t. 58.
15. *ibid.*, t. 59.
16. *Y Darlunydd*: 'Cyhoeddiad Misol y Bobl', rhif 9, cyf. 2, Medi 1877, t. 1.

5. Yr Awen ar Waith o Ddydd i Ddydd: Barddoni a Difyrru

1. Llsg/au LlGC 9615 D; 9616 E; 9617 C; 9618 D; 9619 E; 9620 E; 9627 B.
2. *Gweithiau Taliesin o Eifion*, t. iii.
3. *Baner ac Amserau Cymru*, 28 Chwefror 1868, t. 11, colofn 1.
4. *ibid.*
5. *ibid.*
6. *ibid.*
7. *ibid.*, colofn 3.
8. *Gweithiau*, t. 72.
9. *ibid.*, t. 11.
10. *ibid.*, t. 10.

11. *ibid.*, t. 15.
12. *ibid.*, t. vi.
13. *ibid.*, t. 7.
14. Fel hyn y mae Wil Ifan wedi golygu'r llinell gyntaf: 'Dyrch, dyrch, i'r entyrch yr aeth ...'. Ond drwy newid 'drych (edrych) yn 'dyrch' y mae'r ystyr bellach yn wahanol a'r elfen o dad yn siarad gyda'i fab wedi'i cholli.
15. *Cof a Chadw*, t.3. 'Sioned Olfur' [Olfur gydag u nid y] yw pennawd yr englyn gan Wil Ifan yn *Gweithiau*, t. 4, a dyma'r is-bennawd sydd yno: 'A anfonwyd at Mr J D Jones, Ruthyn (Sioned Olfur), i erfyn arno gynorthwyo ynglŷn â ffurfiad Côr ar gyfer Eisteddfod Fawr Llangollen, 1858.'
16. *Gweithiau*, t. 14.
17. *ibid.*
18. *ibid.*, t. 16.
19. *ibid.*, t. 27.
20. *ibid.*, t. 8.
21. *ibid.*, t. 11.
22. *ibid.*
23. *ibid.*, t. 134.
24. *ibid.*, tt. 23-4.
25. *ibid.*, tt. 140-1.

6. Pob Dim yn Destun Cân: Byd Natur a'r Byd o Gwmpas; Dathlu, Cyfarch a Chydymdeimlo

1. *Gweithiau Taliesin o Eifion*, tt. 49-50.
2. *ibid.*, tt. 147-8.
3. *ibid.*, tt. 73-4.
4. *ibid.*, t. 79.

5. *ibid.*, t. 60.
6. *ibid.*, tt. 138-9.
7. *ibid.*, t. 57.
8. *ibid.*, t. 19.
9. *ibid.*, t. 63.
10. *ibid.*, t. 73.
11 *ibid.*, t. 19.
12. *ibid.*
13. *ibid.*
14. *ibid.*, t. 14.
15. *ibid.*, tt. 8-9.
16. *ibid.*, t. 1.
17. *ibid.*, t. 2.
18. *ibid.*
19. *ibid.*, t. 4.
20. *ibid.*, tt. 141-2.
21. *ibid.*, t. 22.
22. *ibid.*, t. 60.
23. *ibid.*, t. 59.
24. *ibid.*
25. *ibid.*, t. 60.
26. *ibid.*, t. 17.
27. *ibid.*, t. 17.
28. *ibid.*, t. 49.
29. *ibid.*, t. 18.
30. *ibid.*, t. 45.
31. *ibid.*, t. 2.

32. *ibid.*, tt. 204-10.
33. *ibid.*, t. 42.
34. *ibid.*, t. 2.
35. *ibid.*, t. 1.
36. *ibid.*, t. 45. Digwydd y llinell 'Englyn a thelyn a thant' mewn englyn gan Edward Morris (1607-89), Perthillwydion, y bardd-borthmon o Gerrigydrudion. Gw. y nodyn 'Y Bardd a'r Pladurwyr', gan Hugh Hughes, yn *Barddoniaeth Edward Morris, Perthi Llwydion*, Lerpwl, 1902, t. 84.
37. Huw Morys, 'Eos Ceiriog' (1622-1709).
38. *Gweithiau*, tt. 139-40.
39. *ibid.*, tt. 142-3.
40. *ibid.*, tt. 26-7.
41. *ibid.*, t. 6.
42. *ibid.*
43. *ibid.*
44. *ibid.*, t. 28.
45. *ibid.*, t. 30.
46. *ibid.*, t. 31.
47. *ibid.*, t. 29.
48. John Milner, *Slates from Glyn Ceiriog*, tt. 22, 86.
49. *Gweithiau*, tt. 29-30.
50. *ibid.*, t. 4.
51. *ibid.*, t. 3: Gwell nodi mai Edmund Peel (nid Robert Peel, y cyn-Brif Weinidog), oedd y gŵr hwn a gurwyd gan E M Lloyd-Mostyn yn etholiad 1847 (nid 1842). (Gw. W R Williams, *The Parliamentary History of Wales*, 1895.) Rwy'n ddiolchgar iawn i Tegwyn Jones, Bow Street, am y nodyn hwn.

52. *ibid.*, t. 28.
53. *ibid.*, t. 5.
54. *ibid.*, t. 3.
55. *ibid.*
56. *ibid.*, t. 25.
57. *ibid.*, t. 3.
58. *ibid.*, t. 22.
59. *ibid.*, t. 59.
60. *ibid.*, t. 5.
61. Am wybodaeth bellach parthed gweithgarwch eisteddfodol Myfyr Morgannwg, gw. Geraint a Zonia Bowen, *Hanes Gorsedd y Beirdd*, yn arbennig pennod 8, tt. 167-95.
62. *Cof a Chadw am Ŵyl Fawr 1858*, t. 1.
63. *Gweithiau*, t. 5.
64. *ibid.*, t. 31.
65. *ibid.*, tt. 10-14.
66. *ibid.*, t. 12.
67. *ibid.*, t. 4.
68. *ibid.*, t. 10.
69. *ibid.*, t. 12.
70. *ibid.*, t. 37.
71. *ibid.*, tt. 144-5.
72. *ibid.*, tt. 216-18.
73. *ibid.*, t. 34.
74. *ibid.*
75. *ibid.*, t. 10.
76. *ibid.*, t. 28. Rwy'n ddiolchgar i Vivian Parry Williams, Blaenau Ffestiniog, am wybodaeth parthed plant Owen Gethin Jones.

Gw. hefyd ei gyfrol, *Owen Gethin Jones, Ei Fywyd a'i Feiau*, Gwasg Carreg Gwalch, Llanrwst, 2000.

77. *ibid.*, t. viii.
78. *ibid.*, t. 149.
79. Gw. David Williams, *Cofiant y Parch. R Ellis (Cynddelw)*, Caerfyrddin, 1935. (Dyma un o gofiannau gorau'r bedwaredd ganrif ar bymtheg a hanner cyntaf yr ugeinfed ganrif.)
80. *Gweithiau*, tt. 38-9.

7. 'Cymru Lân, Cymru Lonydd': Crefydd, Cymreictod a Hen Hanes; Rhagor o Gerddi Taliesin

1. *Gweithiau Taliesin o Eifion*, t. 9.
2. *ibid.*, t. 13.
3. *ibid.*, t. 18.
4. *ibid.*, tt. 194-203.
5. *ibid.*, t. 153.
6. *ibid.*, tt. 130-1.
7. *ibid.*, t. 16.
8. *ibid.*, tt. 46-7.
9. *ibid.*, tt. 131-3.
10. *ibid.*, t. 133.
11. *ibid.*, tt. 47-8.
12. *ibid.*, t. 48.
13. *ibid.*, t. 18.
14. *ibid.*, t. 22.
15. *ibid.*, t. 16.
16. *ibid.*

17. *ibid.*, t. 15.
18. *ibid.*, tt. 143-4.
19. *ibid.*, t. 14.
20. *ibid.*, t. 1.
21. *ibid.*, t. 130.
22. *ibid.*, t. 5.
23. *ibid.*, t. 6.
24. *ibid.*, t. 20.
25. *ibid.*, t. 91.
26. *ibid.*, t. 5.
27. *ibid.*, tt. 61-2.
28. *ibid.*, t. 62.
29. *ibid.*, tt. 142-3.
30. '*Gŵyl Gwalia': Yr Eisteddfod Genedlaethol yn Oes Aur Victoria: 1858-1868*, Llandysul, 1980, t. 449, troed nodyn 102.
31. *Baner ac Amserau Cymru*, 20 Medi 1865. Dyfynnir yn '*Gŵyl Gwalia*', t. 449.
32. *Y Cymmrodor*, 1 (1877), t.71.
33. '*Gŵyl Gwalia*', t. 363.
34. Llsg LlGC 9627 B. Toriad di-ddyddiad o'r *Faner*.
35. *Gweithiau*, tt. 161-82.
36. *ibid.*, t. 61.
37. *ibid.*, tt. 65-8.
38. *ibid.*, tt. 135-7.
39. *ibid.*, tt. 204-10.
40. *ibid.*, tt. 183-93.
41. *ibid.*, t. 193.

42. *ibid.*, tt. 154-60.
43. *ibid.*, t. 7.
44. *ibid.*, t. 15.
45. *ibid.*, t. 17.
46. *ibid.*, t. 18. Os gŵyr rhywun i sicrwydd pwy yw'r awdur, byddwn yn ddiolchgar iawn am gael gwybod.
47. *ibid.*, t. 35.
48. *ibid.*, t. 58.
49. *ibid.*, t. 18.
50. *ibid.*, tt. 124-53.

8. Hen Gerddi Llafar Gwlad: 'Simon Llwyd y Foty' a'r 'Saer a'r Teiliwr'

1. *Gweithiau Taliesin o Eifion*, t. 129.
2. Derbyniwyd y ddalen deipysgrif yn rhodd gan Rhiannon Williams, Caerdydd, yn 1965. Ni chofiai o ble y cafodd hi'r copi.
3. *Gweithiau*, t. vii.
4. H. Humphreys, Caernarfon, d.d., t. 80.
5. Cwmni y Cyhoeddwyr Cymreig, Caernarfon, d.d., cyf. 1, tt. 254-6.
6. Cyfres 3, H. Evans, Y Bala, tt. 2-3.
7. *Gweithiau*, tt. 150-2.
8. Tapiau AWC, 4068-75.
9. Gw. Robin Gwyndaf, 'Robert Pierce Roberts a Chân y Wasgod Goch', *Canu Gwerin*, rhif 9, 1986, tt. 30-46.
10. *Y Wasgod Goch. Caneuon Llafar Gwlad Robert Pierce Roberts, Llanddulas.* Cyflwynydd: Robin Gwyndaf. Cyfres Casetiau Amgueddfa Werin Cymru, rhif 11, Gorffennaf 1995. I wrando

ar 'Simon Llwyd o'r Foty', gw. Tâp 1, ochr B, eitem 6. Rhifau tâp archif AWC a'r adysgrifau yw 4069-70.

11. Pentref bychan ger Brymbo, Wrecsam.

12. *Gweithiau*, tt. 124-5.

13. Tâp AWC 4070.

14. I wrando ar y gân ar gasetiau'r 'Wasgod Goch', gw. Tâp 2, ochr B, eitem 6. Rhif tâp archif AWC a'r adysgrif yw 4073.

15. *Cyfaill yr Aelwyd*, cyf. 3, t. 48. Gw. hefyd Tegwyn Jones, *Tribannau Morgannwg*, Gwasg Gomer, Llandysul, 1976, t. 84, rhif 184.

16. Y ddau driban hyn o gasgliad rhigymau a hwiangerddi yn Amgueddfa Werin Cymru.

17. Ffeil 'Y Saer a'r Teiliwr', ar gadw yn Archif Llên Gwerin, Amgueddfa Werin Cymru.

18. *Y Bedol*, Tachwedd 1982; Llsg AWC 2038/132. Ym mhennill 4, llinell 1, 'Mewn trowsus brith a gwasgod wen...' yw fersiwn Llsg AWC 2038/132, nid 'Mewn trowsus du a gwasgod wen...'

9. 'Eisteddfod Fawr Llangollen', 1858

1. Gw. Mair Elvet Thomas, *Afiaith yng Ngwent. Hanes Cymreigyddion y Fenni, 1833-1854*, Caerdydd, 1978.

2. Gw. James Kenward, *An Account of the Life and Writing of the Rev. John Williams, Ab Ithel*, 1871. Hefyd erthygl G J Jones yn *Y Traethodydd* (1968) a Mary Ellis, yn *Yr Haul* (Gwanwyn, 1983).

3. *Taliesin*, 1, 1859, t. 12.

4. Geraint a Zonia Bowen, *Hanes Gorsedd y Beirdd*, 1991, t. 157.

5. *ibid.*, t. 159.

6. *Yr Amserau*, 15 Gorffennaf 1857. Gw. hefyd *Hanes Gorsedd y Beirdd*, t. 157.
7. Dyfynnir drwy garedigrwydd Hedd ap Emlyn, Yr Wyddgrug, perchennog y llythyr.
8. *Hanes Gorsedd y Beirdd*, t. 161.
9. Dyfynnir o gofiant James Kenward i Ab Ithel gan Geraint a Zonia Bowen, *ibid.*, t. 161.
10. *ibid.*
11. *ibid.*, t. 164.
12. *ibid.*
13 *ibid.*
14. *ibid.*
15. *John Ceiriog Hughes. Ei Fywyd, ei Athrylith, a'i Waith*, Lerpwl, 1887, tt. 44-6.
16. *ibid.*, t. 46.
17. *Cof a Chadw am Ŵyl Fawr 1858*, t. 2.
18. *ibid.*
19. *ibid.*, tt. 3-4.
20. *ibid.*, t. 4.
21. *ibid.*, t. 2.
22. *ibid.*
23. *ibid.*
24. *The Cambrian Journal*, 1858, t. 287. Cyhoeddwyd rhestr cystadlaethau Eisteddfod Llangollen, 1858, yn *Y Cymmrodor*, 1913, tt. 179-80.
25. *Gweithiau Taliesin o Eifion*, t. 3.
26. *Y Darlunydd*, Medi 1877, t. 1.
27. *The North Wales Chronicle*, 30 Awst 1862, t. 6.

28. *ibid.*
29. *Hanes Gorsedd y Beirdd*, tt. 200, 202
30. *Y Cymmrodor*, 1913, t. 179.
31. Taliesin Williams, Ab Iolo, gol., *Iolo Manuscripts*, Liverpool, 1888, t. 206.
32. *ibid.*
33. *ibid.*
34. Rhif LlGC Rhôl 107.
35. Rhifau AGC 00.107 ac AWC F 68.431/1.
36. Llyfrbryf, *John Ceiriog Hughes*, tt. 48-9.
37. Cyhoeddir y tri llythyr gyda chaniatâd caredig Hedd ap Emlyn, Yr Wyddgrug.
38. *ibid.*
39. *ibid.*
40. *The Cambrian Journal*, 1858, t. 287.
41. Rwy'n arbennig o ddiolchgar i Peter Alexander, Rheolwr Guradur, Gwasanaeth Treftadaeth Sir Ddinbych, Rhuthun, am fynd i chwilio ar fy rhan ym Mhlas Newydd am y ddwy beithynen, a chael hyd iddynt, ac yna rhoi pob gwybodaeth bosibl imi amdanynt.
42. Derbyniwyd y dyfyniad o'r *Llangollen Chronicle* drwy garedigrwydd Peter Jones, Amgueddfa Llangollen. Agorwyd Plas Newydd gan y Cyrnol R W Williams Wynn. Am ragor o hanes agor Plas Newydd i'r cyhoedd, gw. *Llangollen Chronicle*, 26 Mai 1933. Am grynodeb o araith 'Mr Iorwerth C Peate', Amgueddfa Genedlaethol Cymru, ar y testun: 'How to Create and Maintain a Living Museum at Plas Newydd', gw. *Llangollen Chronicle*, 16 Mai 1933.
43. Fy mraint i oedd trefnu i gyflwyno oddeutu 1500 eitem o lawysgrifau a phapurau Gwenith Gwyn i'r Llyfrgell

Genedlaethol, paratoi catalog o'r casgliad, a chyhoeddi erthygl ar ei gyfraniad. (Gw. *Trafodion Cymdeithas Hanes y Bedyddwyr*, 1980.)

44. Ceir llun o'r 'cancr' yn ei gyfrol, *Collen, Cyllell a Chorn*, 'Llyfrau Llafar Gwlad', 32, Gwasg Carreg Gwalch, Llanrwst, 1995, t. 13. Dyma ddisgrifiad yr awdur: 'Enghraifft o "draed cathod". Rhyw fath o gancr ar bren ydyw, gyda mân geinciau yn tyfu ohono. Bydd yn ymddangos yn glapiau ar bren derw a llwyfen gan amlaf.' Rwy'n ddiolchgar i Eleri, fy mhriod, am y gair 'crogod' i ddisgrifio'r pren.

45. Carwn ddiolch yn ddiffuant iawn i Emyr Davies, Amgueddfa Werin Cymru, am ei gymorth amhrisiadwy i ddisgrifio'r beithynen hon.

46. Enw ei gartref yn Nôl-y-wern oedd Glan-y-wern. Dywedir iddo gofnodi ei wybodaeth helaeth am ddiwylliant gwerin Dyffryn Ceiriog ac ardal Llangollen mewn deuddeg cyfrol drwchus. Diogelwyd tair o'r cyfrolau gwerthfawr hyn. Gw. Llsg/au AWC 3021 a 3088. Os gŵyr rhywun i ble yr aeth y gweddill, mawr ddiolch am roi gwybod imi. Am ei nodyn byr hunangofiannol, gw. Llsg AWC 2872.

10. 'O Steddfod i Steddfod ...': Canu Penillion, Annerch a Chystadlu

1. *Gweithiau Taliesin o Eifion*, t. 133.
2. *ibid.*, tt. 20-1.
3. *ibid.*, t. 25.
4. *ibid.*, t. 46.
5. *Baner ac Amserau Cymru*, 30 Mehefin 1866, t. 3.
6. Am ymdriniaeth bellach â gwerth cyfarfodydd cystadleuol, megis yr un a gafwyd yng Nghefn-mawr, 24, 26 Rhagfyr 1864,

gw. Robin Gwyndaf, *Y Ffynnon Arian: Cymdogaeth, Diwylliant a Chapel yn Llangwm, Uwchaled*, cyf. 1, 1996, pennod 8, tt. 191-207: 'Eisteddfod, Gŵyl ac Ymryson', a phennod 9, tt. 208-225: 'Cwarfod Bach Capel y Cefn'.

7. *Baner* ..., 4 Ionawr 1865, t. 10.
8. *ibid.*
9. *Gweithiau*, t. 15. (Ceir 'y' o flaen 'Sais' fel y golygwyd yr englyn gan Wil Ifan.)
10. *ibid.*, t. 43.
11. *ibid.*, t. 41.
12. *Baner* ..., 12 Medi 1866, t. 5.
13. *Gweithiau*, t. 61.
14. *Baner* ..., 12 Medi 1866, t. 5.
15. *ibid.*
16. *ibid.*
17. *Gweithiau*, tt. 63-4.
18. *Baner* ..., 4 Gorffennaf 1874.
19. *ibid.*
20. *ibid.*
21. 'Archdderwyddon', disgrifiad o'r archdderwyddon cynnar yn rhaglen flynyddol Gorsedd y Beirdd ar achlysur Cyhoeddi'r Eisteddfod Genedlaethol.
22. *Gweithiau*, t. 53.
23. Llsg LlGC 9618 D.
24. *The North Wales Chronicle*, 2 June 1855.
25. *ibid.*
26. *ibid.*
27. *Baner* ..., 19 Medi 1866.

28. *Y Goleuad*, 18 Ionawr 1873, t. 11.
29. *ibid.*
30. Carwn ddiolch o galon i Elizabeth Bowen Roberts, Llangollen, perchennog y medalau, am gael eu benthyg ar gyfer paratoi'r gyfrol hon.
31. *Hanes Gorsedd y Beirdd*, t. 217.
32. *Gweithiau*, t. viii.
33. *ibid.* tt. 161-82.
34. *ibid.* tt. 135-7.
35. *ibid.* tt. 53-5.
36. *ibid.* tt. 216-18.
37. *ibid.* tt. 204-10.
38. *ibid.* t. 34.
39. *ibid.* tt. 75-86.
40. *ibid.* tt. 194-210.
41. *ibid.* tt. 106-23.
42. *ibid.* tt. 126-7.

11. 'Ffarwel Tal ...' Awdl Olaf Taliesin a Marwolaeth y Bardd

1. *Gweithiau Taliesin o Eifion*, tt. 106-23. Gw. hefyd Llsg LlGC 9618 D, sef copi yn llawysgrifen Taliesin o'r awdl 'Hellen Llwyddawg'. (Sylwer ar y sillafiad 'Hellen'.) Copi arall, taclusach, yn llaw Benjamin Humphreys, a anfonwyd i'r gystadleuaeth.
2. *Geiriadur Prifysgol Cymru*, cyf. I, tt. 2232-3.
3. *ibid.*, cyf. I, t. 1283.
4. Meic Stephens, gol., *Cydymaith i Lenyddiaeth Cymru*, Caerdydd, 1997, tt. 110, 122, 228. Gw. hefyd Charles Kightly, *Folk Heroes of Britain*, 1982; Rachel Bromwich, *Trioedd Ynys Prydein*,

Caerdydd, 3ydd arg., 1998; P C Bartrum, *A Welsh Classical Dictionary*, 1993.

5. Llsg LlGC 9620 E.
6. *Gweithiau*, t. 108.
7. *ibid.*, t. 115.
8. *ibid.*, t. 8.
9. *ibid.*
10. *ibid.*, t. 121.
11. *ibid.*, t. 122.
12. *ibid.*, t. 54.
13. *ibid.*, t. 122.
14. *ibid.*, t. 123. Daw'r dyfyniad o chwedl 'Culhwch ac Olwen' yn y gyfrol *Y Mabinogion: Diweddariad*, gan Dafydd a Rhiannon Ifans, Gwasg Gomer, Llandysul, 1980, t. 93. Cyfeiriad at 'dair meillionen' sydd gan Daliesin.
15. *Gweithiau*, t. 123.
16. Llsg LlGC 9618 D.
17. Cyhoeddwyd yr awdl gan Isaac Foulkes, 'Llyfrbryf', yn ei gyfrol *John Ceiriog Hughes: Ei Fywyd, Ei Athrylith a'i Waith*, Lerpwl, 1887, ac ar wahân yn *John Ceiriog Hughes, Yr Oriau Olaf*, tt. 60-78.
18. *Y Darlunydd*, rhif 9, cyf. 2, Medi, 1877, t. 1.
19. *Y Traethodydd*, 70, 1921, tt. 56-64.
20. *Y Darlunydd*, rhif 9, cyf. 2, Medi, 1877, t. 1.
21. 'i'r Ysgrifenydd' oedd cynnig cyntaf Benjamin Humphreys. Dilëwyd y gair 'Ysgrifenydd' a chynhwyswyd y gair 'gystadleuaeth' uwch ei ben.
22. *Gweithiau*, t. 123.
23. *Y Darian*, 8 Mawrth 1923, t. 8.

24. *The Llangollen Advertiser*, 2 Mehefin 1876. Gw. hefyd *The Wrexham Advertiser*, 10 Mehefin 1876.
25. *Baner ac Amserau Cymru*, 10 Mehefin 1876, t. 4. Ieuan o Leyn oedd y Parchg J H Hughes.
26. *Y Traethodydd*, cyf. 70, 1921, t. 64.

12. Eisteddfod Genedlaethol Wrecsam, 1876

1. *Baner ac Amserau Cymru*, 30 Awst 1876, t. 1.
2. *ibid.*, t. 5.
3. *ibid.*, t. 1.
4. Am ragor o wybodaeth am y personau a enwir yn y rhestr hon, gw. *Y Bywgraffiadur Cymreig Hyd 1940* a Geraint a Zonia Bowen, *Hanes Gorsedd y Beirdd.*
5. *Baner ac Amserau Cymru*, 30 Awst 1876, t. 1.
6. *ibid.*, tt. 1, 4.
7. *ibid.*, t. 4.
8. *Y Bywgraffiadur Cymreig*, tt. 345-6.
9. *Baner ac Amserau Cymru*, 30 Awst 1876, t. 4.
10. *ibid.*
11. *ibid.*
12. *ibid.*
13. *ibid.*
14. *ibid.*
15. *ibid.*, tt. 4-5.
16. *ibid.*, t. 5.
17. *ibid.*
18. *ibid.*
19. *ibid.*

20. *ibid.*
21. *ibid.*
22. *ibid.*
23. *ibid.*
24. *ibid.*, t. 6.
25. *ibid.*
26. *ibid.*
27. *ibid.*
28. *ibid.*, tt. 5-6.
29. *ibid.*, t. 6.
30. *ibid.*

13. Cadeirio Bardd y Gadair Ddu Gyntaf

1. Gw. hefyd gyfnodolion eraill, megis *Seren Gomer*, sy'n adrodd hanes marw Taliesin a defod y cadeirio.
2. Am ragor o hanes Eusebius, gw. y *Catholic Encyclopedia*.
3. *Baner ac Amserau Cymru*, Mercher, 30 Awst 1876, t. 5. Afraid dweud, englynion tila iawn yw rhain gan Richard Parry, 'Gwalchmai', ac fe wêl y cyfarwydd fod gwall cysodi yn ail linell yr englyn cyntaf ac yn llinell olaf y trydydd englyn. Hefyd dylid ychwanegu mai 'A dawn bardd ...', nid 'A da'n bardd ...' (trydedd linell yr englyn cyntaf) a geir yn y fersiwn a gyhoeddwyd yn *The Llangollen Advertiser*, 1 Medi 1876.
4. *Baner ...*, 30 Awst 1876, t. 1.
5. Gw. nodyn 3 uchod.
6. *The Llangollen Advertiser*, 1 Medi 1876.
7. *Y Darlunydd*, rhif 9, cyf. 2, Medi 1877, t. 1.
8. *Y Darian*, 8 Mawrth 1923, t. 8.
9. 'Awdl y Gadair Ddu', *Cymru*, cyf. 21, 1901, t. 285.

10. *ibid.*
11. *Ceninen Gŵyl Dewi*, Mawrth 1893, tt. 64-8.
12. *Wales*, cyf. 1, 1894, tt. 126-8.

14. Cadeiriau Barddol Wrecsam (1876), Lerpwl (1884), Llundain (1887), a Theulu Nodedig o Seiri Coed

1. *Baner ac Amserau Cymru*, 30 Awst 1876, t.5.
2. *The Llangollen Advertiser*, 25 Awst 1876.
3. Drwy garedigwydd Peter Jones, Llangollen, cefais weld y cofnod o briodas Elizabeth Myfanwy. Sillefir ei henw yno fel 'Elizabeth Myfanne Fechan'. Tybed ai camgymeriad yw 'Fechan' am 'Fychan'?
4. Yn ogystal â diolch i Hilary Roberts, rwy'n ddiolchgar iawn hefyd i Becky Williams, Amgueddfa Cymru, am bob cymorth wrth drefnu i dynnu'r llun. Ei faint yw: 22 cm (uchder) a 17 cm (lled).
5. Richard Bebb a Sioned Williams, *The Bardic Chair. Y Gadair Farddol*, Saer Books, Cydweli, 2009, t. 2.
6. Enghraifft o gadeiriau derw cain a wnaed ar gyfer eisteddfodau lleol yw gwaith y saer coed o Lanuwchllyn, Thomas Gittins Owen. Gw. *Y Gadair Farddol*, t. 7.
7. Rwy'n mawr werthfawrogi sylwadau adeiladol Duncan Brown. Gellid dyfynnu, yn ogystal, nodyn gan y Dr W T R Pryce mewn erthygl y cawn roi sylw iddi eto: 'Eisteddfod Chairs – Made in Llangollen?', *Planet*, 199, 2010, tt. 119-127. Cyfeirio y mae at y cadeiriau a wnaed, y mae'n dra thebygol, yn Llangollen, ar gyfer 'Eisteddfod Gadeiriol Rhymni', y gyfres o eisteddfodau a gynhaliwyd yng Ngwent, 1899-1913.

'Central parts of the chair backs (originally showing a motif such as a grape vine) were cut away to provide a place where a new panel could be inserted containing details of a specific eisteddfod.' (tt. 123-4)

8. *Transactions of the Royal National Eisteddfod of Wales, Liverpool, 1884*, t. lviii.

9. Derbyniwyd y manylion bywgraffyddol hyn drwy garedigrwydd Peter Jones, Llangollen.

10. Gw. *The Bardic Chair. Y Gadair Farddol*, tt. 107-9; W T R Pryce, 'Eisteddfod Chairs – Made in Llangollen?', *Planet*, 199, 2010, t. 126.

11. Gw. Dewi E Lewis, *Enwau Adar*, Cyfres Llyfrau Llafar Gwlad, Gwasg Carreg Gwalch, Llanrwst, 1994, tt. 30, 48; Bruce Griffiths a Dafydd Glyn Jones, *Geiriadur yr Academi*, 1995, t. 306.

12. *Transactions of the Royal National Eisteddfod of Wales, Liverpool, 1884*, edited by William R Owen, Literary Secretary, t. lix.

13. Ei rhif derbynodi yw AWC 23.146/2.

14. *Transactions ... Liverpool, 1884*, t. lix.

15. *ibid.*, t. lxvii.

16. Rwy'n ddiolchgar iawn i Iwan ap Dafydd, Llyfrgell Genedlaethol Cymru, ac i Pamela Raman, Swyddfa'r Arglwydd Faer, Neuadd y Ddinas, Lerpwl, am y cyfeiriad hwn.

17. Am lun o'r gadair hon a chadair Caernarfon, 1894 (eto a gynlluniwyd gan T Griffith Thomas), gw. *The Bardic Chair. Y Gadair Farddol*, tt. 84, 98.

18. *The Liverpool Mercury*, 21 Medi 1900.

19. *Y Gadair Farddol*, t. 99. Am lawer o gymorth wrth ymchwilio i hanes y ddwy gadair farddol yn Neuadd y Dref, Lerpwl, carwn ddiolch yn fawr i Pamela Raman, Swyddfa'r Arglwydd Faer.

20. Carwn ddiolch o galon i Peter Jones, Llangollen ac i'r Dr David ac Enid Roberts, Bangor, am eu cymorth amhrisiadwy wrth imi ysgrifennu braslun o hanes y teulu o seiri coed Llangollen. Diolch lawer hefyd i Hilary a Russell Roberts, Caerdydd.

21. *Y Gadair Farddol*, tt. 107-09; *Planet*, 199, 2010, tt. 119-22. Diolchaf i'r Dr Sioned Williams am dynnu fy sylw gyntaf at yr erthygl hon.

22. Gwelir ei llun yn *Y Gadair Farddol*, t. 108.

23. *ibid.*, t. 107.

24. Am luniau o gadeiriau Eisteddfodau Rhymni, gw. *Planet*, 199, 2010, tt. 121, 123-25. Am lun o gadair Eisteddfod 1903, gw. *Y Gadair Farddol*, t. 106.

25. Dyma union eiriad yr hysbyseb a ymddangosodd yn Rhestr Testunau Eisteddfod Cadair Gwent, Rhymni. Gwent Chair Eisteddfod. Dydd Mawrth y Sulgwyn, Mai 28, 1912. Cyhoeddwyd yr hysbyseb ac wynebddalen clawr y Rhestr Testunau hefyd yn *Y Gadair Farddol*, t. 109.

26. *Planet*, *ibid.*, tt. 122-23.

27. Carwn ddiolch o galon i Alwena ac Arthur Keith Avery am eu croeso a'u parodrwydd i'm cynorthwyo. Diolch hefyd unwaith eto i Peter Jones, Llangollen, a roddodd imi lawer o fanylion bywgraffyddol am deulu'r Avery.

15. Dirgelwch y Cadeirio. Pwy Oedd Gwir Enillydd y Gadair yn Eisteddfod Wrecsam, 1876? Ai Taliesin o Eifion? Ai Elis Wyn o Wyrfai?

1. *Y Geninen*, cyf. 14, rhif 2, Ebrill 1896, t. 152.

2. *ibid.*

3. *Yr Herald Cymraeg*, 26 Medi 1922, t. 6.

4. *ibid.*
5. *ibid.*
6. *ibid.*
7. *ibid.*, 10 Hydref 1922, t. 6.
8. *ibid.*
9. *ibid.*, 31 Hydref 1922.
10. *ibid.*, 14 Tachwedd 1922, t. 6.
11. *ibid.*
12. *ibid.*, 21 Tachwedd 1922.
13. *ibid.*, 5 Rhagfyr 1922.
14. *ibid.*
15. *ibid.*
16. *Y Darian*, 15 Chwefror 1923, t. 8.
17. *ibid.*, t. 3.
18. *ibid.*, 1 Mawrth 1923, t. 5.
19. *ibid.*, 22 Chwefror 1923, t. 1.
20. *ibid.*
21. Onid 'tair wythnos yn ôl' ddylai hyn fod, sef 15 Chwefror 1923? Yn y rhifyn hwnnw ceir crynodeb o brif ddadleuon 'Casnodyn' o blaid cefnogi honiad Bleddyn.
22. *Y Darian*, 8 Mawrth 1923, t. 8.
23. *ibid.*, 22 Mawrth 1923, t. 1.
24. *ibid.*, 29 Mawrth 1923, t. 3.

16. Symbolaeth, Defod a Pharhad Traddodiad: Cofio Taliesin; Drysu Rhwng Dwy Gadair; a Hynt y Gadair Ddu Gyntaf, 1876-2011 (Llangollen – Caerffili – Llangollen – Wrecsam – Catalonia – Wrecsam – Rhuthun – Llangollen)

1. *Eisteddfod Frenhinol Genedlaethol Cymru. The Royal National Eisteddfod of Wales. Wrexham, Sept. 2, 3, 4, 5, 6 & 7, 1912: The Official List of Subjects and Prizes*, tt. 9-13.
2. Ceir copi ar gadw, er enghraifft, yn Llyfrgell Genedlaethol Cymru, Amgueddfa Werin Cymru ac Archifdy Gwynedd.
3. 'Defion': arferion, hawliau.
4. *Beirdd y Gofeb*, tt. 5-6.
5. Rwy'n ddiolchgar i Peter Jones, Amgueddfa Llangollen, am y wybodaeth hon.
6. Gyda 'v' nid 'ph' y sillefir y cyfenw gan T Stevens ei hun.
7. Diolchaf i Peter Jones, am fy nghyfeirio at yr adroddiad hwn yn *The Llangollen Advertiser.*
8. Rhif 45 ar Fap Degwm 1841.
9. Rhif 111 ar Fap Degwm 1841.
10. Rhifau 110 a 112 ar Fap Degwm 1841. Diolchaf eto i Peter Jones am y cyfeiriadau uchod yn nodiadau 8-10.
11. *The Llangollen Advertiser*, 12 Medi 1902; 21 Awst 1903. Gw. hefyd rifyn 21 Hydref 1898.
12. *ibid.*, 21 Awst 1903.
13. Bu Martha Roberts farw 24 Mai 1943 yn 84 blwydd oed, ac fe'i claddwyd ym Mynwent y Ddôl, Eglwys Sant Ioan, Llangollen. (Gw. *Llangollen Chronicle and North Wales Journal*, 4 Mehefin 1943.)

14. E-bost at yr awdur, 27 Medi 2011.
15. Cawn roi sylw i'r llythyr hwn a dau lythyr o eiddo nith Mrs Poteaux (Iris J Price, Cwmbrân) yn ddiweddarach yn y bennod hon.
16. Gwybodaeth mewn e-bost oddi wrth Hedd ap Emlyn at yr awdur, 23 Tachwedd 2011.
17. Gwybodaeth gan Peter Jones. Hefyd gan Peter Alexander, Rheolwr Guradur, Gwasanaeth Treftadaeth Sir Ddinbych. Gw. ei lythyr at Ceinwen Ellis, Llangollen, 21 Gorffennaf 2010.
18. Cyhoeddwyd llun o Gwili yn eistedd mewn cadair eisteddfodol (c. 1900-10) yn: Richard Bebb a Sioned Williams, *The Bardic Chair. Y Gadair Farddol*, 2009, t. 109.
19. Diolchaf i Peter Jones am fy nghyfeirio gyntaf at yr adroddiad hwn yn y *Llantwit Major Gem*.
20. Carwn ddiolch yn ddiffuant iawn i Sara Reid am ei chydweithrediad caredig yn ateb llu mawr o gwestiynau, ac am drefnu i dynnu llun o'r gadair a fu ym meddiant Gwili.
21. Gwybodaeth o ddyddiadur Hedd ap Emlyn.
22. Rwy'n ddiolchgar iawn i Hedd ap Emlyn am roi copi imi o lythyr Iris Poteaux a dau lythyr ei nith, Iris J Price.

Llyfryddiaeth

(Am gyfeiriadau pellach, gweler y nodiadau i'r penodau.)

A. Llyfrau ac erthyglau

[Ab Ithel], 'Gorsedd of the Bards of the Isle of Britain; the Royal Chair of Powys; and the Grand Eisteddfod Held at Llangollen, on Alban Elfed, 1858', *The Cambrian Journal*, yr 2ail gyfres, cyf. 1, 1858, tt. 262-313.

Amgueddfa Llangollen Museum, *Spirit of – Naws Llangollen & Llantysilio*; cyf. 1, 2003; cyf. 2, 2006; Landmark Collector's Library.

ap Emlyn, Hedd, *Traddodiad Eisteddfodol Clwyd*; Gwasanaeth Llyfrgelloedd ac Amgueddfeydd Clwyd, 1985.

" 'Ymgais Anfuddugol Bardd y Gadair Ddu am Nad Ydoedd yn Perthyn i'r Beirniad', *Y Casglwr*, rhif 34, Mawrth 1988, t. 13.

" 'Eisteddfod Wrecsam a'r Fro', *Y Clawdd*, rhif 146, Gorffennaf 2011, tt. 22-3.

" 'Bwystfil neu Berl? Rhyfeddodau Eisteddfod Fawr Llangollen', *Trafodion Cymdeithas Hanes Sir Ddinbych*, cyf. 60, 2012, tt. 69-94.

Bebb, Richard, a Sioned Williams, *The Bardic Chair. Y Gadair Farddol*; Saer Books, Cydweli, 2009.

Bowen, Geraint a Zonia, *Hanes Gorsedd y Beirdd*, Cyhoeddiadau Barddas, 1991.

Bromwich, Rachel, *Trioedd Ynys Prydein*, 3ydd arg.; Gwasg Prifysgol Cymru, Caerdydd, 2006.

Bywgraffiadur Cymreig hyd 1940, Y; Anrhydeddus Gymdeithas y Cymmrodorion, 1953.

Carr, Gwenllian, 'Trem yn Ôl ar yr Eisteddfod', *Yr Herald Cymraeg* (*Daily Post*), 23 Chwefror 2011, t. 22.

Cerddi Gwlad y Gân. Llyfr yn Cynwys Dros 200 o Ganeuon Cymraeg … gan Amryw Awdwyr Poblogaidd, Hen a Diweddar; H Humphreys, Caernarfon [d.d.].

'Eco o Trafalgar a Chadair Ddu Wrecsam', *Y Casglwr*, rhif 30, Nadolig, 1986.

Edwards, Hywel Teifi, *Yr Eisteddfod.* Cyfrol Ddathlu Wythganmlwyddiant yr Eisteddfod: 1176-1976; Llys yr Eisteddfod, 1976.

" *'Gŵyl Gwalia'. Yr Eisteddfod Genedlaethol yn Oes Aur Victoria, 1858-1868*; Gwasg Gomer, Llandysul, 1980.

" *The Eisteddfod.* Cyfres Writers of Wales; Gwasg Prifysgol Cymru, ar ran Cyngor Celfyddydau Cymru, Caerdydd, 1990.

Eifionydd, *Pigion Englynion fy Ngwlad, sef 1000 o Englynion wedi eu Dethol o Weithiau Awdwyr hen a diweddar*, ail arg. 1882 [yn cynnwys nifer o englynion Taliesin o Eifion].

Eisteddfod Frenhinol Genedlaethol Cymru. The Royal National Eisteddfod of Wales. Wrexham Sept. 2.3.4.5.6.7, 1912. The Official List of Subjects and Prizes.

Eisteddfod Genedlaethol Cymru: Rhaglenni blynyddol y Gwyliau Cyhoeddi. Llys yr Eisteddfod.

'Eisteddfod Wrecsam, 1876', *Rhaglen Eisteddfod Genedlaethol Wrecsam a'r Fro*, 30 Gorffennaf – 6 Awst 2012, t. 154.

Evans, Owen, 'Awdl y Gadair Ddu', *Cymru*, cyf. 21, 1901, t. 285.

Francis, John, 'Wrexham and its Eisteddfodau: Interesting Reminiscences', *The Official List of Subjects and Prizes. Eisteddfod Frenhinol Genedlaethol Cymru – The Royal National Eisteddfod of Wales, 2-7 September, 1912,* tt. 9-13.

Gwaenfab, *Casgliad o Chwe' Ugain a Deg o Gerddi Cymru, Hen a Diweddar*; Cyfres 3; H Evans, Y Bala [1917].

Gwyndaf, Robin, 'Gwenith Gwyn: Cynheilydd Traddodiad ei Dadau', *Trafodion Cymdeithas Hanes y Bedyddwyr*, 1980, tt. 32-58.

" 'Robert Pierce Roberts a Chân y Wasgod Goch', *Canu Gwerin*, rhif 9, 1986, tt. 30-46.

" 'Eisteddfod, Gŵyl ac Ymryson' (pennod 8), tt. 191-207; 'Cwarfod Bach Capel y Cefn' (pennod 9), tt. 208-25, *Y Ffynnon Arian: Cymdogaeth, Diwylliant a Chapel yn Llangwm, Uwchaled*, cyf. 1; Gwasg Dwyfor, Pen-y-groes, 1996.

" 'Bardd y Gadair Ddu Gyntaf', *Y Glec*, rhif 7, t. 15.

Hanes Cyflawn Eisteddfod Fawr Llangollen yn 1858; Gwasg Gee, 1908.

Hywel y Fwyall, Syr, 'Yr Hyn a Welais ac a Glywais yn Lerpwl', *Y Goleuad*, 18 Ionawr 1873.

Iolo Trefaldwyn, 'Taliesin o Eifion', *Y Darlunydd*: 'Cyhoeddiad Misol y Bobl', rhif 9, cyf. 2, Medi 1977, t. 1.

Jones, Bob Gruff, *Collen, Cyllell a Charn*; Cyfres Llyfrau Llafar Gwlad, 32; Gwasg Carreg Gwalch, Llanrwst, 1995.

Jones, Dewi Parry, a Robert Owen Jones, *100 Years in the Valley. Y*

Glyn a Fu. A Photographic Account of the Ceiriog Valley, cyf. 1, 1998; cyf. 2, 1999; Gwasg Ceiriog.

Jones, Ewart C, *Around Llangollen*; London, 1947.

Jones, J W (Andronicus), 'The Chair in Mourning', *Wales*, cyf. 1, 1894, tt. 126-8.

Jones, Tegwyn, *Tribannau Morgannwg*; Gwasg Gomer, Llandysul, 1976.

Kenward, James, *An Account of the Life and Writing of the Rev. John Williams, Ab Ithel*, 1871.

Llangollen ... Grand Eisteddfod [Rhestr Testunau Eisteddfod 1858]; *Y Cymmrodor*, 1913, tt. 179-80.

Llyfrbryf, *John Ceiriog Hughes, Ei Fywyd, Ei Athrylith, a'i Waith*; Isaac Foulkes, Lerpwl, 1887.

Llythyr dienw, parthed pwy oedd gwir enillydd y gadair yn Eisteddfod Genedlaethol Wrecsam, 1876, *Y Glec*, rhif 4, Tachwedd 2011, t. 13.

Meiriadog, 'Fy Nghylch-fywyd', *Y Geninen*, cyf. 14-16, 1896-8.

Milner, John, *Slates from Glynceiriog. The History of the Slate Industry of the Ceiriog Valley, 1529-1948*, cyf. 1, 2008; cyf. 2, gyda Beryl Williams, *Rails to Glynceiriog*, 2011.

Morys, Twm, 'Yr Hen Dal', *Y Glec*, rhif 1, Gorffennaf-Awst 2011, tt. 10-11.

Owen, Huw Selwyn, *Calon Gron a Thraed Cathod*; Cyfres Llyfrau Llafar Gwlad, 16; Gwasg Carreg Gwalch, Llanrwst, 1990.

Owen, Karen, 'Eisteddfod yn Nhref y Gadair Ddu Gyntaf', *Y Cymro*, 13 Mai 2011, t. 3.

Owen, William R, gol., *Transactions of the Royal National Eisteddfod of Wales*, Lerpwl, 1884.

Pritchard, Dr, Llangollen, E Evans, Dowlais, a H Jones, Llangollen, *Hanes Eglwys Fedyddiedig Iesu Grist yn Llangollen*; Llangollen, 1870.

Pryce, W T R, 'Eisteddfod Chairs – Made in Llangollen?' *Planet*, cyf. 199, 2010, tt. 119-22.

Reid, Sara, 'Bardic History of Y Gadair Ddu', *Llantwit Major Gem*, 6 Mawrth 2002.

Roberts, David ac Enid, 'Y Gadair Ddu Gyntaf. Taliesin o Eifion (1820-1876)', *Y Casglwr*, rhif 102, Haf 2011, tt. 14-15.

Roberts, Guto, *Eifionydd*. Cyfres Broydd Cymru, 5; Gwasg Carreg Gwalch, Llanrwst, 1998.

Roberts, J Iorwerth, 'Eisteddfod Fawr Llangollen, 1858', *Trafodion Cymdeithas Hanes Sir Ddinbych*, cyf. 8, 1959, tt. 133-56.

Roberts, R E, 'Thomas Jones ('Taliesin o Eifion')', *Llangollen Advertiser*, 4 Rhagfyr 1903.

" 'Taliesin o Eifion. Anerchiad Gerbron Cymdeithas Llên Llangollen', *Y Traethodydd*, cyf. 81, rhif 358, 1921, tt. 56-64.

Rosser, Siwan M, *Bardd Pengwern. Detholiad o Gerddi Jonathan Hughes, Llangollen (1721-1805)*; Barddas, 2007.

Rhuddenfab, *Cof a Chadw am Ŵyl Fawr [Llangollen] 1858. Y Prif Fuddugwyr: eu Llun a'u Gorchest*; Gwasg y Brython, Lerpwl, 1908.

Saer, D Roy, *Caneuon Llofft Stabal: Stable-loft Songs*, Cyfres Traddodiad Gwerin Cymru, 2 (disg a llyfryn); Sain, Llanllyfni, 1980.

Samuel, David, *Cerddi Cymru. Casgliad o Ganeuon Cymreig, Hen a Diweddar*; Cwmni y Cyhoeddwyr Cymreig, Caernarfon [d.d.].

Slater's Directory, 1858-9; Isaac Slater, Manceinion a Llundain.

Stephens, Meic, *Y Cydymaith i Lenyddiaeth Cymru*; Gwasg Prifysgol Cymru, Caerdydd, 1997.

Thomas, Arthur, gol., *Huw Sêl, Bardd a Saer*; Gwasg Carreg Gwalch, Llanrwst, 2008.

Thomas, Mair Elvet, *Afiaith yng Ngwent. Hanes Cymreigyddion y Fenni, 1833-1854*; Gwasg Prifysgol Cymru, Caerdydd, 1978.

Wil Ifan, gol., *Gweithiau Taliesin o Eifion (Bardd y Gadair Ddu)*; Hughes a'i Fab, Wrecsam, 1922.

Williams, Daniel, *Beirdd y Gofeb*; Pwyllgor Cyffredinol y Gofeb, Llangollen, 1951.

Williams, David, *Cofiant y Parch. R Ellis (Cynddelw)*, Caerfyrddin, 1935.

" 'Llangollen – Hen Fro Fyd-adnabyddus', *Trafodion Cymdeithas Hanes Sir Ddinbych*, cyf. 5, 1956, tt. 89-101.

Williams, Emyr, 'Eisteddfota. Eisteddfod Scene', *Daily Post*, 14 Awst, 4 Medi 1998.

Williams, G J, 'Eisteddfod Llangollen', *Trafodion Cymdeithas Hanes Sir Ddinbych*, cyf. 7, 1958, tt.139-61.

Williams, Taliesin, Ab Iolo, gol., *Iolo Manuscripts*, Lerpwl, 1888.

Williams, Vivian Parry, *Owen Gethin Jones, Ei Fywyd a'i Feiau*; Gwasg Carreg Gwalch, Llanrwst, 2000.

B. Cylchgronau a phapurau newyddion

Amserau, Yr

Baner ac Amserau Cymru

Baner Cymru

Cambrian, Journal, The

Cyfaill yr Aelwyd

Cymmrodor, Y

Cymru

Darian, Y [*Tarian y Gweithiwr* gynt]

Darlunydd, Y, 'Cylchgrawn Misol y Bobl'

Geninen, Y

Glec, Y

Goleuad, Y

Gwyliedydd, Y

Herald Cymraeg, Yr

Liverpool Mercury, The

Llangollen Advertiser, The [*Denbighshire and Merioneth North Wales Journal*], 1868-93

Llangollen Advertiser, The [*and North Wales Journal*], 1893-1920

Llangollen Chronicle, 1921-31

Llangollen Chronicle [*and North Wales Journal*], 1932-44

Llantwit Major Gem

North Wales Chronicle, The

Planet

Seren Cymru

Seren Gomer

Taliesin, 1859-61

Traethodydd, Y

Western Mail, The, 18-20 Ionawr 1912

Wrexham Advertiser, The

C. Llawysgrifau

1. Amgueddfa Werin Cymru (AWC)

Llsg/au AWC 2872, 3021, 3088: deunydd yn ymwneud â John Hughes, hynafiaethydd a melinydd, Dolhiryd, Llangollen.

Llsg/au AWC 2038/58/132: casgliad baledi Evan Jones, Ty'n-y-pant, Llanwrtyd.

Ffeiliau ymchwil yr awdur yn Archif Llên Gwerin AWC. Er enghraifft, ffeil 'Y Saer a'r Teiliwr'.

2. Llyfrgell Genedlaethol Cymru (LlGC)

Llsg/au LlGC 9615 D, 9616 E, 9617 C, 9618 D, 9619 E: cerddi, nodiadau ac un llyfr cyfrifon perthynol i Thomas Jones, Taliesin o Eifion.

3. Casgliad personol

Llythyrau perthynol i Eisteddfod Llangollen, 1858, ym meddiant Hedd ap Emlyn, Yr Wyddgrug.

CH. Tapiau, casetiau a ffilmiau

Tapiau AWC (Amgueddfa Werin Cymru) 4068-75: Robert Pierce Roberts, Llanddulas. Recordiwyd gan yr awdur, 14-15 Tachwedd 1973. Pwnc: caneuon llafar gwlad.

Tâp AWC 1071: Lewis T Evans, Y Gyffylliog [brodor o Uwchaled]. Recordiwyd gan yr awdur, 14 Gorffennaf 1965. Pwnc: cerdd 'Y Saer a'r Teiliwr'.

Tâp AWC 1075: Jacob Jones, Trawsfynydd [brodor o Uwchaled]. Recordiwyd gan yr awdur, 12 Gorffennaf 1965. Pwnc: cerdd 'Y Saer a'r Teiliwr'.

'Y Wasgod Goch: Caneuon Llafar Gwlad Robert Pierce Roberts, Llanddulas'. Cyflwynydd: Robin Gwyndaf. Cyfres Casetiau Amgueddfa Werin Cymru, rhif 11, Gorffennaf 1995.

Ffilm BBC Cymru 4.21: 'Y Gadair Ddu yng Nghapel Glanrafon [Llangollen]'. Darlledwyd ar 'Heddiw', BBC Cymru, 29 Gorffennaf 1977. Siaradwr: Huw Williams; holwr: Richard Morris Jones.

Mynegai

1. Personau

Pan fo gan berson enw barddol, yr enw hwnnw a ddefnyddir, yn amlach na pheidio, yn neunydd crai y gyfrol hon. Yn y mynegai yn ôl personau, felly, yr enw barddol a ddynodir gyntaf, gan ychwanegu'r enw priod o fewn cromfachau pan fo'r enw hwnnw yn gyffredinol wybyddus.

2. Lleoedd

3. Cyffredinol

4. Cerddi Taliesin o Eifion

5. Cerddi, caneuon ac alawon (amryw)

Noddwyr

Gyda diolch o galon am eu cefnogaeth

Amgueddfa Llangollen

Allan Baines, Cae Du, Corwen

Teleri Bevan, Caerdydd

Yr Athro Delme Bowen, Glanyfferi, Sir Gaerfyrddin

Duncan Brown, Waunfawr, Caernarfon

Eluned a Keith Bush, Caerdydd

Dr Gwyneth E Carey, Bontuchel, Rhuthun

Llinos a Cynog Dafis, Llandre, Ceredigion

Yr Athro Ceri Davies, Abertawe

Eleri ac Arwyn Davies, Llanfair Clydogau, Ceredigion

Emrys Davies, Rhuthun

H Gethin Davies, Llangollen

Hilary a John Norman Davies, Llangefni

Gwilym Lloyd Edwards, Llanuwchllyn

Huw Edwards, Llundain, ac er cof annwyl am Hywel Teifi Edwards (1934-2010)

Nesta Parry Edwards, Llanfarian, Ceredigion

Aled L Ellis, Minffordd, Penrhyndeudraeth

Valerie a Tecwyn Ellis, Bangor

Glesni Euros, Brynaman

Aled Lewis Evans, Wrecsam

Y Prifardd Ddr Donald Evans, Talgarreg, Ceredigion

Y Parchg Ddr R Alun Evans, Caerdydd

Clarice a David Glynne-Jones, Llandysilio, Llangollen

Gwen a Lewis Griffith, Waunfawr, Aberystwyth

Lallie ac R Elwyn Griffith, Caernarfon

Gwyn Griffiths, Pontypridd

R J H Griffiths, 'Machraeth', Bodffordd, Môn

Y Barchg Eirlys a Ken Lloyd Gruffydd, Yr Wyddgrug

Elizabeth Hughes, Llanbedr Dyffryn Clwyd

Elizabeth Hughes, Tregaron, ac er cof annwyl am ei brawd, John Hughes Williams (1921-1983)

Gareth P Hughes, Rhosllannerchrugog, ar ran Brian Roberts, Cerrigydrudion, ac er cof annwyl am ei rieni, Anetta a'r Parchg J T Roberts

Susanne Huws a Dafydd Islwyn, Bargoed, Cwm Rhymni

Dafydd Idris, Y Cwmin, Pontypridd

Bethan a Dafydd Iwan, Cae Athro, Caernarfon

Dr Christine James a Dr E Wyn James, Caerdydd

Hawys Glyn James, Glynrhedynog, Rhondda, ac er cof annwyl am Glyn James (1922 - 2010)

Gwyneth a Hywel Jeffreys, Caerdydd

Y Fonesig Ann a Syr Roger Jones, Y Fatel, Aberhonddu

Cyril Jones, Mynytho

Dr Dafydd Alun Jones, Talwrn, Môn

Ela Jones, Cerrigellgwm Isa, Ysbyty Ifan (Meistres y Gwisgoedd, Gorsedd y Beirdd. Mair Taliesin, merch Taliesin o Eifion, oedd 'Arolygydd y Gwisgoedd' gyntaf yr Orsedd)

Ellen Gellrina Jones, Cricieth

Eluned a Dafydd Jones a'r teulu, Llandeilo

Elwyn Ashford Jones, Pwll-glas, Rhuthun

Gwen Jones, Y Rhyl, ac er cof annwyl am Medwyn Jones (1920-1998), gynt o Gellïoedd, Llangwm, Uwchaled

John Glyn Jones, Dinbych

Laura Hughes Jones, Pen-sarn, Môn, ac er cof annwyl am Rowland Wyn Jones (1934-1999)

Magdalen a Dewi Jones, Benllech

Myra a Bryner Jones, Porthaethwy

Sheila a Dr John Elfed Jones, Coety, Pen-y-bont ar Ogwr

Helga Martin, Ysbyty Ifan

Yr Athro D Densil Morgan, Llanbedr Pont Steffan

Beryl Morris, Llanefydd, ac er cof annwyl am Gwilym Morris (1942-2007)

Eurwen a Dafydd Morris, Bethesda

Dr Jan Morris, Llanystumdwy

Gwyn Neale, Nefyn (fy athro Saesneg hoff ac ardderchog iawn yn y chweched dosbarth yn Ysgol Ramadeg Llanrwst)

Elsie Nicholas a Delyth Mai Nicholas, Yr Hendy, Pontarddulais

Ann Owen, Cyffordd Llandudno

Ann ac Aneurin Owen, Cynwyd

Dr Lilian Parry-Jones, Aberaeron, ac er cof annwyl am ei rhieni, Arthur a Sallie Evans, gynt o Rydcymerau

Bethan a John Phillips, Llanbedr Pont Steffan

Eluned Mai Porter, Llangadfan, Maldwyn

Ei Anrhydedd Dewi Watkin Powell, Cricieth

Stephen Powell, Croesoswallt

Ruth Price, Caerdydd, ac er cof annwyl am Geraint Gwynn Walters (1910-2003)

Dr Telfryn Pritchard, Evesham (cyfaill a chyd-ddisgybl yn Ysgol Ramadeg Llanrwst)

Sue ac Alun Reynolds, Caerdydd

Y Parchg Emlyn Richards, Cemaes, Môn

Y Prifardd Penri Roberts, Llanidloes (Cofiadur Gorsedd y Beirdd)

Beti Rowlands a John Rowlands, Y Ffôr, Pwllheli, ac er cof annwyl am eu rhieni, Catherine a Thomas Rowlands, Mur Cyplau, Pencaenewydd. (Roedd Thomas Rowlands yn ganwr gwerin rhagorol ac yn gyfarwydd iawn â dwy o gerddi llafar gwlad Taliesin o Eifion.)

Rhys ap Rhisiart a Theulu Derwin Bach yn Eifionydd

Nansi Selwood, Penderyn

Ifor Siôn, Gwesty Owain Glyndŵr, Corwen

Yr Athro Elan Closs Stephens, Aberystwyth, ac er cof annwyl am Roy Stephens (1945-1989)

Beryl a Dr D Hugh Thomas, Ewenni, Bro Morgannwg

Joan M Thomas, Llangynnwr, Caerfyrddin

Mary a Graham Thomas, Caerdydd

Rheinallt Thomas, Yr Wyddgrug

Teulu Hafod y Gân, Pwll-glas, Rhuthun, ac er cof annwyl am eu rhieni, Ceri a John Owen

Buddug Haf Williams, Brynaman, ac er cof annwyl am ei rhieni, Jennie a'r Parchg W Môn Williams

D Emrys Williams, Aberystwyth

Einir Wynn Williams, Llandegfan, Môn, ac er cof annwyl am T Arfon Williams (1935-1998)

Eryl G Williams, Llanfrothen

Meiriona Williams, Llanrwst

Y Parchg Tom Wright, Wrecsam

Gari Wyn, Ceir Cymru, Bethel, Caernarfon

Y Prifardd Ieuan Wyn, Bethesda